Proeve van ...

A. TREFFERS | E. DE MOOR

# Proeve van een nationaal programma voor het reken-wiskundeonderwijs op de basisschool

DEEL 2 | BASISVAARDIGHEDEN EN CIJFEREN

ZWIJSEN

Deze publikatie is evenals Proeve deel I verschenen onder auspiciën van de Nederlandse Vereniging tot Ontwikkeling van het Reken-Wiskunde Onderwijs (NVORWO).

*Vormgeving* Ton Ellemers bNO
*Tekeningen* Piet Hermans
*Foto pagina 105* ANP-Foto
*Overige foto's* Piet Hermans

9 10 11 12 / 04 03 02 01 00

ISBN 90.276.1399.0
NUGI 724

© 1990 A. Treffers, E. de Moor
Uitgeverij Zwijsen b.v. Tilburg

Voor België:
Uitgeverij Infoboek n.v. Meerhout
D/1990/1919/88

# Inhoudsopgave

## Deel III: Algemene doelstellingen op de korrel 257

Inleiding 257

# Voorwoord

Dit deel van de 'Proeve ...' handelt over de grondslag van het reken-wiskundeonderwijs. Het gaat over basisvaardigheden en cijferen. Daartoe behoren onder meer hoofdrekenen, schattend rekenen plus de elementaire toepassingen ervan. Het passend gebruik van de rekenmachine is daarbij inbegrepen.

Al deze onderwerpen staan thans in het brandpunt van de belangstelling in de basisschool, de opleiding en de nascholing. Dit blijkt uit de methoden voor de basisschool, de opleidingsprogramma's en de nascholing in het kader van de zorgverbreding 'speerpunt rekenen-wiskunde'.

Het 'Advies over de voorlopige eindtermen basisonderwijs. Rekenen en Wiskunde' bevat dertien doelstellingen over het onderhavige onderwerp, één derde deel van het totale aantal. Deze dertien eindtermen vormen de hoofdstukken van dit boek en bepalen de inhoud van de beschrijvingen. Alleen zijn sommige samengestelde eindtermen in enkelvoudige delen gesplitst die apart besproken worden.

Niet alleen de concrete leerdoelen van basisvaardigheden en van cijferen worden uitgebreid toegelicht, ook de algemene doelen die deze serie concrete leerdoelen omkleden krijgen ruime aandacht. Zo is dus een driedeling in dit boek ontstaan.

Het totaal biedt naar onze mening een behoorlijk zicht op de basis van het reken-wiskundeonderwijs, in het bijzonder op de didactische mogelijkheden en moeilijkheden. In de beschrijving wordt aandacht besteed aan praktische overwegingen, theoretische reflecties en onderzoeksgegevens. Wat dit laatste betreft hebben we onder meer geput uit de gegevens van het recente PPON-onderzoek van het Cito.

Bij het tot stand komen van de uiteindelijke versie van Proeve II is gebruik gemaakt van suggesties en reacties op de voorpublikaties van enkele hoofdstukken in het 'Tijdschrift voor nascholing en onderzoek van het reken-wiskundeonderwijs' in de periode 1987-'89. We noemen in dit verband met dank: M. Beishuizen, K. Blakenburg, J. van den Brink, A. Dekker, M. Dolk, A. van Dongen, J. van Erp, E. Feijs, H. Freudenthal, F. van Galen, K. Gravemeijer, J.K.A. Groenewegen, E. Harskamp, H. ter Heege, M. van der Heijden, M. van den Heuvel-Panhuizen, N.J. Koopman, Y. Koot, J.E.H. van Luit, R.S.C. van der Meer, F. van Mulken, C.F. van Parreren, J. Snippe, P. Scholten, S. Steinvoorte, L. Streefland, W. Struik, H. van der Velde, W. Vermeulen en L. Verschaffel.

Voorts noemen we nog de leden van het ontwikkelteam 'Speerpunt Rekenen' die via inhoudelijke discussies op directe of indirecte wijze aan de uiteindelijke inhoud van de eerste hoofdstukken van dit boek hebben bijgedragen: J. Bokhove, W. van den Berg, F. Brandt, K. Buijs, K. Doesburg, D. van Eerde, S. Huitema, J. Rengerink, C. Potze, F. Sonsma, L. Streefland, R. Vrolijk en A. Vuurmans.

Tenslotte danken we Betty Dekker voor de verwerking van de tekst van dit boek, Hannie Treffers voor het kritisch doorlezen van het manuscript en Robert Francissen van uitgeverij Zwijsen voor de prettige samenwerking.

Deze parade van namen vormt uiteraard geen enkele garantie voor het nationale karakter van deze 'Proeve'. Wel weerspiegelt zij de intentie van velen om mee te denken en mee te werken aan een nationaal programma op basis van de recent geformuleerde eindtermen. Meer pretendeert de 'Proeve' ook niet..., maar ook niet minder.

In de komende jaren zullen ook de overige doelstellingen van het reken-wiskundeonderwijs worden besproken. Proeve III zal handelen over verhoudingen en breuken, Proeve IV over meten en meetkunde.

A. Treffers                                          Utrecht, oktober 1989.
E. de Moor

8

# Deel I
# Basisvaardigheden

## Inleiding

Tot de basisvaardigheden van het rekenen worden gerekend: tellen, tafels, vaardig hoofdrekenen en schattend rekenen plus elementaire toepassingen ervan. Over deze bekwaamheden is in de loop der tijden tamelijk verschillend gedacht. Zo werd tot omstreeks 1960 betrekkelijk veel zorg besteed aan het inslijpen van de tafels. De aandacht voor het hoofdrekenen wisselde weliswaar per methode maar was toch in het algemeen niet gering. Het schattend rekenen daarentegen kreeg bij benadering niet de aandacht die het verdiende en het toepassen evenmin.[1]

──────── FIGUUR I: REKENDICTEE

B. Mondeling of rekendictee (no. 11-13)

11.  $70 : 10 =$    $100 \times 7 =$    $6 \times 100 =$
     $650 : 10 =$    $100 \times 13 =$    $12 \times 100 =$
     $430 : 10 =$    $100 \times 25 =$    $39 \times 100 =$
     $1300 : 10 =$    $100 \times 140 =$    $114 \times 100 =$
     $2890 : 10 =$    $100 \times 156 =$    $200 \times 100 =$

12. $57 = . \times 8 + 1$    $35 = . \times 6 + .$    $.. = 7 \times 9$
    $68 = 7 \times 9 + .$    $43 = . \times 7 + .$    $.. = 8 \times 6$
    $54 = . \times 8 + 6$    $71 = . \times 8 + .$    $.. = 9 \times 9$
    $46 = 6 \times 7 + .$    $73 = . \times 9 + .$    $.. = 3 \times 11$
    $62 = . \times 9 + 8$    $85 = . \times 10 + .$    $.. = 5 \times 17$

Na 1960 kwam het rekenen steeds meer in de greep van het individuele, schriftelijke werken. Dit voerde soms sterk naar solitaire sommenmakerij. Zowel het uit het hoofd leren van de tafels als het hoofdrekenen kreeg daaronder te lijden, om over het schatten en toepassen maar te zwijgen. Klassikaal uitgevoerde klaagzangen werden bij de tafels steeds minder gehoord. Allengs verdween ook het rekendictee waarin de onderwijsgevende opgaven voorleest en de leerling antwoorden noteert (zie figuur 1).[2] Met de schuchtere invoering van de rekenmachine aan het einde van de jaren zeventig werden zelfs de poten onder de rekentafels weggezaagd - zo althans meenden sommige onderwijsdeskundigen.

─────── FIGUUR 2: Hoe we er in Nederland niet over denken

# Britten schaffen tafels en staartdelingen in onderwijs af

**Door onze correspondent**

LONDEN, 25 april — De Britse minister van onderwijs stuurt volgend schooljaar 350 'wiskundezendelingen' op pad die leerlingen en leerkrachten ervan moeten overtuigen dat tafels van vermenigvuldiging, staartdelingen en logaritmen begrippen uit het verleden zijn. De kinderen moeten leren werken met rekenmachientjes en computers.

Deze principiële keuze wordt gedaan door de inspectie van het Britse onderwijs in een rapport over het reken- en wiskundeonderwijs voor 5- tot 16-jarigen. Minister Keith Joseph heeft de plannen toegejuicht als 'opwindend'. Hij heeft geld beschikbaar gesteld voor de verspreiders van het geloof. Niettegenstaande het feit dat ook vandaag weer vele duizenden schoolkinderen thuisblijven omdat hun onderwijzers staken voor het inlopen van de salaris-achterstand die zij hebben opgelopen.

Volgens het rapport van de inspectie hoeven kinderen alleen heel eenvoudige sommetjes zelf te kunnen maken. Logaritmen zijn toch al verouderd, maar ook staartdelingen blijven voor veel kinderen moeilijk en zonder enig verband met de werkelijkheid, en kunnen daarom beter worden afgeschaft.

De nadruk zal komen te liggen op het aanleren van praktische vaardigheden waar de kinderen later nog wat aan hebben, dit in tegenstelling tot wiskunde als academisch gerichte bezigheid.

Het schuiven met abstracte cijfers moet zoveel mogelijk worden vervangen door de analyse en communicatie van ideeën, aldus de inspectie. Het gebruik van microcomputers is in dat opzicht een fascinerende mogelijkheid. Daar moet dan ook nog meer nadruk op worden gelegd. Programmeren moet volgens de inspectie onderdeel van het gewone wiskundeonderwijs worden.

Waarom zouden de leerlingen al die rekenfeiten nog in het hoofd moeten stampen als zo'n rekenhulpje eenvoudig allerlei gecompliceerde berekeningen voor hen kan uitvoeren? 'Het schuiven met de abstracte cijfers moet zoveel mogelijk worden vervangen door de analyse en communicatie van ideeën ...', zo heet het in het knipsel van figuur 2.[3] Buiten Brittannië denkt men daar in het algemeen toch wat anders over. Indien namelijk het 'domme' elementaire rekenwerk achterwege blijft, zullen niet alleen het hoofdrekenen en het schattend rekenen in het gedrang komen, maar ook het inzicht in de rekenoperaties en de toepassingen ervan, aldus luidt de opinie van de meeste vakdeskundigen.

In het volgende zullen de einddoelstellingen over de betreffende rekenvaardigheden en de toepassingen ervan geformuleerd en toegelicht worden.

Noten bij de inleiding

1.  Zie voor meer informatie:
    Goffree, F.: *Wiskunde & didactiek (1)*, Wolters Noordhoff, Groningen 1982.
    Radatz, H. en W. Schipper: *Handbuch für den Mathematikunterricht an Grundschulen*, Schroedel, Hannover 1983.
    Leen, A.: *De ontwikkeling van het rekenonderwijs op de lagere school in de 19e en het begin van de 20ste eeuw*, Wolters, Groningen 1961.
2.  Diels, A.P.A., J. Nauta en E.H. Zandvoort: *Fundamenteel Rekenen*, deel 6, Wolters, Groningen 1951, pag. 33.
3.  Knipsel uit NRC-Handelsblad van 25 april 1985.

# 1 Tellen

## Doelstelling 1

Leerlingen kunnen gevarieerd tellen en terugtellen met eenheden, vijftallen en machten van tien.

Op tellen kun je rekenen. Want tellen ondersteunt de ontwikkeling van het getalbegrip. Tevens vormt het de basis voor het vaardig rekenen. Toch is er in de rekendidactiek ook altijd een belangrijke stroming tegen het tellen geweest.[1] Ze bestaat uit 'zieners'. Dat zijn voorstanders van het werken met getalbeelden en bijpassend structuurmateriaal (stippenvelden en staafjes). Rekenen leer je, zo bezien, vooral door de ogen wijd open te houden en de handen stijf dicht. Het is opereren via structureren, zonder tellen. De invloed van de structureerders beperkte zich voornamelijk tot het aanvangsonderwijs van klas één en twee (groep drie en vier) waar werkelijk wat te structureren valt, en strekte zich niet uit tot het kleuteronderwijs waar het tellen tot voor kort dan ook welig tierde. Tot voor kort, omdat onder invloed van Piagets werk het tellen in het kleuteronderwijs de laatste decennia geleidelijk aan een steeds minder prominente plaats kreeg toebedeeld en derhalve nu ook betrekkelijk karig in groep één en twee van de basisschool wordt beoefend, al valt er in de allernieuwste programma's toch weer een duidelijke kentering te bespeuren.

In het volgende zal de progressie in de verwerving van het getalbegrip worden geschetst aan de hand van achtereenvolgens:
- het akoestische tellen mede in verbinding met de toepassingen ervan;
- het resultatieve tellen mede in verbinding met de toepassingen ervan bij verschillende getalaspecten en in probleemstellingen over onder meer het bepalen en vergelijken van hoeveelheden en maten;
- het verkorte en flexibele tellen mede in verbinding met het toepassen ervan bij het oplossen van elementaire vraagstukjes over optellen, aftrekken, eerlijk delen en zo meer;
- en het structurerende tellen, mede in verbinding tot de struc-

tuur van het positiesysteem en het tellen van grote hoeveelheden en het opereren ermee. Tenslotte worden de onderwijsprincipes en activiteiten over deze telvormen beschreven.

### • Akoestisch tellen

Tellen en tellen is twee. Ten eerste hoeft tellen niet anders dan het opzeggen van een rijmpje te zijn, een woordenrij die in een liedje past of die het ritmisch bewegen ondersteunt of als aanloop voor het uitvoeren van een handeling dient. Deze wijze van tellen gebeurt bijvoorbeeld bij verstoppertje spelen en traplopen. Het kan ook via het ritmische en synchrone karakter ervan geleidelijk aan met het tellen van aantallen worden verbonden. En dat is dan de tweede kant van het tellen, namelijk die van het zogenoemde resultatieve tellen.

Aanvankelijk is er een aanzienlijk verschil tussen de lengte van de verbale telrij en het aantal objecten dat kinderen correct kunnen tellen. Vier- à vijfjarigen bijvoorbeeld zijn vaak al in staat tot ver boven de dertig te tellen. Maar het correct aftellen van dertig objecten lukt hen dan nog lang niet altijd.[2] Hoe zou het jonge kind, als het al synchroon zou kunnen tellen, trouwens op voorhand kunnen weten dat bij 'zeven' (het eerste woord uit de telrij met twee lettergrepen!) niet twee maar één synchrone beweging uitgevoerd moet worden?

> 'Marije (6;7) roept: 'Nee!', ten teken dat ik moet stoppen. Ze weet niet meer hoeveel potloden geteld zijn. 'In ieder geval geen dertig potloden', zegt ze.
> We tellen de potloden opnieuw. Bij de klank 'een-en-twintig' wijst ze ritmisch op de lettergrepen niet één maar drie potloden aan.'[3]

Tot 'vijftien' zit er geen systeem in de telrij-woorden. Het uit het hoofd leren is tot zover louter een kwestie van inprenten via voortdurend en vaak speels, onopzettelijk oefenen. Niet zelden worden getallen aanvankelijk weggelaten of deelreeksen door elkaar gehaald:

'Carol gebruikt altijd haar eigen versie (1, 2, 3, 4, 5, 6, 8, 9, 10, 18) om tien objecten te tellen.'[4]

Na 'vijftien' komt er echter structuur in de getallenreeks. Dat kinderen de systematiek daarvan al gauw doorzien blijkt uit de fouten die ze vaak maken. Twintig wordt bijvoorbeeld als tien-tien en dertig als tien-en-twintig aangeduid. Of nog een ander voorbeeld:

'Rebecca: 20, 21, 22, 23, 24, 25, 26, 27, 28.
Moeder:  Jij telt wat af zeg.
Rebecca: 15, 16, 17. Wat komt er na 21?
Moeder:  22.
Rebecca: 22, 23, 24, 25, 26, 27, 28, 29, (?).
Moeder:  30.
Rebecca: 40, 50, 60, 70, 80, 90, tien-tig.'[5]

De getallenrij tot honderd leren de meeste kinderen door de getallen tot tien met tientallen te weven. Vele zesjarigen kunnen correct tot honderd tellen. Daarna wordt het voortzetten van de telrij door de beschikbaarheid van getalsymbolen en een geleidelijk toenemend inzicht in het positiesysteem verder ondersteund. Dit wat betreft de toepassingen binnen de telrij zelf. Er kunnen zich echter ook bij grote getallen in casu jaartallen problemen voordoen:

'Op een donkere winteravond komt bij het opruimen van een la de sigarendoos met oude munten op tafel. Ik zit ze samen met mijn dochter (8 jaar, 3e klas) te bekijken.
Ik:      Kijk, hier een Nederlandse cent uit negentienhonderd.
Annika   (nog voor ze de cent in handen heeft, verwonderd):
         Hé, dat kan toch niet.
Ik:      ?? Hoezo, centen bestonden er toen ook al.
Annika:  Maar het is toch nog geen negentienhonderd geweest!
Ik:      ????
Annika:  Het is nou toch pas negentiendrieëntachtig?
Ik:      Ja, en dan is negentienhonderd toch al lang voorbij?
Annika:  Hé ... na negentientáchtig komt toch negentiennégentig en dan negentienhónderd?'[6]

Kinderen van vijf à zes jaar kunnen soms de vraag 'Wat komt direct na ...' beantwoorden zonder de hele telrij te hoeven aflopen.

'Wat komt direct voor ...' is wat lastiger.

'De vraag 'Wat komt na acht?' werd begrepen en goed
beantwoord. Maar de vraag 'Wat komt voor acht?' leverde
slechts een niet-begrijpende blik op.

Toen nog eens duidelijk werd gemaakt wat de bedoeling was
kwam de volgende verrassende wending: 'Oh, je bedoelt wat
*kwam* voor acht; zeven natuurlijk.'[7]

De verbale telrij wordt concreet, aflopend in de tijd, opgevat: iets
*komt* erna en *kwam* ervoor - de telrij is verbonden met het opzeggen en nog nauwelijks verzelfstandigd.
Terugtellen vanaf tien lukt de meeste leerlingen uit groep drie al
wel, vanaf twintig blijkt dat aanzienlijk lastiger.[8] Het heeft overigens weinig zin om in groep één of twee al sterk op flexibel tellen
in casu doortellen en terugtellen aan te dringen. Dit flexibele, verkorte tellen loont namelijk pas als het akoestische tellen ten behoeve van het resultatieve tellen kan worden ingezet, waarover straks
meer.

• RESULTATIEF TELLEN

Tellen kan aan verschillende aspecten van (natuurlijke) getallen
worden gekoppeld:
1.    aantal, bijvoorbeeld vijf appels;
2.    telgetal, bijvoorbeeld de vijfde of nummer vijf in een af-
      telrij;
3.    meetgetal, bijvoorbeeld vijf meter, vijf jaar;
4.    rekengetal, bijvoorbeeld 2 + 3 = 3 + 2;
5.    naamgetal, bijvoorbeeld lijn vijf.

De eerste vier zijn in het aanvangsonderwijs nauw met tellen verbonden: aantallen bepaal je door tellen, de zoveelste wijs je aan
door aftellen, maateenheden pas je af of schep je uit teneinde de
maat te bepalen, en rekenopgaven over optellen en aftrekken worden aanvankelijk voornamelijk via tellen opgelost. Het vijfde aspect, het naamgetal, heeft slechts indirect met tellen te maken -
denk bijvoorbeeld aan huis- of telefoonnummers. Toch is het juist

het naamgetal dat kinderen vaak aan tellen koppelen en dat aanvankelijk nogal voor wat verwarring zorgt.

> 'Hoeveel boterhammen liggen er?
> Moira: één, twee, drie.
> Eet er één op. Hoeveel liggen er nu nog?
> Moira: drie.
> Maar je hebt er één opgegeten.
> Moira: ja, maar twee en drie zijn nog over.'[9]
> 'Wilma doet stenen in haar emmertje.
> Wilma: één, twee, drie.
> Geef mij twee.
> Wilma: ik weet niet meer welke twee is.'[10]

Maar ook de andere aspecten kunnen een bron van verwarring zijn, bijvoorbeeld aantal, telgetal en meetgetal:

> 'Op zekere dag maakt Catherine een wandeling met twee vriendinnetjes. Na verloop van tijd zegt ze: 'Wacht even, ik ga ons tellen.' Dan wijst ze één van haar speelmakkers aan en zegt: 'één'. Wijzend naar de tweede 'twee' en met haar vingers naar zichzelf toe 'drie'. Een stilte, daarna: 'Dat is fout, ik ben vier. Nog een keer proberen: één, twee, drie. Maar ik ben toch vier. Probeer jij het eens.'[11]

> 'In de gymzaal wordt een soort ganzenbord gespeeld. Diana is afgeteld als nummer drie. Als ze aan de beurt is gooit ze vier. Ze zegt: 'Hoe kan dat, want ik ben drie' (ze bedoelt nummer drie). 'Nee', zegt haar vriendinnetje, 'je bent geen drie maar vijf' (ze bedoelt vijf jaar).'[12]

Hoe het zij, we zullen in het volgende de verschillende aspecten van het getal goed uit elkaar moeten houden.

In het eerste onderdeel zal het tellen van hoeveelheden en grootheden nader worden geanalyseerd; we doen dit aan de hand van een voorbeeld. Daarna brengen we het resultatieve tellen in verband met getalbegrip.

## Analyse van resultatief tellen

Voor we het resultatieve tellen wat nader gaan ontleden, eerst een voorbeeld hoe dat tellen zich op een subtiele wijze kan ontwikkelen, of beter, op welke wijze tellen als technische vaardigheid wordt ingezet om problemen efficiënt op te lossen.

'Jean-Pierre is vijf. Hij kan al tot dertig tellen. Iedere dag legt hij thuis servetten bij de (vier) borden. Hij haalt ze echter steeds per stuk uit de la. Maar na enkele maanden (hij is dan 5,3) telt hij ineens vier servetten tegelijk af voordat hij ze uitdeelt. Na dit zo een week gedaan te hebben, krijgen ze een gast. Jean-Pierre pakt nu weer de gebruikelijke vier servetten, maar merkt dan dat één bord geen servet heeft. Wat nu te doen? Jean-Pierre haalt alle servetten weer op en begint opnieuw met uitdelen. Hij doet dit echter weer op z'n oude vertrouwde wijze, namelijk één-voor-één, dus vijf keer heen-en-weer lopend. De volgende dag vertrekt de gast. Maar Jean-Pierre blijft de daarop volgende dagen nog steeds servet voor servet pakken. Dan ontdekt hij de telmanier met vier. Tien dagen gaan voorbij en dan komt er weer iemand op bezoek. Wat doet Jean-Pierre nu? Hij telt eerst de gebruikelijke vier servetten af, legt ze bij de borden en haalt daarna nog een servet voor de gast. De dag daarna zijn ze weer met z'n vieren. Jean-Pierre telt nu eerst de borden (één, twee, drie, vier) en haalt pas dan de servetten. Vanaf die dag levert de komst van een nieuwe gast voor Jean-Pierre geen problemen meer op.'[13]

Jean-Pierre kan tellen, niets nieuws, maar kan deze vaardigheid nu ook toepassen om aantallen te bepalen, en dat is wel nieuw. Men zegt in zo'n geval dat hij door resultatief te tellen toont elementair getalbegrip te hebben verworven. Dat klinkt echter wel wat absoluut. Het begrip getal omvat immers meer dan alleen de notie van aantal. Ook het kunnen vergelijken van hoeveelheden (gelijk, meer, minder) op basis van één-aan-één koppelen en tellen behoort ertoe, of algemener, het kunnen rekenen via getalrelaties in allerlei toepassingssituaties.

Maar nu eerst iets over het resultatieve tellen van hoeveelheden, die niet in één oogopslag zijn te vatten (meer dan vier à vijf objecten). Aan welke eisen voldoet het resultatieve tellen zoals bijvoorbeeld Jean-Pierre dat praktiseert?

1. De telrij wordt in een vaste standaard-volgorde van één-twee-drie doorlopen. Zoals gezegd, ligt hier aanvankelijk een bron van fouten: de volgorde is niet vast of niet-standaard of beide *(principe van de vaste volgorde)*.

2.  Bij het resultatieve tellen wordt een één-één-relatie tussen de te tellen objecten en de elementen van de telrij gelegd. Veel voorkomende fouten zijn dat objecten niet of dubbel worden geteld, dat de sprongen van het ene naar het andere object worden geteld en dat het tellen niet synchroon loopt met het aanraken, aanwijzen of bezien van de objecten *(één-éénprincipe)*.

3.  Bij ongelijksoortige objecten worden alleen de tel-dingen geteld zonder acht te slaan op alle mogelijke verschillen ertussen (vorm, grootte, kleur). Soms ook tellen twee of meer objecten voor een eenheid (paren, trio's). Kortom, bij het tellen wordt van allerlei irrelevante verschillen afgezien. Ook deze eis leidt tot fouten, met name indien met gevarieerde teleenheden moet worden geteld *(abstractie-principe)*.

4.  Bij het tellen van een hoeveelheid objecten geeft steeds het laatstgenoemde getal uit de desbetreffende telrij het aantal van de tot dan toe getelde objecten aan, en hetzelfde geldt voor het meten via het afpassen van maateenheden. Dat laatste getal is echter ook een rangnummer in de telrij. Deze tweeledige betekenis is uiteraard een bron van misverstand. Vaak geven kinderen op de hoeveelvraag aanvankelijk antwoord door steeds weer de hele telrij op te zeggen *(het kardinaal-principe* wordt dus nog niet gebruikt).

Speciaal het één-één-principe zorgt van meet af aan voor verwarring. Daar zijn twee gronden voor:

1.  De aard van de getallen.
2.  De aard van de rekenoperaties.

Ten eerste kan tellen verbonden zijn met aantallen en met meetgetallen, en deze twee getalsoorten kunnen nogal interfereren. Een startprobleem doet zich op de getallenlijn voor als niet duidelijk is of het om intervallen of punten i.c. meetgetallen of aantallen gaat. De aard van de getallen zorgt dus voor specifieke telproblemen.

Ten tweede kunnen zich ook bij het optellen en aftrekken dergelijke start- en finishproblemen voordoen. Bij vijf plus drie tel je vanaf vijf verder…, zes, zeven, acht en het laatste getal, acht, is de uitkomst. Maar bij acht min drie start je bij acht en telt… acht, zeven, zes en dan is het laatste getal niet de uitkomst.

Ziehier twee redenen waarom kinderen die tellend rekenen vaak net naast de goede uitkomst terecht komen. Twee bronnen ook die voor het ontstaan van vroege faalangst in het rekenonderwijs zorgen. En twee argumenten om aanvankelijk zulke fouten lankmoedig te beoordelen als bijna-goed, en ervoor te zorgen dat de concrete ondergrond van de telhandelingen en de rekenoperaties nog wat verder wordt verstevigd. Maar laten we niet te ver vooruitlopen en terugkeren naar de noties over getallen waarop het rekenen moet berusten.

*Tellen en getalbegrip*
Resultatief tellen is weliswaar een noodzakelijke voorwaarde voor getalbegrip maar ze is toch niet voldoende. De eerdergenoemde voorbeelden illustreren dit: Jean-Pierre kan wel resultatief tellen maar gebruikt deze vaardigheid aanvankelijk niet; Catherine kan ook tellen, zet het ook in, maar voor een verkeerde toepassing; Diana idem dito; en de niet-conserveerders kunnen de telresultaten niet benutten om aantallen te vergelijken indien daarbij visuele afleiders worden betrokken (zie noot 1).
Het gaat bij elementair getalbegrip dus niet louter om het kunnen vaststellen van aantallen en groותheden of het kunnen bepalen van de zoveelste of nummer zoveel. Ook het kunnen doorzien van wat het betekent indien een getal verder in de telrij staat om meer-minder-uitspraken in vergelijkingssituaties te kunnen doen zouden we als criterium en indicator voor getalbegrip willen aanmerken. Maar het goed uit elkaar houden van verschillende getalaspecten evenzeer. En niet te vergeten, het kunnen oplossen van elementaire problemen, met name waar het gaat om het bijvoegen en weghalen van objecten in een collectie, al dan niet via tellen.
In de inleiding (noot 1) stelden we echter al dat getalbegrip geen alles-of-niets begrip is. De genoemde criteria zijn dan ook niet 'hard'. Resultatief kunnen tellen is een voorwaarde, akkoord, maar in moeilijke situaties kunnen zich daarbij nu eenmaal startfouten voordoen. Kunnen vergelijken via de plaats in de telrij, zeker, maar eerst lukt dat alleen maar bij getallen die direct achter elkaar staan. Het goed uit elkaar kunnen houden van de verschillende getalaspecten is ook essentieel, maar evenmin als absoluut criterium te nemen - denk maar eens aan de moeilijke discussies

tussen vakdidactici over de vraag of een halve appel en een halve banaan één vrucht is...! En of kinderen elementaire optel- en aftrekproblemen kunnen oplossen is sterk afhankelijk van de aard en de context van die opgaven, dus ook hier is het lastig een wel-niet streep te trekken. Doch juist om de geleidelijke groei van vage notie naar helder begrip goed te kunnen observeren en te stimuleren zijn de genoemde punten van belang. Met name de moeilijkheden met het één-één principe bij het tellen in relatie tot de verschillende getalaspecten zijn kwesties die in de didactiek van het aanvankelijk rekenonderwijs vaak nog onvoldoende worden belicht. In ieder geval is uit het voorgaande duidelijk dat tellen nauw verbonden is met de geleidelijke ontwikkeling van het getalbegrip.

• VERKORT EN FLEXIBEL TELLEN

De telactiviteit op zich kan zich op verschillende manieren verder ontplooien en versoepelen, zowel akoestisch als resultatief. We houden ons hierna alleen met dit laatste bezig. Flexibel akoestisch tellen is namelijk geen doel op zich, maar veeleer een middel om het vlotte resultatieve tellen te bevorderen of op den duur zelfs overbodig te maken. We hebben het daarbij speciaal over resultatief tellen in optel- en aftreksituaties, dus tellen in groep drie en vier. Het structurerende tellen van grote hoeveelheden, dat vanaf groep vier plaatsvindt, komt in de volgende paragraaf aan de orde, maar dat valt uiteraard niet scherp van het verkorte, flexibele tellen te scheiden. Om aan te geven wat we met verkort en flexibel tellen bedoelen nemen we de volgende twee problemen als uitgangspunt[14] (zie figuur 3 en figuur 4).

——————— FIGUUR 3

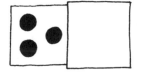

Onder de deksel van dit schuifdoosje liggen vijf fiches. Hoeveel fiches zijn dat bij elkaar op de schuif?

———————

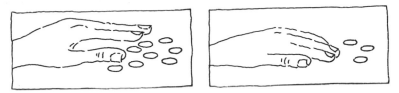

Hier liggen acht fiches. Tel ze maar. Doe je ogen dicht. Ik ga er
enkele met mijn hand bedekken. Kijk nu maar weer. Hoeveel fiches
liggen er onder mijn hand?

Dergelijke problemen worden op uiteenlopende manieren aangepakt.[15] We bespreken eerst de oplossingsmethoden bij het schuifdoosje.

1. Fiches niet geteld, want niet zichtbaar. Raden, kijken aan
   achterkant doosje, schuif verplaatsen of noemen wat gezien
   wordt.

2. Net doen of de vijf wel zichtbaar zijn, tot vijf tellen met aanwijzen op doos, en drie doortellen.

3. Starten met tellen tot drie en dan vijf verder tellen, daarbij
   vingers gebruiken om aantal bij te houden - een werkwijze
   die tot tal van fouten kan leiden omdat er twee processen tegelijk verlopen, namelijk van doortellen en aantal bepalen.

4. Werkwijze als bij (2) en (3) maar nu niet alles van
   voren af tellen doch doortellen vanaf vijf of drie, al dan niet
   via de vingers.

5. Niet tellen maar structureren op basis van rekenkennis (vijf
   plus drie is acht - een weetje) of afgeleide rekenkennis (vijf
   plus drie is vier plus vier is acht - een strategie).

Bij het tweede probleem - hoeveel van de acht zijn er bedekt? - zien
we dergelijke methoden terug maar nu meer toegepast op het pro-
berend vooruit tellen, vervolgens controleren of de uitkomst klopt
en het startgetal op basis daarvan corrigeren - een veel lastiger
procedure dan in het eerste probleem. Terugtellen wordt ook wel
gedaan, of op het hoogste niveau gebruik maken van rekenkennis:
acht min drie is vijf.
Speciaal gelet op het tellen valt op dat dit in sommige oplos-

singsmethoden op verkorte en flexibele wijze plaatsvindt: er wordt vanaf een bepaald getal doorgeteld of teruggeteld. Daarbij fungeren vingers als tellers om bij te houden hoever wordt doorgeteld (afgeteld) of hoeveel er is bijgeteld (afgeteld) - de hand als telen denkmiddel. Het verkorte en flexibele akoestische tellen is daarbij een noodzakelijke vaardigheid, maar uiteraard niet voldoende om het dan ook toe te passen op de passende probleemsituaties.

• TELLEN EN STRUCTUREREN

De leerlingen kunnen gevarieerd tellen en terugtellen met eenheden, vijftallen en machten van tien -- luidt de onderhavige doelstelling. Dat bij het realiseren hiervan onverwachte problemen kunnen opduiken, blijkt uit het volgende:
Sarah, uit groep drie, is in staat om bijvoorbeeld in het getal 45 de vier tienen en vijf lossen aan te wijzen. Ze kan dus de positiewaarde van cijfers in getallen aangeven.
Er wordt haar gevraagd het aantal dropjes in een potje te schatten. Haar schatting is twaalf. Vervolgens wordt ze verzocht de dropjes eruit te halen en te ordenen in groepjes van tien. Drie groepen van tien plus één losse is het resultaat. 'Hoeveel dropjes zijn het dus?' Sarah: 'Ik denk twaalf.' 'Hoe kunnen we nagaan of het klopt?' Sarah: 'Door te tellen.' Ze telt de dropjes, komt tot de slotsom dat het er dertien zijn ...[16]
Het tellen van relatief grote hoeveelheden ongeordende objecten is een uitstekende activiteit om het tellen te beoefenen en toe te passen, zagen we in het voorgaande. Maar vooral is deze activiteit geschikt om het tellen met tien te beoefenen en toe te passen. De kinderen moeten de overzichtelijke ordeningsvormen (waaronder die van vijf) echter wel zelf ontwikkelen, en daardoor mede de relatie ontdekken tussen het tellen met tientallen en het noteren van aantallen - een eerste notie van het positiestelsel. Dat deze samenhang niet zonder meer duidelijk is of zomaar even uitgelegd kan worden met structuurmateriaal, leert ons het geval van Sarah. Zij heeft waarschijnlijk zowel de lossen als de groepen van tien voor één geteld, wat op die leeftijd vaker voorkomt. Het is een overge-

neralisatie van het abstractieprincipe. Ze telde wellicht tien (eerste groepje), elf (tweede groepje), twaalf (derde groepje), dertien (losse). Dit verkorte tellen is een synchrone, akoestische telhandeling en geen resultatief tellen. Resultatief tellen met wisselende eenheden kent dus specifieke moeilijkheden. En Sarah wordt daarmee geconfronteerd.

## • ONDERWIJSPRINCIPES EN ACTIVITEITEN

*Akoestisch tellen*
Nu enkele opmerkingen over het onderwijs, te beginnen in het akoestische tellen. De vraag is in hoeverre onderwijs in akoestisch tellen nog noodzakelijk is. Een groot deel van de televaringen hebben de kinderen al voorafgaande aan de basisschool opgedaan. En ze komen ook in de basisschool leeftijd nog veelvuldig buiten de school bij spelletjes, versjes, ritmische handelingen en aftellen te pas. Maar toch kan er op school ook nog wel het één en ander aan worden gedaan. We noemen in het volgende enkele mogelijkheden.

– Het concreet aanleren van de telrij tot twintig en het verhelpen van eventuele fouten (hiaten, verkeerde deelreeksen). Eén en ander kan bijvoorbeeld heel motiverend gebeuren door een domme August te introduceren in de poppenkast van Jan Klaassen en Katrijn die alsmaar verkeerd telt en bekende fouten maakt (twee-tien, drie-tien, vier-tien, ..., tien-tien) - de kinderen corrigeren in koor!
– Hetzelfde kan gebeuren met het aftellen van tientallen bij verstoppertje spelen: tien, twintig, ..., honderd, honderdtien, wie niet weg is is gezien! Deze tientallen zijn, zoals gezegd, belangrijk voor het leren tellen tot honderd, dat geleidelijk aan wordt opgebouwd. Ook hier kan August weer 'mooie' fouten maken: tien-en-twintig, drietig, viertig, tientig, welke de kinderen éénstemmig bestrijden.
– Een belangrijke voorloper en voorwaarde voor het resultatieve tellen is het synchrone tellen, dat is het tegelijk tellen en bewegen waarbij aan ieder telwoord een bepaalde beweging (bij-

voorbeeld een pas of sprong) wordt gekoppeld. Neem bijvoorbeeld de 'zevensprong' (figuur 5).

———————— FIGUUR 5: DE ZEVENSPRONG

Kinderen lopen in de kring. Gaan huppelen bij: 'Ze zeggen dat ik niet dansen kan.' Bij 'edelman' staan ze stil.

| Dat is een: | een stap naar binnen. |
|---|---|
| Dat is twee: | nog een stap naar binnen. |
| Dat is drie: | op één knie. |
| Dat is vier: | op twee knieën. |
| Dat is vijf: | op één elleboog. |
| Dat is zes: | op twee ellebogen. |
| Dat is zeven: | neus op de grond. (Ze-ven en toch één beweging.) |

Allerlei variaties op deze uitbeelding zijn mogelijk.
Er zijn uiteraard vele andere mogelijkheden om het tellen motorisch te begeleiden en omgekeerd.

– Indien het synchrone, akoestische tellen blindelings op het tellen van hoeveelheden wordt toegepast, ontstaat een conflictsituatie die de overgang naar het resultatieve tellen markeert (figuur 6).

———— FIGUUR 6

'Cindy (5;3) stopt precies op de 48e kraal. Ik vraag waarom ze klaar was, terwijl ik toch gewoon doortelde. Daarom vraagt ze mij: 'Zag jij dat dan niet? Ik ben bij het knoopje en nu ben ik klaar.' In het snoer van de ketting zat een knoopje waarvan af ze was begonnen aan te wijzen.'[17]

*Resultatief tellen*
Naar hun inhoud hebben de onderwijsactiviteiten hier betrekking op:
– het resultatieve tellen van hoeveelheden en grootheden;
– het vergelijken van aantallen en maten, het bepalen van meer-minder of groter-kleiner door onder meer doortellen;
– het beoefenen van het tellen in al zijn aspecten - aantal, rangnummer, meten, rekenen - en het met elkaar in verband brengen van deze aspecten.

Naar hun vorm zijn de activiteiten in het aanvankelijke rekenonderwijs traditioneel zeer gevarieerd: spelletjes, speelsituaties, versjes, rijmpjes, kringverhalen, winkeltje spelen, bewegingsspelen, rollenspel, activiteiten van tekenen, knippen, plakken, bouwen - teveel om precies op te noemen. In de nieuwere ideeën-boeken voor groep een en twee vindt men ze alle terug. Soms ontstaan ze spontaan via een onverwachte aanleiding, maar vaak zijn ze vooraf gepland.

In het volgende zullen we uit ieder van de drie genoemde deelgebieden enkele voorbeelden van activiteiten geven die gemeen hebben dat ze verrassend zijn en conflictsituaties oproepen, waardoor kinderen zich goed realiseren waar het in het betreffende gebied in feite om gaat.

Het eerste voorbeeld is ontleend aan het werk van J. de Gooijer-Quint en gaat over het resultatief tellen van moeilijk of niet zichtbare objecten.

'In de klas staat een vissenkom, die van tijd tot tijd schoongemaakt moet worden. De kleuters zijn benieuwd hoe dat in z'n werk gaat. De vissen moeten met een schepnetje worden gevangen en in een andere kom worden overgebracht. 'Nu kunnen we de vissen gemakkelijk tellen', meent Ankie. Ze heeft namelijk al eens geprobeerd de vissen te tellen, maar het was haar niet gelukt. Ze merkte toen op: 'Ze zwemmen zo kriskras door elkaar.'
Eén voor één schept juf de vissen van de ene kom in de andere. Er zijn al drie vissen geteld. Dan worden drie vissen tegelijk gevangen. 'Juf', roept Ankie benauwd, 'nu kan ik ze wéér niet tellen.' 'Misschien kun je de vissen tekenen', suggereert juf, 'en als ze getekend zijn, kun je ze op papier tellen.'
Ankie tekent eerst de drie vissen die al in de kom zitten en dan de drie vissen die erbij komen. Als de eerste kom leeg is, gaat ze tellen. 'Er zijn vijftien vissen', roept ze trots.
Na enkele dagen zijn er twee vissen dood gegaan. 'Oh, nu klopt het niet meer', roept Ankie verbaasd. 'Hoeveel levende vissen zijn er nu nog?' Het blaadje met de getekende vissen wordt opgezocht en ze krast twee vissen door. Daarna telt ze de vissen op papier opnieuw.
Als een kleuter eenmaal tellen kan, worden allerlei zaken in zijn directe omgeving geteld. Zijn de voorwerpen echter ongeordend, dan is het moeilijk. Vooral als ze ook nog bewegen.

*Suggestie:* vertel een verhaal waarbij een bepaald woord meerdere malen voorkomt; spreek tevoren af op welk woord gelet moet worden en laat de kinderen op hun eigen manier bijhouden hoeveel maal het betreffende woord gezegd is; enkele mogelijkheden om de stand bij te houden:
– met behulp van de vingers;
– tekenen op papier;
– blokjes (of andere voorwerpen) neerleggen.'[18]

Vervolgens nog wat voorbeelden van J. van den Brink over het tellen van gedeeltelijk onzichtbare hoeveelheden (figuur 7, figuur 8 en figuur 9).

——————— FIGUUR 7

'Hoeveel appels liggen er in de kist?'
'Meer dan vijf?'
'Oh, je kunt er een paar niet zien!
Nou, zeg maar hoeveel je er nog bij wilt.'
'Zes! Dat is heel wat. Zullen we ze met de fiches erbij leggen?'

——————— FIGUUR 8

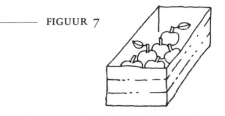

'Hoeveel hartjes staan er op het gordijn?'
'Lukt 't niet?'
'Ga maar eens tekenen.'

———————— FIGUUR 9

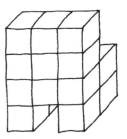

'Uit hoeveel blokken bestaat het bouwsel?'
'Weet je het zeker? Bouw maar eens na en tel dan.'
(Er zijn verschillende antwoorden mogelijk.)

'Raad eens hoeveel dropjes er in de doos zitten.'
'Tel ze maar eens om te zien of je goed geraden hebt.'
(Rammel met het doosje; varieer de aantallen: twee, drie, een, vol,
bijna vol....)

————————

Wat zijn de didactische motieven om dergelijke moeilijk telbare of
grijpbare hoeveelheden te introduceren?
Van den Brink wijst erop dat jonge kinderen bij het tellen vaak de
uiterlijke gedragsvorm van de volwassene imiteren.[19] Ongeor-
dendheid van objecten of gebrek aan materiaal en het rekening
moeten houden met onzichtbare zaken dwingen de kinderen ertoe
objecten te organiseren, te ordenen, te symboliseren of ze zich
mentaal voor te stellen -imitatie van de uiterlijke telvorm is nu niet
zonder meer mogelijk. De aanvankelijk vage notie wordt door de
probleemstelling verscherpt: de kinderen realiseren zich beter wat
het tellen bij aantal-bepaling eigenlijk inhoudt. Het getal wordt als
het ware van z'n directe uiterlijke vorm ontdaan, geabstraheerd;
het ongeordende, het niet-beschikbare lokt dit uit. Tellen wordt
resultaat-gericht, oftewel resultatief.
Voor het vergelijken van aantallen en maten, en het bepalen van
meer-minder of groter-kleiner bepalen we ons tot één voorbeeld
dat in vrijwel ieder nieuw programma voorkomt (figuur 10).

Ieder kind maakt een portret van zichzelf op A4-papier en schrijft zijn of haar naam eronder. De tekeningen worden in de klas opgehangen. Enkele dagen later vraagt de juf aan de kinderen:

'Zoek eens uit of er meer jongens of meisjes in de klas zijn?'
'Twee rijen maken', riep Hans.
'Eén rij maken', zei Ellie, 'jongen, meisje, jongen, meisje en zo door.'
'Dat lukt nooit', had Hans gevonden, 'want je krijgt maar één rij.'
En toen Ellie hem tenslotte kon zeggen dat er twee jongens 'te veel' waren, stak hij zijn verbazing niet onder stoelen of banken.
'Hoe kan dat nou...?'[20]

Beide methoden kunnen door de kinderen zelf uitgebeeld worden. De tekeningen kunnen daartoe echter ook worden gebruikt, bijvoorbeeld zo (figuur 11):

FIGUUR 11

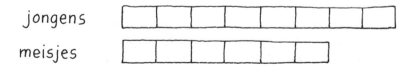

Dan is er poppenkast. Domme August beweert dat er meer meisjes in deze klas zitten dan jongens. 'Ik kan niet tellen, maar ik kan het zo zien', zegt hij tegen Jan Klaassen. Hij laat het volgende plaatje zien, waarbij hij één voor één de namen van de kinderen noemt bij het aanwijzen van de afbeeldingen van de tekenblaadjes (figuur 12).

──────────── FIGUUR 12

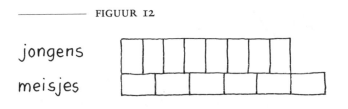

jongens

meisjes

──────────

Ra, ra hoe kan het dat er meer meisjes dan jongens zijn? Van den Brink wijst erop dat we hier een belangrijk onderscheid met de probleemstellingen van Piaget zien[21]. De kinderen zijn er namelijk nu op voorhand van overtuigd dat er meer jongens dan meisjes zijn. Daarom dient het visueel afwijkende verschijnsel te worden verklaard. In de conservatieproeven van Piaget echter wordt deze mentale vooronderstelling niet benut. De conservatie wordt daar door de perceptieve indruk teniet gedaan en de kinderen komen niet tot verklaringen, omdat er geen cognitieve conflictsituatie ontstaat.

Is dit conflict er echter wel dan kan de verklaring of het bewijs precies in de richting gezocht worden waarin we hem willen hebben:

a. door de tekeningen van de jongens of de meisjes een kwartslag te draaien;

b. door louter op de getallen acht en zes af te gaan, dus door te tellen;

c. door paren te maken, dus een één-één-verbinding tussen jongens en meisjes te leggen: onder elkaar, zoals Hans het wil, of achter elkaar om-en-om, wat Ellie deed.

In het geval van (a) wordt met gelijke maateenheden gemeten: aantal en meetgetal worden als het ware op elkaar afgebeeld. En aan de eisen waaraan eerlijk meten moet voldoen, wordt hier voldaan; er kan op gereflecteerd worden.

In (b) kan bewust gemaakt worden dat acht meer is dan zes omdat

het verder in de telrij staat. Sterker: die telrij is juist door de blaadjes zichtbaar gemaakt - een soort getallenlijn ontstaat.
Uit (c) blijkt dat bij vergelijken vaak helemaal niet geteld hoeft te worden als je maar goed koppelt of kijkt.
Voor opgaven die het tellen met de verschillende getalaspecten in verbinding brengt, maken we onder meer gebruik van enkele 'doordenkertjes' van A. Keuper-Makkink, die men desgewenst ook weer door de domme August kan laten uitspreken.[22]

- Kan een stapel van drie boeken hoger zijn dan een stapel met vijf boeken?
- Juf zegt dat de gang vier stappen breed is en Karin dat de breedte zes stappen is. Wie heeft gelijk?
- De klok slaat één uur, maar doet dat drie keer, gek hè?
- We zijn thuis met z'n vieren: mijn vader, mijn moeder, mijn broertje en mijn zusje.
- Ik heb al drie keer gezegd dat je moet ophouden met kletsen, nu zeg ik het voor de vijfde (tweede) keer: wees stil.
- Jan is vijf jaar en Manon zes jaar. Jan is ouder dan Manon. Jan is groter (langer) dan Manon.
- Maarten is vierde geworden met hardlopen. Er waren vier kinderen sneller dan hij.
- Ik heb al twaalf blaadjes gelezen. Niet waar, want je bent al op bladzijde dertien.

Tot zover enkele probleemsituaties op de drie genoemde deelterreinen van het aanvankelijke resultatieve tellen. We kozen speciaal voor verrassing en conflict, omdat deze belangrijke aanjagers van de cognitieve ontwikkeling kunnen zijn. We stelden echter al eerder dat de activiteiten in het aanvangsonderwijs veel breder geschakeerd (moeten) zijn dan het scheppen van conflictsituaties: de nieuwere programma's geven daarvan een behoorlijk beeld via alle 'natuurlijke' problemen van vergelijken, eerlijk verdelen, meerminder, groter-kleiner en bij telsituaties waarin de verzameling objecten uitdrukkelijk geordend moet worden. Maar juist de gememoreerde conflictsituaties en verrassingen zijn vaak toch nog wat ondervertegenwoordigd. Vandaar dat we er hier speciaal de aandacht op willen richten. Het resultatieve tellen is trouwens met het voorgaande nog lang niet afgerond.

*Verkort en flexibel tellen*
Kinderen kunnen op handige oplossingsmethoden van flexibel tellen worden geattendeerd door de werkwijzen van medeleerlingen. Bijvoorbeeld verder tellen vanaf een hoeveelheid die men in één keer kan overzien of waarvan we het aantal weten.[23] Ook kunnen ze daartoe uitgelokt worden door de getallen zodanig te kiezen dat doortellen of terugtellen ook werkelijk loont: bijvoorbeeld bij 15 + 1; 15 - 1; 15 + 2; 15 - 2 en niet te vergeten 1 + 15 en 2 + 15 - en dat alles aanvankelijk in contexten met ongeordende of onzichtbare hoeveelheden zoals net aangegeven.
Maar er zijn natuurlijk tal van andere probleemsituaties mogelijk, zoals:
- het verdelen van voorwerpen; zijn er genoeg?; hoeveel tekort?; hoeveel over?; is het eerlijk verdeeld onder allen?; wie te veel, te weinig?;
- het verzamelen van objecten; hoeveel?; hoeveel samen?; hoeveel nog nodig?;
- winkelen, verkopen en betalen;
- spelletjes spelen, stand bijhouden, raadspelletjes (warm, koud);
- het werken met eenvoudige grafiekjes;
- en natuurlijk de bekende redactie-opgaven of tekst-vraagstukjes.

Maar met de laatstgenoemde categorie zijn we al bij groep drie of groep vier beland, waarover in de andere doelstellingen het nodige zal worden gezegd. Feit is echter wel dat, zeker aanvankelijk maar ook later nog, het verkort en flexibel kunnen tellen een belangrijk middel levert om bepaalde rekenopgaven goed te kunnen oplossen. Lineaire structuren als de kralenketting of de getallenlijn kunnen daarbij ondersteunend werken - ook daarop wordt later nog teruggekomen.

*Structurerend tellen*
Het onderwijs kan mooi op conflictsituaties voortbouwen, waarbij de getallenlijn of kralenketting als hulpmiddel kan worden ingezet.
Ook het handig tellen van ongeordende hoeveelheden, bijvoorbeeld via turven, is in dit verband van belang (figuur 13).

## GEHEID IN PRINSENLAND

Rotterdam groeit met de dag. Dat komt omdat het heien ons op het lijf is geschreven. Vandaag bijvoorbeeld is alweer een eerste paal geslagen. In opdracht van het ABP zal op 685 m² in Prinsenland een woontoren verrijzen bestaande uit 92 premie huurwoningen. De uitvoering ervan geschiedt door Volker Bouwmaatschappij B.V. Voor Rotterdam is dit de 56e eerste paal in 1988. Wordt vervolgd..

## ROTTERDAM
## STAD OM OP TE BOUWEN

Inlichtingen:
Grondbedrijf Rotterdam,
telefoon 010-1896944

Vele vormen van handig (verkort en flexibel) tellen kunnen met elkaar worden vergeleken. Tellen met één, met vijf, met tien, met twintig, en combinaties daarvan. Tellen met tien (honderd) heeft, zoals gezegd, het voordeel dat de verbinding met het positie-systeem kan worden gelegd. Overigens zijn natuurlijk vooral ook betaalproblemen erg geschikt om te tellen met eenheden, tiental-len en honderdtallen.

Indien de verbinding met het notatiesysteem - anders dan bij Sarah - gelegd is, levert de technische vaardigheid van het tellen met tien-tallen onder de honderd, met honderdtallen en tientallen onder de duizend, en zo verder, op zich niet zoveel nieuwe moeilijkheden op. Alleen de overgangen naar de hogere (lagere) machten (90 naar 100, 900 of 990 naar 1000, ... of omgekeerd) zijn problema-tisch omdat die een goed inzicht in de bouw van het positiesysteem vereisen.

Dit gevarieerde vooruit en achteruit tellen is van groot belang voor het hoofdrekenen en het daarmee verbonden cijferend optellen en aftrekken 'onder elkaar' plus de bijbehorende toepassingen. Het dient derhalve bij voortduring en in opklimmende moeilijkheid in samenhang met deze onderwerpen ook 'kaal' te worden beoefend. En daarmee zijn we weer terug bij het akoestisch tellen, maar nu ondersteund door de getalsituaties op basis van het tientallig stel-sel.

Om deze verschillende vormen van tellen en structureren te oefe-nen is een bijzonder telraam erg geschikt: het nieuwe rekenrek met vijf- en tienstructuur (figuur 14). We komen daarop later nog te-rug.

──────── FIGUUR 14: REKENREK

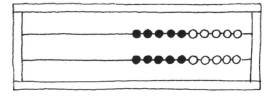

*Samenvatting onderwijsactiviteiten over tellen*
Samengevat kunnen bij de vier verschillende telvormen de volgen-de onderwijsactiviteiten worden verricht.

Akoestisch tellen:
- correct leren opzeggen van de telrij tot honderd;
- Domme August corrigeren die 'verstandige fouten' maakt, bijvoorbeeld in plaats van 'dertig' zegt 'tien en twintig'.

Resultatief tellen:
- tellen van in rij geordende hoeveelheden, daarbij lettend op het synchrone tellen;
- tellen van onoverzichtelijke hoeveelheden (objecten in kring), van ongeordende hoeveelheden (eerst ordenen), van deels onzichtbare hoeveelheden (eerst structuur aanbrengen, zoals bij stippen op het gordijn), van bewegende objecten (op papier tekenen) en van slechts hoorbare fenomenen (turven).

Verkort tellen:
- verder tellen bij samenvoegen vanaf de grootste hoeveelheid;
- terugtellen bij weghalen vanaf de begin-hoeveelheid;
- handig tellen bij splitsingen van hoeveelheden, waarbij het totaal bekend is en één van de gesplitste delen (zoals bij bedekken of wegstoppen).

Structurerend tellen:
- tellen met sprongen van tien, vijf en één;
- tellen via turven;
- tellen met groepjes van tien.

Niet tellen:
- herkennen van getalbeelden, dobbelsteen-configuraties, dubbelen, vijf-structuur (ketting en rekenrek);
- herkennen van samenvoegingen en afsplitsingen van getalbeelden (zie Rekenrek).

En dat alles bij toepassingen waarin alle getalaspecten zijn betrokken, waaronder de 'onzinnige' uitspraken over verschillende aspecten in de eerdergenoemde voorbeeld-opgaven van Keuper-Makkink.


• SAMENVATTING

Er werden in het voorgaande vier vormen van tellen besproken, akoestisch, resultatief, verkort en structurerend tellen. Bij ieder ervan gaven we onderwijssuggesties. Deze varieerden van het aanbieden van conflictsituaties, het laten organiseren en tellen van ongeordende hoeveelheden en onzichtbare aantallen, tot het laten opdraven van een domme August. En dat alles in een rijke onderwijsomgeving waarin telspelletjes worden gespeeld, telliedjes gezongen en telsituaties uitgebeeld.

We hebben de doelstelling van het tellen mede benut om iets over de geleidelijke ontwikkeling van het getalbegrip te schrijven. Dat we daarbij niet volledig waren en konden zijn, blijkt bijvoorbeeld uit het feit dat het aanleren van de formele rekentaal (symbolen, = teken, eventueel groter- en kleinertekens, pijlentaal $\rightarrow$) volledig buiten beschouwing werd gelaten.

(Wil een leerling bijvoorbeeld de pijlentaal $8 \xrightarrow{-3}$ begrijpen dan zal zij of hij zich achter zo'n pijldiagram een situatie moeten kunnen denken als '8 blokken en daaraf 3 blokken, blijft over ...' Of korter '8 blokken eraf 3 blokken', of '8 eraf 3'. Dus moeten we starten bij zo'n eraf-situatie, deze laten uitbeelden met blokken en dit (steeds korter) laten verwoorden en vervolgens symboliseren met de pijlentaal.)

En ook inhoudelijk komt in het aanvangsonderwijs natuurlijk veel meer aan de orde dan hier werd aangeduid: verhoudingen, meten en meetkunde, waarover in de desbetreffende delen van de 'Proeve ...' meer zal worden gezegd.

Hier ging het erom te beschrijven dat tellen en tellen weliswaar twee is, maar tellen en rekenen één behoren te zijn, dus dat tellen niet geïsoleerd maar juist geïntegreerd moet worden in het rekenonderwijs. Ook wilden we laten zien dat tellen steeds breder toepasbaar is, zowel binnen de telrij zelf als erbuiten. En tenslotte dat tellen niet alleen voor de ontwikkeling van het getalbegrip, maar ook voor het structureren, het hoofdrekenen en het cijferen met alle bijbehorende toepassingssituaties van groot belang is. Maar bovenal wilden we laten zien dat de geïntegreerde rekenactiviteiten van meet af aan geplaatst kunnen worden in een rijk geschakeerde en stimulerende onderwijsomgeving waarin kinderen werkelijk meetellen.

1. Volgens Piaget en zijn volgelingen draagt tellen weinig tot niets aan de ontwikkeling van het getalbegrip bij.

Ten eerste niet omdat het bij jonge kinderen voornamelijk een verbale handeling is die evenveel betekenis heeft als het opzeggen van een versje en aanvankelijk dus niets met het bepalen van hoeveelheden van doen heeft: het is louter akoestisch en niet resultatief. En ten tweede niet omdat als jonge kinderen al wel resultatief zouden kunnen tellen ze in de regel toch nog niet in staat zijn zinvol met die resultaten van tellingen te redeneren en te rekenen. Om deze stelling te staven worden de resultaten van de befaamde conservatie-experimenten aangehaald: ook al hebben kinderen van vier à vijf jaar de objecten van twee rijtjes geteld dan nog zullen ze zeggen dat de langste rij de meeste objecten bevat, ook al is het aantal daarvan minder dan die van de kortere rij.

Zijn er meer witte of zwarte fiches?

De notie van aantal blijkt dan dus niet tegen de visuele afleider van 'langer' bestand te zijn. (Toen wij dit stukje schreven was Rosina (3;6) op onze kamer. Ze speelde toevallig met suikerklontjes en had er net één in de mond gestoken. Een mooie gelegenheid om een paar conservatie-proefjes te doen. We werken met vier, vijf en zes klontjes in alle mogelijke combinaties: vier bij vier, vier bij vijf, vier bij zes, vijf bij vijf, vijf bij zes en zes bij zes. In geen enkel geval liet Rosina zich misleiden door de langere rij (met het gelijke of kleiner aantal). Rosina kon niet resultatief tellen! Wat kan hiervan de verklaring zijn?) Of algemener gesteld, de hoeveelheidsopvatting is nog kwetsbaar voor allerlei irrelevante veranderingen (waaronder ruimtelijke verplaatsingen). Pas als kinderen een jaar of zeven zijn kunnen ze aantallen conserveren. Dat dit zo betrekkelijk laat gebeurt komt omdat conserveren, logisch bezien, zo complex is - aldus Piaget. Volgens zijn analyse liggen er in feite drie elementaire redeneerbekwaamheden aan ten grondslag. Bij het vergelijken van die twee rijen objecten moet namelijk:
1. een koppeling of een één-één-correspondentie tussen de objecten uit beide rijen gelegd worden, rechtstreeks of indirect via de getallenrij: nummer één uit rij één aan nummer één uit rij twee, nummer twee aan nummer twee, enzovoort, tot er al dan niet objecten uit één van de rijen overblijven,

2.  maar die paarsgewijze verbinding berust op haar beurt weer op het kunnen orderen of seriëren van de betreffende objecten uit de twee rijen, ordenen via de telrij of een geordende wijze van verbindingen leggen,
3.  en ook op het kunnen beschouwen van de gekoppelde fiches als een deelklasse van het totaal van de fiches uit de betreffende rij - dus op het kunnen klassificeren.

Indien het onderwijs de ontwikkeling van het getalbegrip al kan bevorderen - waarover Piaget en vele van zijn volgelingen overigens hun twijfels hebben - dan zou dat nog het beste te realiseren zijn door de genoemde logische redeneervormen van corresponderen, seriëren en klassificeren te laten beoefenen. In de lijn van deze gedachtengang passen onderwijsopdrachten in de trant van:
  – zet een kring rond alle vierkanten (in een collectie van verschillende figuren);
  – staan er meer jongens of kinderen op het plaatje?
  – leg de potloden op volgorde van grootte;
  – trek lijntjes tussen de verschillende objecten uit de twee groepjes - zijn ze even groot?

Telopdrachten ontbreken of zijn nogal stereotiep in dit (al dan niet terecht) op Piagets werk geïnspireerde aanvangsonderwijs in groep één, twee, (drie).

Er is echter, zoals gezegd, ook een andere kijk op het aanvankelijk rekenonderwijs mogelijk. Neem nog even het voorbeeld van de fiches. Het feit dat jonge kinderen een dergelijke conservatie-opdracht niet goed oplossen zou volgens deze conceptie niet op de rekening van ontoereikend logisch redeneren, maar op de incomplete kennis van en ervaring met tellen moeten komen. In deze telopvatting is getalbegrip in ieder geval geen alles-of-niets begrip - alles achter de conservatie-streep en niets ervoor - maar een begrip dat zich geleidelijk vanuit noties over getallen ontwikkelt. Daarenboven is begrip niet een absoluut maar een relatief concept.

2.  Zie voor onderzoeksgegevens:
    Baroody, A.J.: *Children's mathematical thinking,* Teachers College Press, London 1967.
    Labinowicz, E.: *Learning from children,* Addison Wesley, Amsterdam 1985.
3.  Uit: Brink, J. van den: Kinderlijke manieren bij het tellen van hoeveelheden, *Willem Bartjens,* 1(3), 1982, pag. 108-109.
4.  Uit: Baroody, A.J.: *Children's mathematical thinking,* Teachers College Press, London 1967, pag. 108.
5.  Uit: Ginsburg, H.: *Children's Arithmetic: the learning process,* Van Nostrand, New York 1977, pag. 6.
6.  Uit: Pot, H.: Negentienhonderd, *Willem Bartjens,* 2(4), 1983, pag. 158.

7. Observatie van Marja van den Heuvel-Panhuizen.
8. Zie noot 1.
9. Uit: Labinowicz, E.: *Learning from children*, Addison-Wesley, Amsterdam 1985, pag. 46.
10. Uit: Goffree, F.: *Wiskunde & didactiek (1)*, Wolters Noordhoff, Groningen 1982, pag. 129.
11. ibid pag. 105.
12. Observatie van A. Dekker.
13. Observatie van Greco, geciteerd in: Labinowicz, E.: *Learning from children*, Addison-Wesley, Amsterdam 1985, pag. 49-50.
14. Zie: Labinowicz, E.: *Learning from children*, Addison-Wesley, Amsterdam 1985, pag. 51-52.
15. Zie noot 14.
16. Zie: Richardson, K.: Assessing Understanding, *Arithmetic Teacher*, 25(6), 1988, pag. 40.
17. Uit: Brink J. van den: Kinderlijke manieren bij het tellen van hoeveelheden, *Willem Bartjens*, 1(3), 1982, pag. 106.
18. Uit: Gooijer-Quint, J. de: Kinderpraat, *Wiskobasbulletin*, 7(4), pag. 13.
19. Zie: Brink, J. van den: Wiskundige wereldoriëntatie, *Wiskobasbulletin*, 6(5/6), 1977, pag. 57-60.
20. Uit: Brink, J. van den: Wiskundige wereldoriëntatie, *Wiskobasbulletin*, 6(3), 1977, pag. 15.
21. Zie ook: Brink, J. van den: Zo zijn onze manieren, *Willem Bartjens*, 1(1), 1981, pag. 14-20.
22. Zie: Keuper-Makkink, A.: *De Klimboom*, Wolters Noordhoff, Groningen 1985.
23. K. Buijs wijst in een reactie op het onderhavige hoofdstuk op het belang van 'subitizing': het in één oogopslag vatten van kleine aantallen. Hiermee kan een verbinding tussen akoestisch tellen en resultatief tellen worden gelegd. Maar ook kan vanuit die direct gevatte hoeveelheid worden doorgeteld. Wij benadrukken in de lijn van deze opmerking het belang van het verdubbelen en de vijfstructuur zoals die aan het rekenrek gepraktizeerd kunnen worden, waarover in het volgende hoofdstuk meer.

Doelstelling 2
Leerlingen kennen uit het hoofd: de opteltafels tot tien en de aftrektafels die daarvan zijn afgeleid

Om didactische redenen voegen we in de bespreking van deze
doelstelling toe: 'kunnen vlot optellen en aftrekken tot honderd en
kunnen deze kennis toepassen'. Dit doel dient wat de tafelkennis
aangaat reeds in groep vier te worden bereikt.[1] Tafelkennis
vormt immers mede de grondslag van het hoofdrekenen en het cijferen. Nu lukt dit voor vier van de vijf jonge kinderen ook wel.[2]
Maar met name bij opgaven als '6 + 7' en '13 - 7' blijven nogal
wat zwakkere leerlingen alsmaar tellen. En dat is nog meer het geval bij bijvoorbeeld '26 + 9' en '33 - 7'.
Hoe kunnen we kinderen voor dergelijke opgaven geautomatiseer-
de kennis bijbrengen? We zullen deze vraag in het volgende trachten te beantwoorden voor achtereenvolgens het rekenen tot tien,
tot twintig en tot honderd.
Voor het rekenen tot tien zetten we de kralenketting met vijf-
structuur in het centrum van de didactische beschouwing.
Voor het rekenen tot twintig introduceren we een soort telraam
(het zogenoemde rekenrek) dat ook een vijf-structuur in het kra-
lenpatroon heeft.
En voor het rekenen tot honderd wordt achtereenvolgens aandacht besteed aan de kralenketting met tienstructuur, de getallenlijn, het honderdveld en MAB-materiaal.

• Optellen en aftrekken tot tien

Voor de voortgang van het rekenen is het kunnen splitsen van de
getallen tot tien en het optellen en aftrekken tot tien een basisvoor-
waarde. Indien kinderen echter nog niet resultatief tot tien kunnen
tellen heeft het automatiseren van die splitsingen, optellingen en
aftrekkingen weinig zin.
Tellen is namelijk essentieel voor de ontwikkeling van het getalbe-

grip. Het sluit aan bij wat kinderen in allerlei bezigheden buiten school plegen te beoefenen. Het is ook een werkzame manier om aantallen te bepalen. En het weerspiegelt de werkwijze die kinderen bij het ordenen, samenvoegen, weghalen en splitsen van hoeveelheden en maten in toepassingssituaties volgen.

Om echter tot structureren, verkort tellen en tenslotte memoriseren van de bedoelde elementaire splitsingen, optellingen en aftrekkingen te komen, kan niet louter met tellen worden volstaan. De getallenrij en de visualisering ervan in kralenketting of getallenlijn is echter voor kinderen veelal te eenvormig om tot spontaan structureren te komen. Vandaar dat in de rij tot tien zodanig structuur moet worden aangebracht dat het in principe mogelijk is ieder getal tot tien in één oogopslag te identificeren.

Teneinde dit te bereiken heeft men in het rekenonderwijs van oudsher *getalbeelden* geïntroduceerd. Het meest bekende beeldensysteem is dat van de structurering via vijf.[3] We treffen dit onder meer aan in de notatie van de Romeinse cijfers (V), op rekenramen uit China, Japan en Rusland, bij het turven (////) en het vingerrekenen.[4] Op de *kralenketting* bijvoorbeeld worden de getallen vier, zeven en negen als volgt via vijf gestructureerd (figuur 15).

———— FIGUUR 15

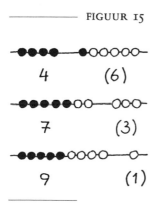

4        (6)

7        (3)

9        (1)

Ook bekend zijn de getalbeelden van Born die in het midden van de negentiende eeuw opgang maakten, maar tot op de dag van vandaag nog wel worden gebruikt (figuur 16).

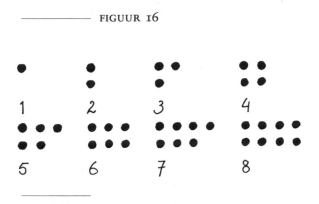

Deze twee soorten getalbeelden sluiten aan op de informele reken-manieren die kinderen vaak spontaan gebruiken, namelijk het rekenen met vijven via vingers en de verdubbelingsmethode. En het ligt dus didactisch gezien inderdaad voor de hand om daarop met passende getalbeelden aan te sluiten. We bepalen ons nu eerst tot de vijf-structuur. Bij het maken van optellingen tot tien met behulp van de kralenketting met vijf-structuur is het belangrijk dat de kinderen steeds met het grootste getal beginnen - een tip die ze meestal snel oppakken als ze die strategie al niet reeds zouden volgen. Bijvoorbeeld '3 + 6' (figuur 17).

———————— FIGUUR 17

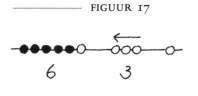

De zes kan direct worden opgezet - althans indien de kinderen de getalbeelden kennen, waar over zo meer. Het bijschuiven van drie gaat ook met één streek. En de uitkomst is dan direct afleesbaar. Aldus gaan de kinderen in de eerste onderwijsfase te werk.
In de tweede fase schuiven ze nog wel de zes naar links (in ons

voorbeeld '3 + 6') maar 'kijken' dan de drie erbij vooraleer de uitkomst te bepalen. In de derde fase kijken ze bij '3 + 6' alleen nog naar de ketting of een plaatje ervan.

En in de vierde en laatste fase doen ze een en ander zonder materiaal voor ogen louter uit het hoofd.

In alle fasen heeft het verwoorden van de handelingen als functie de handelingen te helpen verkorten en verder te verinnerlijken.

Tot zover het voorbeeld '3 + 6'. Men kan makkelijk nagaan dat alle optellingen tot tien, eventueel samen met de dubbelen, duidelijk met de vijf-structuur zijn uit te beelden en (mentaal) op te lossen - zeker indien de regel om met het grootste getal te beginnen wordt gevolgd.

Nu het splitsen en aftrekken. We plaatsen daarbij het getal zeven in het middelpunt (figuur 18).

────────── FIGUUR 18

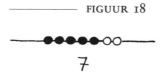

7

'7 eraf 2' kan door twee kralen aan de rechterzijde weg te schuiven of te bedekken. '7 eraf 5' door de vijf zwarte kralen weg te schuiven of te bedekken. Bij '7 eraf 3' en '7 eraf 4' maakt het niet zoveel uit aan welke kant het betreffende aantal wordt weggehaald of bedekt. Deze handelingen kunnen al snel louter gedacht of voorgesteld worden. Ook hier geldt net als bij het optellen weer de trits van schuiven (bedekken), dan kijken en tenslotte 'uit het hoofd' rekenen. Een en ander kan echter slechts uitgevoerd worden indien de getalbeelden helder voor ogen staan.

Om deze beelden in te prenten kan gebruik gemaakt worden van *flitskaarten*. Dat zijn plaatjes, zoals hiervoor weergegeven, die de kinderen kort en flitsend worden getoond en waarop ze flitsend een antwoord moeten geven. Plaatjes met getalbeelden van de vijf-

43

structuur, maar desgewenst ook van dubbelen (figuur 19).

6

Om deze dubbelen met kralen neer te zetten kan gebruik worden gemaakt van een speciaal soort telraam dat we nu bespreken in het kader van het rekenen tot twintig, maar dat ook voor het rekenen tot tien bruikbaar is.

• Optellen en aftrekken tot twintig

De methoden van tellen, dubbelen en rekenen via de vijf-structuur, die vaak door kinderen spontaan worden toegepast, kunnen alle op één leermiddel worden beoefend, en dat is het *rekenrek*.[5] Het rekenrek is een breed telraam met twee staven van tien waarin de kralen volgens patronen van vijf zijn geordend. Alleen wordt er anders op gerekend dan op een telraam. Op een telraam heeft iedere kraal namelijk een eigen nummer (figuur 20).

FIGUUR 20: TELRAAM

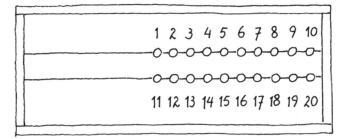

De opgave '6 + 7' wordt daarop als volgt opgelost: we schuiven zes kralen naar links, daarna nog de resterende vier op de bovenste staaf en drie op de onderste (zeven wordt gesplitst in vier en drie). Het antwoord dertien is dan direct af te lezen. Op het rekenrek met vijf-structuur zijn de kralen echter niet eenduidig genummerd. Er wordt daarop dan ook anders gerekend (figuur 21).

──────── FIGUUR 21: '6 + 7' OP HET REKENREK

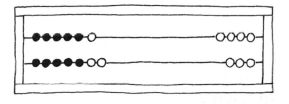

De opgave '6 + 7' kan op zo'n rek met zes en zeven 'onder elkaar' worden geplaatst. De uitkomst is direct afleesbaar: de twee rijen met zwarte kralen vormen immers tien. Men kan '6 + 7' echter op het rekenrek ook volgens de zojuist aangegeven telraammanier berekenen via splitsen bij tien.
Nu '13 - 7' als voorbeeld. Ook hier zijn verschillende oplossingsmanieren mogelijk (figuur 22).

──────── FIGUUR 22

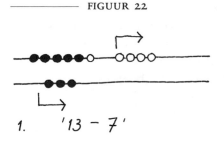

1.    '13 - 7'

Methode (1) is die van het splitsen bij tien, dus 13 - 7 = 13 - 3 - 4 = 6.

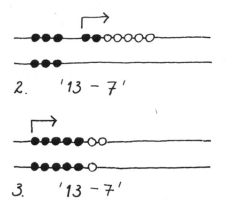

2. $'13 - 7'$

3. $'13 - 7'$

Methode (2) gaat in symbolen uitgedrukt als volgt: 13 - 7 = 10
- 7 + 3 = 6; de uitkomst dubbeldrie is direct te zien als zes.
Methode (3) werkt met (bijna) dubbelen: 13 = 7 + 6, dus 13 −
7 = 7 + 6 - 7 = 6.
Hiermee zijn ook precies de gangbare hoofdrekenmanieren aangeduid die kinderen bij 13 - 7 blijken toe te passen, naast die van het
terugtellen uiteraard. Men kan in het onderwijs één van deze drie
methoden bij het aftrekken accentueren, bijvoorbeeld methode
(2). Maar men dient dan wel te bedenken dat in sommige gevallen
(bij '14 - 5' bijvoorbeeld) methode (1) heel handig is en soms (bij
'12 - 6') methode (3).

*Linda - een kleine gevalstudie*
Linda is een doorsnee-leerling uit groep drie. In het onderwijs van
haar groep ligt de nadruk sterk op tellen. Ten tijde van het inter-
view (begin april) heeft ze nog geen systematische methode geleerd
voor het overschrijden van de tien. Bij opgaven als '7 + 5' en '8
+ 4' gebruikt ze splitsingen bij tien: 7 + 5 = 7 + 3 + 2; 8 +
4 = 8 + 2 + 2. Bij '6 + 8' probeert ze (zonder materiaal) te tellen,
maar na één minuut is ze er nog steeds niet uit. Na een korte introductie van het rekenrek rekent ze '6 + 7' op de eerder aangegeven
manier uit. Bij '6 + 8' demonstreert ze zelfs twee manieren: in eerste instantie schuift ze vier kralen bij op de bovenste staaf (waar
er reeds zes staan) en haalt er van de onderste staaf vier af (waar

46

er acht stonden). Ze ziet dan direct wat de uitkomst is en zegt 'veertien'. In tweede ronde ziet ze ook zonder schuiven dat het antwoord 'veertien' is. Dat komt omdat ze nu de twee groepjes van vijf 'onder elkaar' als tien ziet. Vervolgens kan ze vlot en correct de volgende opdrachten uitvoeren:
– negen met alleen zwarte kralen laten zien;
– zes met zwarte en witte kralen;
– elf met alleen zwarte (?): commentaar 'dat kan niet'.
De opgave '9 + 3' lost ze op via '10 + 2'.
Ze werkt op twee staven bij: 5 + 6; 7 + 7; 9 + 3; 9 + 6; 13 - 5; 13 - 7.
Daarna is ze in staat om dergelijke opgaven alleen via kijken op te lossen. En dan zelfs zonder rekenrek in beeld te hebben. Aansluitend laat ze zien hoe ze 'in het hoofd' heeft gerekend met het rekenrek in gedachten.
Ze rekent gevarieerd en handig via het rekenrek bij:
– 16 - 7 door eerst zes van de onderste staaf af te halen en dan nog één van de bovenste;
– 16 - 5 door vijf kralen van de bovenste staaf weg te halen;
– idem bij 16 - 9;
(In alle gevallen werd zestien opgezet door tien op de bovenste en zes op de onderste staaf naar links te schuiven.)
Kortom, Linda was na minder dan drie kwartier werken al een eind op weg naar het structureren en uit het hoofd uitrekenen van elementaire optellingen en aftrekkingen tot twintig. Soms werkte ze met het rekenrek, soms zonder, of door alleen maar naar het rekenrek te kijken.

De hoofdpunten van het optellen en aftrekken tot twintig met behulp van het rekenrek zijn de volgende:
1.  Getalbeelden tot twintig op één staaf en op twee staven met (bijna) dubbelen kunnen herkennen en plaatsen.
2.  Optellingen als '6 + 7' werkend op het rekenrek of met een plaatje, of louter kijkend of zelfs in gedachten kunnen uitvoeren.
3.  Aftrekkingen als '13 - 10'; '13 - 9'; '13 - 8'; '13 - 7'; '13 - 6'; '13 - 5' maken door dertien op een standaardmanier op te zetten (met één volle staaf) en dan van die volle staaf in

47

een beweging het benodigde aantal kralen weg te halen, of weg te kijken, of een en ander in gedachten te doen.

4.  Gevallen oplossen waarin verschillende strategieën mogelijk zijn, zoals bij '13 - 4'; '16 - 5'; '9 + 6'; '8 + 4'; '7 + 5'.

Een precies voorgeschreven methodiek volgens welke kinderen exact bepaalde oplossingsregels moeten volgen is uiteraard niet wenselijk. In de meeste gevallen volgen de kinderen al snel de meest effectieve oplossingsmanieren bij bepaalde opgaven: het materiaal lokt deze doelmatige werkwijzen als het ware uit. In het onderwijs dienen de eerder genoemde fasen van manipuleren, kijken en in gedachten uitvoeren (plus het verwoorden van de handelingen) ook bij het rekenrek goed in acht genomen te worden. Bij een en ander kan men het rekenrek ook nog een zinvolle betekenis verlenen, namelijk die van (een teller in) een *dubbeldekkerbus* waar bovenin en onderin passagiers zitten. Het uitwisselen van kralen kan zo gemotiveerd worden: een passagier gaat van boven naar beneden of omgekeerd. De eigenschap $9 + 4 = 10 + 3$ bijvoorbeeld, of ingewikkelder 'uitwisselingen', worden direct duidelijk in deze dubbeldekkersituatie.

Samenvattend: het rekenrek is een hulpmiddel om de optel- en aftrektafels te automatiseren. Dit leermiddel is effectief omdat het enerzijds een zekere soepelheid aan oplossingsmanieren toelaat, doch anderzijds vaste getalbeelden biedt die een verinnerlijking van het rekenen tot twintig makkelijk mogelijk maken.[6]

Naast het rekenen met behulp van een kralensnoer met vijf-structuur (met tien of twintig kralen) of een rekenrek met vijf-structuur of ander soortgelijk of vergelijkbaar materiaal, dient het *handige rekenen* gesteld te worden dat niet op dergelijk materiaal steunt maar zich louter in de getallenwereld voltrekt. Voor heel wat kinderen van groep drie en vier is de getallenwereld tot twintig (en verder) namelijk reeds dermate vertrouwd dat ze zeer wel in staat zijn betekenisvol en op flexibele wijze met getallen te opereren. Voor hen is de getallenrij een goed geordende structuur. Ze beschikken ook al over heel wat gememoriseerde rekenfeiten. En wat van belang is: ze kunnen deze kennis inzetten om bepaalde opgaven met behulp van passende rekenprocedures vlot uit te rekenen.[7]

Zoals bijvoorbeeld: kennis van (bijna) dubbelen, eerlijk verdelen (5 + 7 = 6 + 6), omkeringen gebruiken (4 + 7 = 7 + 4), splitsen bij vijf of tien enzovoort. Het voordeel van dit handige rekenen is dat allerlei informele strategieën tot gelding kunnen komen, en dat geen onhandige rekenmanieren en rigide methodieken van bovenaf door de onderwijsgevende opgelegd hoeven te worden. Toch kleeft er ook een nadeel aan: zwakkere leerlingen zijn nu eenmaal vaak niet zo handig in het volgen van een potpourri van passende rekenstrategieën. Met als gevolg dat het rekenen niet wil vlotten en ook het automatiseren van de tafels voor optellen en aftrekken stokt. Vandaar dat speciaal voor hen het kralensnoer voor het rekenen tot tien en het rekenrek voor het rekenen tot tien en twintig uit de didactische doos werden gehaald. We hoeven de goede rekenaars daarmee echter niet of slechts kort te confronteren.

Het automatiseren van de elementaire tafels voor optellen en aftrekken tot twintig is in de hier geschetste opvatting niet louter een kwestie van in het hoofd stampen van een serie rekenfeiten zonder samenhang. Het wordt integendeel beschouwd als het eindprodukt van een langlopend leerproces dat gekenmerkt wordt door een steeds verdergaande verkorting van het berekenen. Deze is erop gericht het tellen (geleidelijk of tamelijk abrupt) terug te dringen en te vervangen door het handige rekenen met gedachte getalbeelden en pure getallen. Gerichtheid op snelheid is bij het inprenten van kennis op den duur van belang, en gerichte oefening evenzeer. Maar er is hierbij geen sprake van domme dril, doch veeleer van gestage oefening en geleidelijke kennisuitbreiding. Daarbij kan, zoals beschreven, structuurmateriaal met vijf, tien en twee (dubbelen) als grondpatroon een centrale didactische functie vervullen.

• OPTELLEN EN AFTREKKEN TOT HONDERD

Voor het optellen en aftrekken tot honderd worden twee hoofdmethoden uitgebreid besproken, namelijk:
1.    de zogenoemde rijmethode volgens welke getallen als het

ware op een kralenketting of een getallenlijn of een honderdveld geregen worden in casu samengevoegd of uit elkaar gehaald;

2. en de kolommethode van het hoofdrekenen 'onder elkaar' waarin de betreffende getallen eerst uiteengelegd worden in tientallen en eenheden, waarmee dan vervolgens verder geopereerd wordt; MAB-materiaal, Unifixblokken e.d. kunnen daarbij als materiële ondersteuning worden gebruikt.

De derde werkwijze, de zogenoemde variamethode van het handige rekenen, wordt slechts terloops ter sprake gebracht.
De vierde belangrijke methode, namelijk die van het cijfermatige rekenen 'onder elkaar' met inwisselen en lenen fungeert hier als contrasterende achtergrond voor het hoofdrekenen. Op dit cijferen wordt niet nadrukkelijk ingegaan, ten eerste niet omdat het tweede deel van dit boek daarover handelt, en ten tweede niet vanwege het feit dat we de cijfermethoden niet geschikt achten voor het rekenen tot honderd, althans zeker niet voor groep vier.
Bij leerlingen uit groep zes blijken alle genoemde methoden te worden gebruikt.
Neem bijvoorbeeld '53 - 24'.

Rijmethode:

$$53 \xrightarrow{-3} 50 \xrightarrow{-20} 30 \xrightarrow{-1} 29$$

$$53 \xrightarrow{-4} 49 \xrightarrow{-20} 29$$

$$53 \xrightarrow{-20} 33 \xrightarrow{-3} 30 \xrightarrow{-1} 29$$

Kolommethode:

$$53$$
$$\underline{24} \ -$$
$$30 - 1 = 29$$

Variamethode:

$$50-25=25 \; ; \; 50-24=26 \; ; \; 53-24=29.$$

Cijfermethode:

$$\begin{array}{l} 4 \ \ 1 \\ \not{5} \ 3 \\ 2 \ 4 \ - \\ \hline 2 \ 9 \end{array}$$

We richten ons hier, zoals gezegd, speciaal op de twee eerstgenoemde methoden.

*De rijmethode*
Bij het toepassen van de rijmethode spelen de *kralenketting* en de *getallenlijn* (en in mindere mate het honderdveld) een cruciale rol. We zullen daarom eerst kort iets over de relatie tussen de kralenketting en de getallenlijn schrijven.
Voor het rekenen tot honderd is een ketting met tienstructuur heel geschikt - de vijf-structuur heeft z'n functie bij het automatiseren van de tafels via de tienketting en het rekenrek dan al vervuld (figuur 23).

———————— FIGUUR 23

Op zo'n honderdketting kan men klemmen of ruitertjes tussen de kralen plaatsen, bijvoorbeeld na 18 kralen, 42 kralen, 57 kralen. Die getallen bij de ruitertjes duiden er op dat er respectievelijk 18, 42 en 57 kralen vóór zitten. De klemmen kunnen vervolgens in relatie gebracht worden met de streepjes op de getallenlijn[8] (figuur 24).

FIGUUR 24

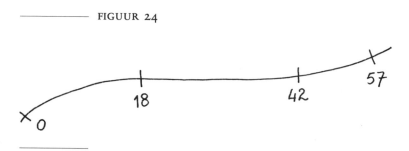

Zo krijgt zelfs het streepje bij nul betekenis: er zitten daar geen kralen meer voor. Deze streepjesbenadering (een soort kilometerpaaltje kan men ook zeggen) is met het oog op het verdere rekenonderwijs de meest vruchtbare invulling van de getallenlijn. Hij maakt het namelijk mogelijk om later ook decimale en gewone breuken op de getallenlijn te plaatsen. Er is uiteraard ook een sterke verbinding tussen de telrij, de kralenketting en de getallenlijn te leggen. Dat kan bijvoorbeeld door het tellen met sprongen van tien synchroon te laten lopen met het aanwijzen van de betreffende aantallen op de kralenketting of de getallen op de getallenlijn. Vervolgens dienen de kinderen snel aantallen op de kralenketting en getallen op de getallenlijn te kunnen lokaliseren. Een voorbeeld (figuur 25).

FIGUUR 25: WAAR LIGGEN ONGEVEER 47, 98, 5, 75, 25?

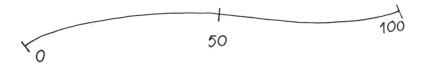

Kunnen kinderen dergelijke opdrachten op de grotendeels lege getallenlijn uitvoeren en zijn ze in staat daarop ook stappen van tien vooruit en achteruit te maken vanaf willekeurige punten, dan kan met het optellen en aftrekken op de lege getallenlijn worden begonnen. De opgave '27 + 38' bijvoorbeeld kan via verkort doortellen vanaf 27 op verschillende manieren op de getallenlijn (eventueel met ondersteuning van de honderdketting) worden afgebeeld en uitgerekend (figuur 26).

———————— FIGUUR 26

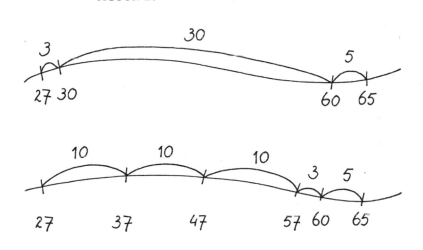

Als steunpunten kunnen daarbij 30, 37, 47, 57 en 60 fungeren en eventueel 67. De drie sprongen van tien, vanaf 27 of vanaf 30 kunnen aanvankelijk op de vingers worden bijgehouden onder het uitspreken van 'zeven en dertig' (één vinger), 'zeven en veertig' (twee vingers), 'zeven en vijftig' (drie vingers). Later kan de sprong ineens van 27 naar 57 (of van 30 naar 60) worden gemaakt. Bij het uitspreken van 37, 47, 57 kan gesteund worden op de klanksystematiek van het akoestisch tellen.
Bij het aftrekken wordt een soortgelijke werkwijze gevolgd. Dat betekent bij '65 - 38' eerst 65 op de getallenlijn plaatsen en van daaraf 38 (verkort) terugtellen (figuur 27).

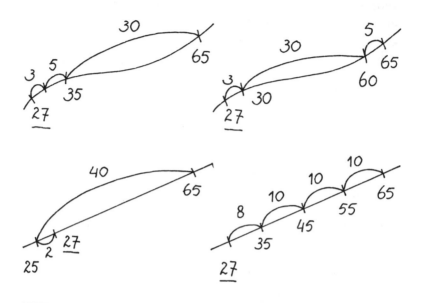

Hier staan vier oplossingsschema's maar er zijn natuurlijk meer mogelijkheden. Men kan de aftrekking '65 - 38' immers ook opvatten als het verschil tussen 65 en 38, oftewel het overbruggen van de afstand tussen 38 en 65 (figuur 28).

FIGUUR 28

En bij dit aanvullende optellen vanaf 38 naar 65 zijn ook weer verschillende oplossingen mogelijk (figuur 29).

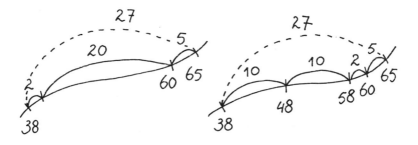

In toepassingssituaties doet zich dit aanvullende optellen of bijtellen herhaaldelijk voor ('Ik heb 38 km afgelegd en moet 65 km rijden. Hoeveel moet ik nog?') De rijmethode is hierbij te gebruiken en voor kinderen in het algemeen eenvoudig te begrijpen. Ze sluit namelijk aan bij het primitieve vooruit en achteruit tellen. In ieder geval kan men met de rijmethode getalgoochelarij voorkomen zoals die zich bij de cijfermatige oplossingen van opgaven als '65 - 38' vaak voordoet:

$65 - 38 = ..; \quad 6 - 3 = 3; \quad 8 - 5 = 3; \quad 3 - 3 = 0$
$65 - 38 = ..; \quad 5 - 3 = 2; \quad 8 - 6 = 2; \quad 22$
$65 - 38 = ..; \quad 6 - 3 = 3; \quad 8 - 5 = 3; \quad 33$
$65 - 38 = ..; \quad 15 - 8 = 7; \quad 6 - 3 = 3; \quad 37$

Bij het cijferen worden de getallen niet in hun waarde gelaten, maar wordt met positiecijfers geopereerd. Daarmee is de poort naar formalistisch rekenen wijd opengezet. Het feit dat die cijferhandelingen aanvankelijk ondersteund worden met MAB-materiaal e.d. hoeft daaraan niet veel te veranderen: het rekenen op dat niveau wordt daardoor niet minder abstract - we komen hierop later terug.

In het volgende een voorbeeld van een onderwijsgesprekje met twee leerlingen die de cijfermatige aanpak niet goed beheersen en met de lege getallenlijn gaan werken.[9]

*Marieke en Koen (uit groep vijf)*
Beide leerlingen lossen de opgave '83 - 39' verkeerd cijferend op.
Dat gaat zo. 'Drie min negen gaat niet, dan haal ik van die acht
één af. Dan doe ik die één bij die drie, dat wordt dan dertien. Dertien eraf negen wordt vier. Dan schrijf ik die vier op. Dan doe ik
acht min drie is vijf. En krijg ik vierenvijftig.'
We beginnen met de verkenning van de getallenlijn waarop de
tientallen staan aangegeven. Het blijkt dat ze nauwkeurig en vlot
28, 75, 92 en 43 kunnen aangeven. Deze getallenlijn met alleen
streepjes bij de tientallen wordt gebruikt om de opgave '83 - 39'
van zojuist uit te rekenen. Dat gaat zo: beiden springen ineens van
83 naar 53. Dan doet het ene kind er eerst 3 af en dan 6, en de andere haalt 10 af van 53 en telt dan 1 bij 43.
Vervolgens wordt overgestapt op een lege getallenlijn. Daarop
worden onder meer de opgaven '75 - 48' en '18 + 64' gemaakt.
Dat gaat bij Koen als volgt (figuur 30):

─────────── FIGUUR 30

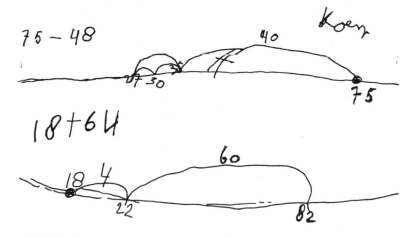

Hij maakt de sprongen met de tientallen ineens. Bij 35 - 8 splitst
hij 8 in 5 en 3. Marieke daarentegen doet ook dit in één sprong,
dus zonder splitsen. En Koen doet bij '18 + 64' eerst 4 erbij en dan
60, terwijl Marieke omgekeerd werkt (figuur 31).

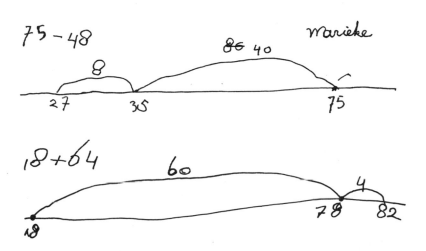

Voor beiden geldt echter dat ze via de rijmethode nauwkeurig weten wat ze in feite aan het doen zijn, terwijl dat bij de cijfermatige
methode niet het geval was. Eerst de rijmethode en pas veel later
de kolomsgewijze aanpak, luidt het didactische devies.

*Het honderdveld*
De structuur van het honderdveld is voor heel wat kinderen niet
zo eenvoudig te doorzien.[10] De links-rechts oriëntatie en die van
onder-boven verschillen fundamenteel en daardoor kunnen sprongen van één en tien makkelijk door elkaar gehaald worden, terwijl
ze qua spronggrootte niet verschillen. Ook de sprong van bijvoorbeeld 30 naar 31 is problematisch: groot in ruimte, klein in getal,
dus precies het omgekeerde van een sprong naar beneden of boven.
Door deze strikte gebondenheid aan regels lopen we met het rekenen op het honderdveld gevaar in trucs te vervallen als: indien je
bij een bepaald getal 30 moet optellen ga je drie hokken naar beneden. Moet er 34 bij dan maken we drie trekken naar beneden en
vier naar rechts... Maar wat te doen indien we met zo'n samenge-

| 1 | | | | | | | | | | 10 |
|---|---|---|---|---|---|---|---|---|---|---|
| 11 | | | | | | | | | | 20 |
| 21 | | | | | | | | | | 30 |
| 31 | | | | | | | | | | 40 |
| 41 | | | | | | | | | | 50 |
| 51 | | | | | | | | | | 60 |
| 61 | | | | | | | | | | 70 |
| 71 | | | | | | | | | | 80 |
| 81 | | | | | | | | | | 90 |
| 91 | | | | | | | | | | 100 |

—————

stelde trek over de bovenrand uitkomen? Wel, dan krijgen we met een nieuw voorschrift te maken!

Teneinde de structuur van het honderdveld met de optel- en aftrekbewegingen daarop goed te leren doorzien, is het beslist noodzakelijk dat kinderen ruimschoots gelegenheid krijgen het bord te leren kennen door verkennen. Eerst moet het honderdveld worden opgebouwd of geconstrueerd. Dat kan door een lange strook met honderd genummerde velden te verknippen in tien stroken en deze op een geordende wijze onder elkaar te plaatsen. En dan het veld verder te gaan verkennen: buurvelden benoemen, korte wandelingen maken, werken op een leeg honderdveld. Dat kan ook via dobbelsteenspelletjes.

Heel geschikt is het getallenrace-spel, een soort ganzenbordspel met vier dobbelstenen.[11] Op ieder van de dobbelstenen staat een leeg vakje. Het zijn dobbelstenen voor respectievelijk de getallen één tot en met vijf, zes tot en met tien, elf tot en met vijftien, en zestien tot en met twintig. Eén dobbelsteen wordt gebruikt bij de race tussen twee personen. Wie is het eerst met zijn pion bij of over honderd, en wie is het eerste terug bij één? Of wie het eerst bij vijftig is, startend van één en van honderd? Kinderen worden bij dit spel door de onderwijsgevende gestimuleerd de gegooide sprongen in zo weinig mogelijk stappen af te leggen. Ze ontdekken al gauw hoe je een sprong van tien, elf, twintig, negen enzovoort kunt maken. En omdat ze met tweetallen spelen, helpen en corrigeren ze elkaar bij het maken van grote sprongen. Daarna kan de verbinding tussen dit getallenrace-spel en het maken van opgaven als '29 + 24' en '63 - 28' worden gelegd. Met het gevulde honderdveld voor ogen gaat dat in gedachten als volgt: "29 + 24' ik sta op 29 en gooi 24; of bij '63 - 28', ik sta op 63 en moet 28 terug.' Daarbij rekent iedere leerling naar de mate van verkorting die haar of hem past. Later gebeurt hetzelfde op een leeg honderdveld en nog later louter mentaal op het gedachte honderdveld. Of het werken op het honderdveld makkelijker is en meer steun biedt dan de lege getallenlijn valt sterk te betwijfelen. Integendeel: er zitten alleen maar wat meer haken en ogen aan. Maar indien men het honderdveld wenst te gebruiken is de aangegeven exploratie van het bord, onder meer via het getallenrace-spel, beslist noodzakelijk wil het rekenen erop niet te trucmatig verlopen -een gevaar dat overigens op de lege getallenlijn nauwelijks dreigt.

*De kolommethode*
Na en naast de rijmethode komt de methode van het kolomsgewijze hoofdrekenen voor zowel optellen als aftrekken. Neem het voorbeeld '27 + 38'.

$$27$$
$$38 \ +$$
$$\overline{\phantom{xxxx}}$$
$$50 + 15$$
$$\underline{65}$$

Deze berekening kan met MAB-materiaal onderbouwd worden (figuur 33).

──────── FIGUUR 33

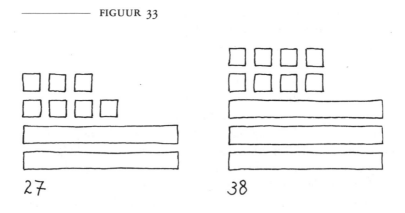

27                    38

Samengevoegd krijgen we: vijf staven en vijftien lossen dat is 50 + 15 = 65. (Bij de cijfermatige aanpak ruilt men die vijftien lossen in voor één staaf en vijf lossen, dat is bij elkaar zes staven en vijf lossen. Er wordt hier met positiecijfers en verschillende maateenheden gerekend.[12] Voor het aftrekken gaat het kolomsgewijze rekenen op analoge wijze. Neem '65 - 27'.

$$
\begin{array}{r}
65 \\
27 \ - \\
\hline
40 - 2 \\
38 \\
\hline
\end{array}
$$

De materiële ondergrond is ook hier met MAB duidelijk (figuur 34).

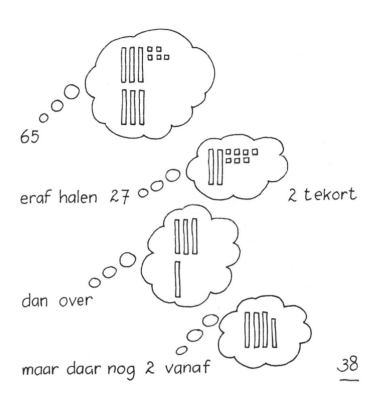

In feite gebeurt hier hetzelfde als bij het optellen: eerst uitrekenen hoeveel tientallen er over zijn en dan hoeveel lossen. Het blijkt dat we twee lossen te weinig hebben, dus die moeten van veertig worden afgehaald... Dus in plaats van dat we, zoals bij de cijfermatige methode, zeggen 'vijf eraf zeven, dat gaat niet' zeggen we nu 'vijf eraf zeven, dat is twee te weinig.' En dat kunnen kinderen uit groep drie en soms zelfs groep twee al!

We kunnen deze methode voor zowel optellen als aftrekken via de volgende opgaventypen laten verlopen (figuur 35).

$$\begin{array}{r} 27 \\ 32 + \\ \hline 50 + 9 \\ 59 \\ \hline \end{array}$$

erbij

$$\begin{array}{r} 27 \\ 33 + \\ \hline 50 + 10 \\ 60 \\ \hline \end{array}$$

erbij

$$\begin{array}{r} 27 \\ 38 + \\ \hline 50 + 15 \\ 65 \\ \hline \end{array}$$

erbij

$$\begin{array}{r} 65 \\ 23 - \\ \hline 40 + 2 \\ 42 \\ \hline \end{array}$$

eraf

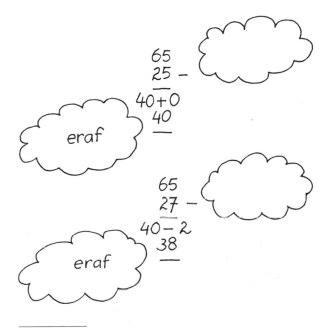

$$65$$
$$25 -$$
$$\overline{40+0}$$
$$40$$

eraf

$$65$$
$$27 -$$
$$\overline{40-2}$$
$$38$$

eraf

Overigens is deze methode van aftrekken algemeen bruikbaar bij grotere getallen. Bijvoorbeeld:

$$634$$
$$278 -$$
$$\overline{400-40-4}$$
$$356$$

$$637$$
$$382 -$$
$$\overline{300-50+5}$$
$$255$$

Een dergelijke gestileerde wijze van hoofdrekenen sluit perfect aan bij het schattend rekenen. Men krijgt door de rekenwijze, werkend van links naar rechts, al snel zicht op de orde van grootte van de uitkomst. En dat is precies wat met het eenzijdige cijferen volledig verloren dreigt te gaan: men werkt daar precies in tegengestelde richting.

───────── FIGUUR 36

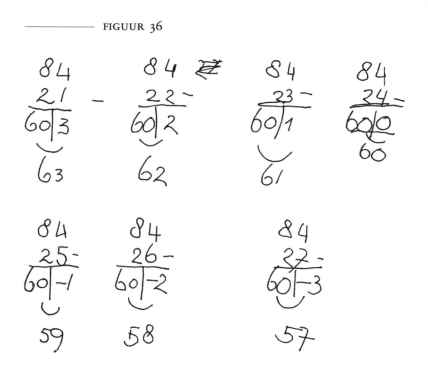

Dit kolomsgewijze rekenen is een bruikbaar alternatief voor vooral de zwakkere leerlingen die zowel moeite hebben met het gevarieerde flexibele hoofdrekenen als het cijfermatige rekenen.

*Samenvatting*
De rijmethode sluit aan bij het verkorte tellen. Ze staat meerdere handige oplossingswijzen toe en verschillende verkortingsmanieren. Het krachtigste hulpmiddel erbij is de lege getallenlijn waarvoor de kralenketting met 'ruitertjes' de materiële onderbouwing biedt.
Het kolomsgewijze hoofdrekenen zegt niet zozeer iets over de wijze waarop de op te tellen of af te trekken getallen 'onder elkaar'

genoteerd worden als wel over de manier waarop daarmee mentaal wordt gerekend. De methode is wat abstracter dan de rijmethode maar concreter dan het cijfermatige rekenen dat aanvankelijk bij het rekenen tot honderd eigenlijk nog niet aan de orde dient te komen - zeker niet voor de zwakkere leerlingen. MAB- en soortgelijk materiaal kunnen het kolomsgewijze rekenen handzaam ondersteunen.

Eerst komt dus het rekenen op rij, dan het kolomsgewijze hoofdrekenen en tenslotte, desgewenst, het cijferende rekenen. Het gevarieerde rekenen met de variamethode loopt daar steeds doorheen (hierop komen we later nog terug). Dit is de grote didactische lijn voor het rekenen tot honderd. Hierbij hebben we ook het oog op toepassingen...

- ... EN KUNNEN DEZE KENNIS TOEPASSEN

Bij heel wat toepassingen gaan kinderen in het aanvangsonderwijs niet zomaar optellen of aftrekken maar ze hanteren contextgebonden rekenwijzen. Een voorbeeld van aftrekken:

> Een boek bevat 65 bladzijden. Ik heb 27 bladzijden gelezen.
> Hoeveel bladzijden moet ik nog lezen voor het boek uit is?

Bij dergelijke opgaven tellen kinderen vaak door (in dit geval van 27 naar 65). Ze herkennen er zelfs vaak geen aftrekking in. Voor dit doortellen kan de getallenlijn in casu de methode van het rijgen effectief worden ingezet. De materialisering met MAB-materiaal ligt hier niet erg voor de hand en is zelfs tegennatuurlijk. De methoden van het kolomsgewijze hoofdrekenen en zeker ook van het cijferende aftrekken zijn hier bijgevolg dan ook moeilijk inzetbaar.

> Er waren 65 mensen in de zaal. Er gingen er 27 weg. Hoeveel waren er toen nog over?

Hier herkennen kinderen meestal wel een aftrekking in. Daarom zijn in dit voorbeeld alle eerdergenoemde methoden toepasbaar.

Van de 65 kinderen zijn er 27 jongens. Hoeveel meisjes zijn er?

In dit geval zien kinderen soms een aftrekking, maar ook wel een aanvullende optelling. En dus hebben de kolomsgewijze en cijfermatige methoden hier hun beperkingen, in tegenstelling tot de rijmethode op de getallenlijn die universeel inzetbaar is.

> In de klas zitten twintig jongens en twaalf meisjes. Er zijn ... meer jongens dan meisjes.

Hier geldt dat ook.

> Jeanne ziet op het ANWB-richtingbord dat naar links wijst, staan 'Hilversum 13 km, Lage Vuursche 7 km'. Hoever ligt Lage Vuursche van Hilversum, langs die weg?

Nog moeilijker: ongeveer één op de drie kinderen van de bovenbouw ziet hierin een optelling in plaats van een aftrekking: de richting geeft een extra complicatie.[14]

> Wim woont dertien kilometer van school en Saskia zeven kilometer. Hoever wonen Wim en Saskia van elkaar?

Dit is helemaal een lastig probleem. Er kunnen zich namelijk grofweg drie gevallen voordoen (figuur 37).

─────────── FIGUUR 37

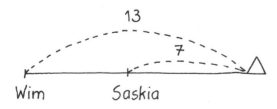

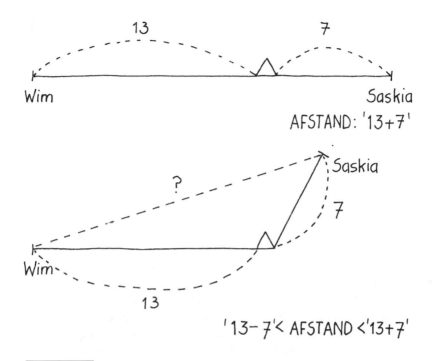

13   7

Wim                          Saskia

AFSTAND: '13+7'

? Saskia

7

Wim

13

'13-7'< AFSTAND <'13+7'

Kortom er zijn tal van situaties die een zodanige *structuur* hebben, bijvoorbeeld bij verschil- of overbruggingsproblemen, dat kinderen daarin niet eenvoudig een aftrekking herkennen. Anders gezegd, aftrekken heeft in de realiteit tal van verschijningsvormen: het komt te pas bij afhalen, bedekken, vergelijken, enzovoort. Kinderen raken pas geleidelijk met dergelijke situaties vertrouwd. Voorts blijkt uit de laatstgenoemde voorbeelden hoe belangrijk de *context* van de opgaven is, in dit geval de context van kaarten, wegwijzers, wegen en afstanden - een enorm arsenaal aan begrippen en structuren die bekend verondersteld worden.

Structuur en context, ziehier de belangrijkste componenten van toepassingssituaties bij optellen en aftrekken tot honderd, waarmee de rijkdom aan mogelijke toepassingen enigermate beschreven kan worden. Sommige toepassingen staan aan het begin van het betreffende onderwijs, bijvoorbeeld 'eraf halen' bij het aftrekken, andere worden slechts geleidelijk aan de orde gesteld, zoals bijvoorbeeld de genoemde wegwijzer- en afstandproblemen. In het laatste geval gaat het er overigens niet eens zozeer om dat kinderen zo'n probleem zelfstandig zouden moeten kunnen maken. Nee, het gaat vooral om het onderzoek, de uitgelokte discussie, het bewijzen van de correctheid van de gevonden oplossingen en de mogelijke weerleggingen ervan, het tekenen van plaatjes om het denken en redeneren te ondersteunen, kortom het leren in een goed wiskundig werkklimaat.

Dit geldt trouwens niet alleen voor het onderwijs in het maken van contextproblemen of toepassingen, maar zeker ook voor het leren automatiseren van de optel- en aftrektafels. En voor het vlot leren maken van optel- en aftreksommen tot honderd met, zonodig, de ondersteuning van daartoe geëigend materiaal en geschikte modellen.

De belangrijke trefwoorden zijn in dit verband: vijf-structuur, kralenketting, rekenrek, (lege) getallenlijn, rijgen (rekenen in rij of naast elkaar, in gedachten), kolomsgewijs rekenen (rekenen in kolommen, of onder elkaar, in gedachten)[15] en gevarieerd rekenen. Het cijfermatige rekenen werd vooralsnog gemeden, want dat stuurt het begripsmatige rekenen tot honderd aanvankelijk in het honderd.

Noten bij doelstelling 2

1.  Op de oorspronkelijke tekst over basisvaardigheden en toepassingen ervan is door verschillende personen gereageerd. Enkele suggesties van Van Parreren hebben tot belangrijke veranderingen geleid: zijn idee om ook tekst aan tellen te besteden is opgevolgd en ook zijn gedachte om bij de toepassingen niet apart aandacht aan de aard van de getallen te schenken maar deze in de dimensie van de context te betrekken, leek ons zinvol. Tevens hebben de reacties van Van Luit, Ter Heege, Steinvoorde en Van der Velde hier en daar tot wijzigingen geleid.
Er zijn echter nog andere redenen die tot een belangrijke aanpassing van de oorspronkelijke tekst hebben geleid. De belangrijkste is wel het opdiepen van het rekenrek geweest. Dit heeft ons ertoe gebracht de inwisselmethode met vijven van Hatano en Flexer (zie noot 3) in z'n geheel uit de tekst te schrappen.
Ingevoegd is het optellen en aftrekken tot honderd dat eerst in

doelstelling 4 over hoofdrekenen werd besproken. Speciaal op dat onderdeel werd door Van Luit, Blakenburg, Van der Heijden, Van der Meer, Scholten, Buijs, Van Dongen, Beishuizen en Van Mulken gereageerd. De laatstgenoemde auteurs hebben ons op de twee kernmethoden van het optellen tot honderd geattendeerd, die we zelf ook voor het aftrekken zijn gaan toepassen. Van Dongen en Van Erp reageerden op het rekenen met tekorten (zij het in het kader van het cijferen) en Buijs op het rekenen via het honderdveld. Daarnaast waren er auteurs die ons pleidooi voor het hoofdrekenen ondersteunden (Van der Heijden, Groenewegen, Scholten en Van der Meer) of kritisch becommentarieerden (Van Luit en in sterkere mate Blakenburg). Daar moet echter wel aan toegevoegd worden dat met name de oorspronkelijke tekst over kolomsgewijs hoofdrekenen lang niet zo uitgewerkt was als dat nu het geval is. Het totaal van de reacties heeft tot een aanzienlijke uitbreiding en aanpassing van de oorspronkelijke tekst geleid. A. Dekker las het manuscript kritisch door.
Zie voor de genoemde reacties:
*Tijdschrift voor nascholing en onderzoek van het rekenwiskundeonderwijs*, 6(2) 1987; 6(3) 1988; 6(4) 1988; 7(1) 1988.

2. Zie voor onderzoeksgegevens:
Wijnstra, J.H.: *Balans van het rekenonderwijs in de basisschool. Uitkomsten van de eerste rekenpeiling medio en einde basisonderwijs,* Cito, Arnhem 1988, pag. 33-34.
Carpenter, T.P. e.a.: *Results from the Second Mathematics Assessment of the National Assessment of Educational Progress,* NCTM, Reston 1981, pag. 20.
De Nederlandse resultaten lijken wat gunstiger dan de Amerikaanse.

3. Bekende didactici en psychologen als Kühnel, Wittmann, Brownell, Wertheimer en Karaschewski hebben de sleutelfunctie van de vijf-structuur onderkend. Onlangs heeft de bekende wiskundige Whitney ook nog eens op het belang ervan gewezen. En in Nederland hebben Van Eerde en Van den Berg in het kader van het Kwantiwijzerproject de essentiële rol van de vijf-structuur beklemtoond.
De vijf-structuur kan, net als de tien-structuur trouwens, op twee essentieel verschillende manieren bij het optellen en aftrekken tot tien en twintig worden benut. Namelijk met de rijmethode en met de methode van het kolomsgewijze rekenen (zie voor een toelichting op deze termen het gedeelte van de basistekst dat handelt over het rekenen tot honderd).
Kühnel, Whitney e.a. gebruikten de vijf-structuur volgens de rijmethode, dus op de kralenketting zeg maar, Hatano en Flexer daarentegen voor het kolomsgewijze rekenen. Bij het eerstgenoem-

de gebruik wordt het ordinale aspect van het getal benadrukt, in het tweede het kardinale aspect. Wij hebben echter met het rekenrek een leermiddel opgediept waarmee en waarop beide methoden kunnen worden toegepast. In de oorspronkelijke tekst hadden we beide methoden nog naast elkaar gezet en gebruikten we zowel de kralenketting met vijf-structuur als de vijf-staafjes van Hatano en de vijf-bakjes van Flexer en van Wirtz. Nu beperken we ons tot de gecombineerde aanpak op het rekenrek, waarop zowel met vijven geregen kan worden als kolomsgewijs gerekend.
Zie voor de rijmethode met vijven: Whitney, H.: Verantwoord wiskundeonderwijs, *Willem Bartjens,* 6, 1986-'87, pag. 90-92.
Zie voor de kolomsgewijze rekenwijze met vijven:
Hatano, G.: Learning to add and subtract: a Japanese perspective, *Addition and Subtraction: a cognitive perspective,* (T.P. Carpenter, J.M. Moser & T.A. Romberg, eds.), Lawrence Erlbaum, Hillsdale 1982, pag. 211-224.
Flexer, R.J.: The Power of Five: the Step before the Power of Ten, *The Arithmetic Teacher,* 34, 1988, pag. 5-10.
Zie voor de gecombineerde werkwijze van het rekenrek noot 5.

4. Zie:
Goffree, F.: *Wiskunde & Didactiek,* (deel 1), Wolters Noordhoff, Groningen 1982, pag. 76 e.v.
Ifrah, G.: *From one to zero. A universal history of numbers,* Penguin Books, New York 1987.

5. Zie: Treffers, A., E. de Moor en E. Feijs: Een eenvoudig telraam met vijf-structuur: het rekenrek, *Willem Bartjens,* 8(3), 1989, pag. 151-154.
Zie: Treffers, A., E. de Moor en E. Feijs: Het rekenrek (2), *Willem Bartjens,* 8(4), 1989, pag. 199-201.
Het betreffende brede rekenrek is verkrijgbaar bij Jegro.

6. Andere mogelijkheden voor een soortgelijke werkwijze biedt het twintigveld met vijf-structuur:

Twintigveld

De bewegingsvrijheid op zo'n veld is veel groter dan op een rekenrek. Dat kan voordelen hebben maar vooral ook nadelen. Met name als het om verinnerlijken van de (vaste) getallenbeelden gaat wordt het hierop moeilijker.

7. Zie voor informele werkwijzen:
   Carpenter, T.P., J.M. Moser en T.A. Romberg (eds.): *Addition and Subtraction: a cognitive perspective*, Lawrence Erlbaum, Hillsdale 1982.
   Ginsburg, H.: *Children's Arithmetic: the learning process*, Van Nostrand, New York 1977.
   Carraher, T.N., D.W. Carraher en A.D. Schliemann: Mathematics in the streets and in schools, *British Journal of Developmental Psychology*, 3, 1985, pag. 21-29.
8. Zie Whitney, noot 3.
9. Observatie van Sjoerd Huitema.
10. Zie: Buijs, K.: Schaduwzijden van het honderdveld, *Tijdschrift voor nascholing en onderzoek van het reken-wiskundeonderwijs*, 6(4), 1988, pag. 3-11.
11. Dit spel is ontwikkeld door W. van der Veen en verkrijgbaar bij Jegro.
12. Zie voor teleurstellende resultaten met de cijfermatige aanpak bijvoorbeeld:
    Resnick, L.B. en S.F. Omanson: Learning tot understand arithmetic, *Advances in instructional psychology*, vol 3 (R. Glaser ed.), Erlbaum, Hillsdale 1988.
    Een schets van een andere, niet cijfermatige aanpak geven:
    Kamii, C. en L. Joseph: Teaching Place Value and Double-Column Addition, *The Arithmetic Teacher*, 35(6), 1988, pag. 48-53.
13. Observatie van Ria Vrolijk.
14. Hart, K.M.: *Children's Understanding of Mathematics: 11-16*, John Murray, London 1981, pag. 25 e.v.
15. In feite zijn er voor het rekenen tot honderd, zoals eerder gezegd, vier methoden:
    1. de rijmethode;
    2. de kolommethode;
    3. de varia-methode;
    4. de cijfermethode.
    Aanvankelijk is methode 4) van het cijferen niet wenselijk. Maar methode 3) daarentegen wel.
    Zie: Dongen, A. van: Verschil in reactie, *Tijdschrift voor nascholing en onderzoek van het reken-wiskundeonderwijs*, 7(1), 1988, pag. 3-9.

DOELSTELLING 3
Leerlingen kennen uit het hoofd: de tafels van vermenigvuldiging
tot tien en de bijbehorende deeltafels

Om didactische redenen voegen we aan de beschrijving van deze
doelstelling toe: 'en kunnen deze kennis toepassen'. Dit doel dient,
mede ten behoeve van het hoofdrekenen en het cijferen, eigenlijk
al in groep vijf van de basisschool te worden bereikt.
Voor twee van de drie leerlingen gaat dit ook op. Ze hebben er
dan wel vaak tientallen uren hoofdzakelijk schriftelijk oefenen op
zitten. Aansluitend komt daar nog de indirecte training via het cijferen bij. Het resultaat is dat aan het einde van de basisschool het
overgrote deel van de leerlingen (meer dan tachtig procent) de tafels volledig beheerst.[1]
Scherp gesteld zijn er voor de tafels twee onderwijsmethoden: de
reproduktie- en de reconstructie-methode.[2] Uit onderzoek blijkt
dat de laatstgenoemde in het algemeen genomen het meest doelmatig is. Doelmatig met het oog op het zojuist gestelde leerdoel,
maar vooral ook bezien in het licht van de algemene doelen van
het reken-wiskundeonderwijs. We zullen de reconstructie-
didactiek nu nader beschouwen tegen de contrasterende achtergrond van de reproduktie-methodiek.
De *reproduktie-methodiek* is eerst en vooral gericht op het direct
kunnen reproduceren van de tafels die achtereenvolgens aan de orde worden gesteld, te weten die van tien, twee, vijf, drie, vier, zes,
zeven, acht en negen. Per tafel is de werkwijze steeds dezelfde.
Starten met herhaald optellen van het betreffende tafelgetal en het
maalteken daaraan verbinden. Samenstellen van de tafelrij via
sprongen in de telrij of eventueel op de getallenlijn. Inprenten van
de betreffende rij (figuur 38).[3]

Inoefenen van de tafels 'door elkaar' via zelfinstructie en schriftelijk oefenen (en soms met tafeldictees en spelletjes), en onderhou-
den van de verworven tafelkennis door middel van het voortdurend oefenen van de voorafgaande tafels. Informele strategieën

$$2$$
$$2+2=$$
$$2+2+2=$$
$$2+2+2+2=$$
$$2+2+2+2+2=$$
$$2+2+2+2+2+2=$$
$$2+2+2+2+2+2+2=$$
$$2+2+2+2+2+2+2+2=$$
$$2+2+2+2+2+2+2+2+2=$$
$$2+2+2+2+2+2+2+2+2+2=$$

$$1 \times 2 = 2$$
$$2 \times 2 = 4$$
$$3 \times 2 = 6$$
$$4 \times 2 = 8$$
$$5 \times 2 = 10$$
$$6 \times 2 = 12$$
$$7 \times 2 = 14$$
$$8 \times 2 = 16$$
$$9 \times 2 = 18$$
$$10 \times 2 = 20$$

Leer de tafel van 2 uit je hoofd.

van handig rekenen worden niet gestimuleerd omdat deze het directe inprenten niet zouden bevorderen. Reële toepassingen komen hooguit later in het onderwijs-leerproces. Aan het inslijpen van de tafels gaat geen fase van begripsvorming van de bewerkingen vooraf. Tegenover deze methodiek staat de *reconstructie-didactiek*. Deze stuurt niet uitsluitend en direct op reproduktie van kennis aan, maar probeert dit doel mede via een proces van reconstructie, van kennisopbouw via vaardig rekenen te realiseren. Kennis van de tafels is hier het resultaat van een proces van steeds verdergaande verkorting van handig rekenen, met als laatste stap het volledig inprenten. Die verkorting geschiedt onder meer door: efficiënt gebruiken van eigenschappen, benutten van reeds gememoriseerde tafelkennis, uitbuiten van bepaalde structuren in het getalsysteem en ... gericht oefenen. Memoriseren zo bezien is het resultaat van een gefaseerd onderwijs-leerproces dat:

1.  start met de begripsvorming van de bewerkingen, de introductiefase;

2.  vervolgt met de fase van memoriseren via handig rekenen, de reconstructiefase;

3. voorlopig afsluit met het volledig inprenten van alle tafels, de reproduktiefase;

4. en dan verder gaat met het consolideren van de kennis en het uitbreiden van de toepassingen.

Deze fasen zijn uiteraard niet nauwkeurig te scheiden: steeds worden toepassingen gemaakt en bij voortduring vindt handig rekenen en memoriseren plaats. We lichten ze toe.[4]

• INTRODUCTIEFASE

In de introductiefase van de begripsvorming komen de belangrijkste aspecten van de operaties aan bod. Voor vermenigvuldigen wil dit zeggen dat de bewerking dan kan worden uitgebeeld met een groepje (doosje), een getallenlijn (strook), een rechthoek (een rechthoekig patroon) of meerdere van deze modellen bij één situatie. Neem bijvoorbeeld het volgende probleem: 'Hoeveel dagen zitten er in vier weken?' (figuur 39)

In de eerste verpakking ligt de nadruk op het herhaalde optellen. Er zijn vermenigvuldigproblemen waarin vooral dit aspect sterk naar voren komt.

Bij de stroken komt het verhoudingsaspect van vermenigvuldigen in beeld en bij de getallenlijn het sprongkarakter van zoveel keer. Ook dit zijn opvallende kanten van bepaalde vermenigvuldigproblemen.

Met het rechthoeksmodel wordt er weer iets specifieks toegevoegd: het herhaalde optellen komt wat op de achtergrond en het vermenigvuldigen krijgt nu een geheel eigen status. Een opgave als 4,2 × 7,3 in verband met oppervlakte weerspiegelt dit: hij is nog maar moeilijk als herhaald optellen te interpreteren. Tevens kan de verwisseleigenschap (4 × 7 = 7 × 4) wel direct vanuit het rechthoekspatroon begrepen worden maar niet met de voorgaande modellen.

Tenslotte de kalendervoorstelling van weken en dagen met het kruispuntenmodel. Dat is erg geschikt om bepaalde combinatorische problemen te verduidelijken. Bijvoorbeeld hoeveel combina-

74

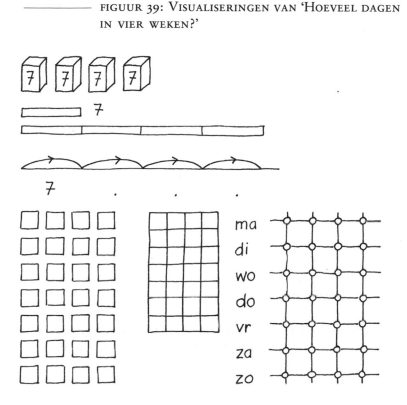

ties je in principe kunt maken van vier voorgerechten en zeven
hoofdgerechten, van vier broeken en zeven bloesjes. Dit zijn problemen waarin een op de drie kinderen aan het einde van de basisschool geen vermenigvuldiging ziet.[5] Het kruispuntenmodel kan
die structuur duidelijk blootleggen. En dat is nu ook precies het
belang van modellen: ze laten iets zien van de grondstructuur van
problemen waarin een vermenigvuldiging vervat ligt en ze maken
bepaalde eigenschappen van de betreffende bewerking zichtbaar.
Zodoende komen ze zowel het rekenen als het toepassen ten goede.
Natuurlijk moeten in de beginfase niet alle mogelijke uitbeeldin-

gen aan de orde komen, dat zou alleen maar verwarring scheppen. Criterium voor de keuze is primair of ze de eigenschappen van vermenigvuldigen, die bij het leren van de tafels en het maken van toepassingen ervan een sleutelrol vervullen, goed zichtbaar maken. Zoals daar zijn: de verdeelregel van het herhaalde optellen (4 × 7 = (3 × 7) + 7) en de verwisselregel (4 × 7 = 7 × 4). We komen zo allereerst bij de getallenlijn, de strook en het rechthoeksmodel terecht. Maar laten we vooral niet vergeten dat ook de elementaire contextopgaven zelf sterke zeggingskracht voor de genoemde eigenschappen kunnen hebben. We spreken in dit verband wel van situatiemodellen, een soort toepassingen-vooraf ten behoeve van de begripsvorming.

Deze elementaire modelopgaven plus de visualiseringen ervan markeren zodoende de introductiefase en vormen de inleiding en aanleiding tot handig rekenen en memoriseren.

• RECONSTRUCTIEFASE

Hoe bijvoorbeeld de tafel van zeven in het algemeen *gereconstrueerd* en *gememoriseerd* wordt, is in figuur 40 aangegeven.[6]

FIGUUR 40: RECONSTRUCTIE TAFEL VAN ZEVEN

| | |
|---|---|
| 1 × 7 | een weetje |
| 2 × 7 | wordt snel weetje via 7 + 7 |
| 3 × 7 | via (2 x 7) + 7 - één maal meer |
| 4 × 7 | als verdubbeling van 2 × 7 |
| 5 × 7 | halveren van 10 × 7, de helft van 70 |
| 6 × 7 | via (5 × 7) + 7 |
| 7 × 7 | gevarieerd, snel een weetje |
| 8 × 7 | (7 × 7) + 7, lastigste van alle tafels |
| 9 × 7 | (10 × 7) - 7 - één maal minder |
| 10 × 7 | een weetje |
| 12 × 7 | een onderzoeksprobleem |

In veel gevallen is een toegang via andere tafels mogelijk langs de omkeerregel.

Uit de daar gegeven opsomming leiden we ook de belangrijkste algemene onderwijsregel voor de tafels af: *richt de leerling op de centrale steunpunten van tweemaal (verdubbelen), tien maal (nul erachter) en vijf maal (halveren tien maal).* Van daaruit immers is via één-maal-meer en één-maal-minder het grootste deel van de betreffende getaltafel te bestrijken. Ook wordt de verwisselregel steeds doeltreffender naarmate de leerling meer tafelkennis bezit. Wat de volgorde van aanbieding van de getaltafels betreft kan de gangbare ordening min of meer worden aangehouden. Bijvoorbeeld die van tien, twee, vijf, drie, negen, vier, acht, zes en zeven. Voor de exacte volgorde van het leren is deze ordening uiteraard slechts betrekkelijk geldig. Door het handige rekenen, en wel speciaal de verwisseleigenschap, wordt namelijk iedere tafel in feite steeds opengebroken, waardoor de leerlingen flarden van andere tafels van meet af aan mee memoriseren. En per tafel vervaagt ook de scheidslijn tussen weten, zien en rap rekenen steeds meer. Dit alles maakt het nodig dat er na deze fase nog een (voorlopige) afsluiting komt waarin gericht naar het volledig inprenten wordt toegewerkt.

• REPRODUKTIEFASE

In de reproduktiefase gaat het erom de nog bestaande hiaten in het kennisbestand op te vullen. Daartoe staan verschillende middelen ter beschikking: oefenspelen, gevarieerde oefenopdrachten, rechttoe-recht-aan sommen (eventueel met antwoorden voor zelfcontrole), zoek-sommen, tafeldictees in korte mondelinge lesjes en ... computerprogramma's waarin een en ander ligt opgeslagen.
Bij oefenspelen in de vorm van tafelvarianten van bingo, domino, kwartet e.d. gaat het om snelheid, handigheid en kennis van zaken. Ze zijn motiverend, soms functioneel, maar vaak lastig in het onderwijs van alledag in te passen.
In de gevarieerde oefenopdrachten wordt het maken van tafelsommen verbonden met een bepaalde opdracht waarin zelf-controle besloten ligt. Bijvoorbeeld het verbinden van punten, zodat een mooie tekening ontstaat, het kleuren van gebieden, het ontcijferen van geheimschriften, het doorlopen van doolhoven. Dit kost veel tijd, is soms weinig doelgericht, maar verlevendigt het leren wel.

De sommenrijtjes (met antwoorden op vouwblaadje) zijn zeker doelgericht te maken via snelheid en directe zelf-controle. Toch zijn er onvoldoende garanties voor volledig memoriseren ingebouwd: de snelle rijbaan naar rekenen blijft immers open. Dan is er een type sommen dat vraagt in welke tafels een bepaald getal, bijvoorbeeld 24, voorkomt. Van Parreren tekent daarbij het volgende aan:

'Bij dit type taak, waarmee ik met succes bij de remediëring van rekenmoeilijkheden heb gewerkt, worden de produkten uit de tafels steeds vertrouwder, winnen ze meer en meer aan individuele betekenis. Bovendien, en dat is mijns inziens het belangrijkste, kunnen eigenschappen van de produkten uit de verschillende tafels ontdekt worden. Een oneven produkt kan alleen uit een 'oneven tafel' komen, maar als het produkt even is, zegt dat over de herkomst uit een even of oneven tafel nog niets. Een produkt dat met nul eindigt, moet uit de tafel van tien of vijf komen; eindigt het op vijf, dan kan het uit de tafel van vijf of uit een andere oneven tafel komen, enzovoort. De verwisselingseigenschap van de vermenigvuldiging gaat door dit type opgave voor het kind echt leven. Ook het delen profiteert van de produktopgave. Die opgave kan trouwens later met getallen boven de grens van de tafels-tot-tien worden uitgebreid. 'Ontbinden in factoren' wordt zo doende ook al ingeleid.'[7]

Deze opgave kan ook visueel ingekleurd worden: maak zoveel mogelijk tegelvloertjes in rechthoeksvorm met 24 tegels (figuur 41).

───────── FIGUUR 41: TEGELVLOERTJES MET 24 TEGELS

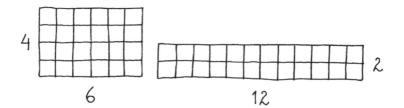

Bij het tafeldictee of bij andere vormen van mondelinge lesjes ligt dat anders. Daarin kunnen we het memoriseren juist sterk stimuleren. De onterechte vraag naar alsmaar meer oefenmateriaal kan ermee worden ondervangen. Deze komt vooral voort uit een eenzijdige opvatting over oefenen, namelijk die van louter schriftelijk trainen. Zeer ondoelmatig. We zouden er in het reken-wiskundeonderwijs een gewoonte van moeten maken *iedere les* vijf tien minuten aan *hoofdrekenen* te besteden. En dat *gedurende de hele basisschool!* In de beste reken-wiskundemethoden, internationaal bezien, vindt men in de handleiding dan ook strikte aanwijzingen voor die korte dagelijkse sessies. Hier is dus het motto: meer mondeling memoriseren. Laat de kinderen daarin zelf ook hun inbreng hebben, bijvoorbeeld door een tafeldictee samen te stellen. Laat ze elkaar helpen de hiaten op te sporen en vervolgens op te vullen. Tenslotte de computer. De meest simpele vorm van een computerprogramma voor tafels is: genereren van tafels en registreren van antwoorden - een soort geautomatiseerd rekendictee dus. Er zijn echter ook programma's die niet louter op de correcte eindprestatie mikken, maar ruimte voor verkorte en inzichtelijke werkwijzen laten.[8] Ze bieden desgewenst visuele modellen en schema's ter ondersteuning van handig rekenen. Ook geven ze geen uniforme respons op antwoorden, maar reageren op aangepaste wijze. Ze communiceren als het ware met de leerling: ze zijn zogezegd interactief. Het is echter de vraag hoever men hiermee in de schoolsituatie *kan* gaan, onderwijspraktisch en financieel bezien. Maar ook hoever men *wenst* te gaan bij het laten overnemen of ondersteunen van het interactieve deel van het onderwijs door de computer. Vooralsnog gaan we ervan uit dat de onderwijsgevende zelf de onderwijsteugels van het hoofdrekenen in handen houdt, en het onderwijs zoals gezegd vooral in korte mondelinge lesjes realiseert. Wat overigens niet wegneemt dat computer ondersteund onderwijs zich daarbij wellicht een plaats als hulponderwijzer kan verwerven.

• Fase van de consolidatie en uitbreiding

Het maken van toepassingen gebeurt in alle fasen. In de fase van *uitbreiding* gaat het echter speciaal om toepassingen die al wat buiten het besloten terrein van de tientafels liggen en in de richting van het hoofdrekenen en het cijferen gaan. In figuur 40 werd de opgave 12 × 7 reeds als onderzoeksprobleem voorgesteld. De kracht van de werkwijze van het afsplitsen bij tien, dat bij het hoofdrekenen en later bij het cijferen zo'n belangrijke rol gaat spelen, kan hier reeds worden ontdekt. Het rechthoeksmodel beeldt mooi uit dat 12 × 7 makkelijk via 10 × 7 plus 2 × 7 kan worden uitgerekend, en 6 × 14 via 6 × 10 en 6 × 4. Kinderen kunnen de kracht van tien-keer echter pas waarderen indien ze de gelegenheid krijgen ook hun eigen, soms minder efficiënte oplossingen te geven. Daarnaast moeten ze leren dat tafels tevens bij het uitrekenen van deeluitkomsten goed kunnen functioneren. Elementaire contextopgaven vormen ook hier weer de concrete ondergrond. Hoe een en ander bij een contextopgave als 'zes vrachtauto's met ieder veertien bomen' uitpakt, staat in het knipsel van figuur 42.[9]

─────────── FIGUUR 42: VIER OPLOSSINGEN BIJ EEN CONTEXT-
OPGAVE 6 X 14

Pieter    14 14 14 14 14 14
          | | | | | | =60   60+24 =84
          44 44 44 =24


Johan   4×14=56              Willy   6×14=84
        4×7=28  ⎞ 56                 6×10=60 ⎞ 84
        4×7=28  ⎠                    6×4=24  ⎠


Petra   14 14 14 14 14 14          444444
        (10 10)(10 10)(10 10)       6×4=24
          20     20    20
                                    60+24=84
        3× 20= 60

In de nabespreking van dit werk (of nog wat later) zou de vraag naar de handigste werkwijze en het meest doelmatige gebruik van de tafelkennis aan de orde kunnen komen. Het rechthoekspatroon duidt daar op. Niet alleen echter de berekeningswijze maar ook de spanwijdte van de toepassingen wordt in deze fase weer vergroot. Dat wil zeggen dat de rijkdom van de verschijningsvormen van vermenigvuldigen en delen steeds ruimer aan bod komt. Wat dat inhoudt beschrijven we in het hiernavolgende.

• SAMENVATTING

Ziehier een schets van de reconstructie-didactiek. De meerwaarde ervan ten opzichte van de reproduktie-methodiek ligt, kort samengevat:
  – in de introductiefase van de begripsvorming;
  – in de reconstructiefase waarin de kernpunten twee-keer, tien-keer en vijf-keer worden gelegd bij het memoriseren, plus strategieën worden geleerd van één-maal-meer, één-maal-minder, verdubbelen en de omkeerregel, teneinde het handige rekenen en memoriseren te bevorderen;
  – in het gericht en doelmatig oefenen in de reproduktiefase via vooral ook korte, mondelinge lesjes (tafeldictee);
  – in het uitbreiden van de tafels boven de tien en het verbreden van de toepassingen van de basisoperaties vermenigvuldigen en delen;
Allemaal onderdelen die in de reproduktie-methodiek weinig of geen aandacht krijgen, zeker niet volgens het reproduceren naar mechanistische opzet zoals dat vanaf omstreeks 1960 in methoden gestalte heeft gekregen.

• ... EN KUNNEN DEZE KENNIS TOEPASSEN

In het voorgaande is al gewezen op het belang van eenvoudige toepassingen bij het leren vermenigvuldigen, in het bijzonder bij de tafels van vermenigvuldiging. Dat zich verschillende verschijningsvormen van vermenigvuldigen kunnen voordoen, is ook al aan de orde geweest, evenals verschillende modellen en/of denkschema's, zoals het herhaalde optellen van gelijke groepjes, het zoveelmaalaspect bij verhouding, het rechthoeks- en het kruispuntenmodel. Het kruispuntenmodel is genoemd als een nuttig hulpmiddel bij combinatorische telproblemen. We gaan nu wat dieper op het delen in. Net als bij het optellen en aftrekken, beschreven bij doelstelling 2, zal iets over de *structuur* van de bewerkingen en de *context* van de toepassingssituaties worden opgemerkt.

1. Er worden 24 mensen per auto vervoerd. In iedere auto mogen er vier. Hoeveel auto's zijn er nodig?
2. Van een touw van 24 meter worden stukken van 4 meter geknipt. Hoeveel stukken kunnen eruit gehaald worden?
3. Er worden 24 bananen eerlijk verdeeld over 4 even grote groepen kinderen. Hoeveel bananen krijgt iedere groep?
4. Een wandelroute van 24 kilometer wordt in één dag in 4 gelijke etappes afgelegd. Hoe lang is ieder stuk?
5. Een rechthoekig patroon van 24 boompjes heeft 4 boompjes in iedere rij. Hoeveel rijen bevat de rechthoek?
6. Een rechthoekig terras heeft een oppervlakte van 24m². De breedte is 4 meter. Hoe lang is het terras?

Opgave een en opgave twee hebben de zogenoemde *structuur* van de verhoudingsdeling. Daarbij gaat het om het bepalen van een aantal groepjes die ieder een bepaalde hoeveelheid in zich hebben - delen als opdelen dus.

Opgave drie en vier bevatten een verdelingsdeling. Hier gaat het om het bepalen van het aantal per groepje: er is sprake van een of andere vorm van eerlijk verdelen - delen als verdelen.

Dat deze klassieke tweedeling niet geheel bevredigend is, blijkt uit de opgaven vijf en zes. Op het eerste gezicht hebben we in opgave vijf met een verhoudingsdeling te doen (hoeveel groepjes van vier). De verdelingsdeling zou hier deze vorm hebben: 'Een rechthoekig patroon van 24 boompjes heeft vier rijen. Hoeveel bomen staan er in één rij?' Maar vanwege de symmetrie van het rechthoekspatroon is dit eigenlijk precies hetzelfde probleem. Anders gezegd: je kunt de verhoudings- en verdelingsvormen verwisselen en in de ene de andere lezen. Kortom, het onderscheid valt weg. Er is eigenlijk geen sprake van verdelen of opdelen maar gewoon van delen als omgekeerd vermenigvuldigen - ziehier de drie grondstructuren van de delingsbewerking: verdelen, opdelen en omgekeerd vermenigvuldigen. Alle dienen in het onderwijs een plaats te krijgen in verband met de toepasbaarheid.

Dan de *context* van de opgaven. In de opgaven een, drie en vijf hebben we met aantallen van doen en in twee, vier en zes met meetgetallen. In opgave zes wordt de oppervlakte-grootheid 'vierkante meter' door de lengte-grootheid 'meter' gedeeld, een operatie die begripsmatig specifieke moeilijkheden met zich meebrengt. Algemeen gesteld: wat betekent het als je afstand door tijd deelt, of afstand door benzinegebruik, of oppervlakte door aantal inwoners, et cetera? Indien je de delingsoperatie uitgevoerd hebt, moet je je goed realiscren waar de uitkomst van de samengestelde grootheid precies op slaat. In de vraag van de opgave ligt trouwens vaak het antwoord op de bedoelde grootheid besloten. Hetzelfde geldt voor de aantallen en de benoemde getallen in de andere opgaven. In het onderwijs moeten de verschillende aspecten van de getallen tot uitdrukking komen ten behoeve van de toepasbaarheid. De grote invloed van de context op het rekenen komt als een duveltje uit een doosje tevoorschijn als we in de gestelde opgaven het getal 24 vervangen door 26. We plaatsen deze nieuwe opgaven in de omlijsting van figuur 43. De antwoorden zijn context-afhankelijk en hangen samen met de zojuist geschetste delingsstructuur en de aard van de getallen: 7 ; 6 ; 6½; 6,5 ; 6 rest 2 (?) ; 6,5.

——————— FIGUUR 43: IS 26 : 4 HIER 7; 6; 6½; 6,5 OF 6 REST 2?

1. Er worden 26 mensen per auto vervoerd. In iedere auto mogen er 4.
   Hoeveel auto's zijn er nodig?
2. Van een touw van 26 meter worden stukken van 4 meter geknipt.
   Hoeveel stukken kunnen eruit gehaald worden?
3. Er worden 26 bananen eerlijk verdeeld over 4 even grote groepen.
   Hoeveel bananen krijgt iedere groep?
4. Een wandelroute van 26 kilometer wordt in één dag in 4 gelijke etappes afgelegd.
   Hoe lang is ieder stuk?

83

5. Een rechthoekig patroon van 26 boompjes heeft 4 boompjes in iedere rij. Hoeveel rijen heeft de rechthoek?
6. Een rechthoekig terras van 26 m² heeft een breedte van 4 meter. Hoe lang is het terras?

Laten we ons commentaar tot de eerste opgave over het autovervoer beperken. Uit een uitgebreid Amerikaans onderzoek blijkt dat drie procent (!) van de negenjarigen die een zakrekenmachine ter beschikking hadden, deze opgave correct oplosten. Een soortgelijk probleem met wat grotere getallen ($1340 \div 24$) werd door zes procent van de dertienjarigen met een zakrekenmachine goed gemaakt en door 29 procent zonder rekenmachientje![10] Naar aanleiding van deze gegevens merkt Whitney het volgende op:

'Ik vertelde Jonathan (5;6) een verhaal waarop ik later terugkom, over 26 kinderen die een dagje uit gingen. Ze zouden in verschillende auto's gaan. In iedere auto was plaats voor vier kinderen. Mijn vraag luidde: 'Hoeveel auto's zijn er nodig?'
Eerst suggereerde ik kinderen voor te stellen met vingers. Hij begon met zijn vingers groepjes van vier te maken, maar er waren geen auto's bij de hand. Dus tekende ik een rechthoek die een auto moest voorstellen en plaatste er een cirkel (een kind) in. Hij plaatste er drie andere in en telde ze alle vier. Toen tekende hij nog een auto, deed er vier kinderen in en telde ze alle acht en zo ging hij door. Tenslotte deed hij twee kinderen in de laatste auto en telde ze alle 26.
Maar de auto's moeten kunnen rijden - dacht hij kennelijk - dus tekende hij vier wielen aan (een zijde van) elke auto, schakelde ze vervolgens aan elkaar en maakte er een trein van. Intussen was hij zijn oorspronkelijke vraag 'hoeveel auto's?' vergeten. Maar toen ik hem daarnaar vroeg, telde hij de auto's en vond als antwoord zeven.'
'Kunnen kinderen zelfstandig problemen oplossen? Natuurlijk, als ze daartoe in de gelegenheid worden gesteld en worden aangemoedigd, zoals Jonathan met de '26 kinderen, 4 per auto'. Maar als schoolprobleem is dit ver verwijderd van het normale van buiten leren in de hogere leerjaren.'
'Deze voorbeelden ondersteunen de stelling, dat al in de

basisschool de attitude ontstaat dat wiskunde niets met het leven buiten de school te maken heeft.'[11]

*Voorbeeldles toepassen tafels*

Een les in medio groep vijf, waarin kennis van de tafels toegepast kan worden op een verdelingssituatie, start met de volgende opgave:[12]

> Op een ouderavond van de school komen 81 ouders. Aan één tafel kunnen zes ouders zitten (figuur 44).

―――――― FIGUUR 44: HOEVEEL TAFELS MOETEN ER GEPLAATST WORDEN?

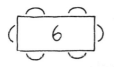

Lang niet alle zeventien leerlingen passen hun tafelkennis hierop toe. De verdeling van de oplossingsmethoden is als volgt:
- zeven leerlingen tellen herhaald op '6 + 6 + 6 + ...' (soms met een tekening erbij) of lopen de tafelrij stap voor stap af: 1 × 6; 2 × 6; 3 × 6; ...;
- zes leerlingen rekenen verkort via 10 × 6 = 60 en rekenen vandaaruit op verschillende manieren verder, soms optellend, soms vermenigvuldigend;
- één leerling weet 6 × 6 = 36, verdubbelt dit, 12 × 6 = 72, maakt de stap naar 78, en telt één tafel bij de dertien, antwoord veertien tafels;
- van drie leerlingen is niet precies te achterhalen hoe ze gerekend hebben.

In de nabespreking komen de genoemde drie categorieën van oplossingen aan de orde. Daarbij wordt door de leerlingen zelf vastgesteld dat de tien-keer-methode erg handig is.

In het tweede deel van de les wordt een nieuw probleem gesteld:

85

Hoeveel potten koffie moeten er voor de ouders worden gezet?
In één koffiepot zitten zeven kopjes koffie, en iedere ouder
krijgt één kopje.

De vraag is: wat hebben de kinderen in het eerste deel van de les
geleerd? Gaan ze handiger rekenen?
De oplossingen zijn als volgt:
– De stap-voor-stap-manier wordt nog maar door één leerling
  gevolgd (eerst waren dat er zeven);
– Werken met een hap van tien, $10 \times 7 = 70$, wordt nu door
  dertien leerlingen gedaan (eerder waren dat er zes);
– Geen leerling gebruikt $7 \times 7$;
– En van drie leerlingen kan niet goed worden achterhaald hoe
  ze werkten (en dat waren er eerder ook drie).
De grote verschuiving naar het nemen van een hap van tien
komt tot uitdrukking in het werk van Linda (figuur 45).

———————— FIGUUR 45: TWEE OPLOSSINGSNIVEAUS IN ÉÉN LES

Linda

8) mensen  6 mensen aan één tafel

6  6  6  6  6  6  6  6  6  6  6  6  6  6

14 tafels

Linda

7 kopjes in een koffiepot

$10 \times 7 = 70 + 7 = 77 = 12$ koffiepotten

Hiermee is tevens een opening naar de staartdeling zichtbaar, zeg, een jaar later.

$$6 / 81 \setminus$$

$$\begin{array}{ll} \underline{60} & \text{10 tafels} \\ 21 & \\ \underline{18} & \text{3 tafels} \\ 3 & \\ \underline{3} & \underline{\text{1 tafel}} \\ 0 & \text{14 tafels} \end{array}$$

Ook bij de verdelingsproblemen van 81 objecten over zes personen sluit een dergelijk notatieschema aan op de oplossingsmethoden die kinderen bij dergelijke problemen hanteren. Alleen staat dan in plaats van 'tafels' genoteerd 'per persoon'. Bij vermenigvuldigen biedt de genoemde tien-manier later openingen naar zowel het cijferalgoritme als naar hoofdrekenen waarover de volgende doelstelling handelt.

NOTEN BIJ DOELSTELLING 3

1.  Foxman, D.: *Mathematical Development. Assessment of Performance Unit* (APU), HMSO, London 1980.
    Wijnstra, J.M.: *Balans van het rekenonderwijs in de basisschool*, Cito, Arnhem 1988.
    Carpenter, T.P. e.a.: *Results from the Second Mathematics Assessment*, NCTM, Reston 1981.
2.  De terminologie van de tweedeling is ontleend aan:
    Baroody, A.J.: Mastery of Basic Number Combinations: Internalization of Relationships or Facts?, in *Journal for Research in Mathematics Education*, 16, 1985, pag. 83-98.
3.  Zie in dit verband:
    Heege, H. ter: Tafels leren met 'naar zelfstandig rekenen', in *Willem Bartjens*, 3, 1983-'84, pag. 115-124.

4.  De indeling die in de tekst gevolgd wordt is een 'strakke' variant van wat in de volgende zeer informatieve vakliteratuur is beschreven. Daarin komt de nadruk soms sterk op begripsvorming en toepassingen te liggen, en wat minder op het inslijpen.
    Rathmell, E.C.: Using Thinking Strategies to Teach the Basic Facts, in *Developing Computational Skills*, (M.N. Suydam en R.E. Reijs eds.), NCTM, Reston 1978, pag. 13-39.
    Heege, H. ter: Tafels leren: een kwestie van drillen?, in *Willem Bartjens*, 4, 1984-'85, pag. 19-23.
    Een bespreking van het laatstgenoemde vindt men in het volgende artikel, waaruit overigens ook de opzet van de onderhavige toelichting op doelstelling 2 begrepen kan worden.
    Treffers, A.: Het leren van de tafels van vermenigvuldiging, in *Willem Bartjens*, 6, 1986-'87, pag. 138-143.
5.  Carpenter, T.P. e.a.: *Results from the Second Mathematics Assessment*, NCTM, Reston 1981, pag. 100.
6.  De opzet is ontleend aan:
    Heege, H. ter: The acquisition of basic multiplication skills, in *Educational Studies in Mathematics*, 16, 1985, pag. 375-389.
7.  Parreren, C.F. van: Commentaar op de 'Proeve ...', *Tijdschrift voor nascholing en onderzoek van het reken-wiskundeonderwijs*, 6(2), 1987, pag. 12.
8.  Zie als voorbeelden:
    Klep, J.: Een wereld rond tafels, in *Willem Bartjens*, 6, 1986-'87, pag. 145-152.
    Galen, F. van: Hoofdrekenen op de computer, in *Willem Bartjens*, 6, 1986-'87, pag. 173-181.
    In eerdere jaargangen van Willem Bartjens staan nog meer bijdragen van de hand van Klep, Van Galen, Meeuwisse en Gilissen. Ze betreffen voornamelijk voorwerk van de hierboven gepresenteerde programma's.
9.  Steinvoorte, S.: Tafels een kwestie van drillen of ... kan het nog anders?, in *Jeugd, School en Wereld*, 71, 1986, pag. 44-47.
10. Carpenter, T.P.: *Results from the Second Mathematics Assessment*, NCTM, Reston 1981, pag. 126.
11. Whitney, H.: Verantwoord wiskundeonderwijs, in *Willem Bartjens*, 6, 1986-'87, pag. 90 en 92.
12. Deze les is gegeven door W. Uittenbogaard in het kader van het project 'Nieuwe Media'.

DOELSTELLING 4
Leerlingen voeren hoofdrekenopgaven vlot uit, waarbij ze de volgende bewerkingen inzichtelijk toepassen:
- optellen en aftrekken tot duizend;
- vermenigvuldigen en delen als uitbreiding van de tafels;
- vermenigvuldigen en delen met ronde grote getallen, en
- splitsen, aanvullen en vereenvoudigen.

Hoofdrekenen staat in de vakdidactiek niet voor rekenen-uit-het-hoofd als tegenstelling tot rekenen-op-schrift, maar geldt van oudsher als de tegenvoeter van het cijferen, als flexibel rekenen versus rekenen volgens standaardmethoden. Of zoals Scholten het noemt: rekenen-met-het-hoofd en niet zozeer uit-het-hoofd.[1] De hoofdrekenopgave 90 x 70 bijvoorbeeld zou niet cijferend uitgerekend moeten worden:

$$
\begin{array}{r}
70 \\
90 \times \\
\hline
00 \\
630. \\
\hline
6300
\end{array}
$$

Niet op het papier (schriftelijk) en niet op het plafond (uit het hoofd). In het laatste geval rekent men weliswaar mentaal doch niet bij wijze van hoofdrekenen. Het is trouwens in dit geval onhandig. En hoofdrekenen is nu juist *handig* rekenen, en wel in die zin dat daarbij efficiënt gebruik wordt gemaakt van parate kennis, rekenwetten, bijzonderheden van getallen en relaties ertussen. In ons voorbeeld: 9 x 7 = 63, dus 90 x 70 = 6300, twee nullen erachter en klaar.

Maar blijkbaar is het toch niet zo simpel. Uit onderzoek in de Verenigde Staten bleek dat slechts 45 procent van de dertienjarigen

90 x 70 uit het hoofd kon uitrekenen.[2] In Nederland ligt de score echter aanzienlijk hoger: ruim tachtig procent maakt dergelijke opgaven goed.[3] De opgave 1743 - 997 wordt door ongeveer zeventig procent van de leerlingen einde basisschool goed gemaakt.[4] Maar uit de analyse van het Cito in een individuele afname bij 124 leerlingen blijkt dat hierbij geen sprake van hoofdrekenen hoeft te zijn.[5] De oplossingsprocedures zijn als volgt (figuur 46).

———————— FIGUUR 46: OPLOSSINGEN BIJ 1743 - 997

| 1 Cijferend aftrekken | 40,3% | 38 van de leerlingen kwamen tot het goede antwoord |
|---|---|---|
| 2 Eerst 1000 aftrekken en dan compenseren | 19,4% | 23 van de 24 leerlingen kregen de goede uitkomst |
| 3 997 splitsen en dan aftrekken 1743 – 900 – 90 – 9 | 9,7% | 8 van de 12 goed |
| 4 Beide getallen 3 groter maken 1746 – 1000 | 7,3% | alle leerlingen goed |
| 5 Aanvullen tot 1743 in 2 stappen 3 + 743 | 4% | 4 van de 5 goed |

De cijfermatige rekenwijze gebeurde uit het hoofd want de leerlingen hadden geen uitrekenpapier tot hun beschikking. Kortom, cijferend rekenen komt bij 'hoofdrekenen' vaak voor.

Er zijn drie redenen om het hoofdrekenen aan te prijzen. Ten eerste blijkt uit onderzoek dat het overgrote deel van het rekenwerk in het leven van alledag uit hoofdrekenen en schattend rekenen bestaat, waarbij geen standaardmethoden van het cijferen worden gebruikt.[6] Hoofdrekenen heeft dus praktische waarde. Ten tweede hanteren kinderen bij het oplossen van vraagstukjes vaak informele werkwijzen.[7] Handig rekenen sluit daar goed op aan en benut die 'natuurlijke' aanpak op doelmatige wijze. Hoofdrekenen is derhalve van persoonlijke waarde. Ten derde voegt hoofdrekenen een nieuwe dimensie aan het rekenen toe.[8] Namelijk die van het nietmechanistische, inzichtelijke, flexibele, probleemgerichte opereren binnen het getalsysteem. Het heeft daarom ook wiskundige waarde. Ziehier de drie meest gebruikte argumenten voor het opnemen van het hoofdrekenen in de recente leerplannen van veel westerse landen. Onderzoeksresultaten staven in toenemende mate de argumentatie.[9] Overigens wordt het gewicht van hoofdrekenen niet alleen door vakdidactici maar ook door ouders en leraren hoog ingeschat[10] - duidelijk hoger dan cijferen. In het volgende lichten we eerst de inhoud van de genoemde onderdelen van het hoofdrekenen toe. Daarna worden de funderende onderwijsprincipes beschreven.[11]

• OPTELLEN EN AFTREKKEN TOT DUIZEND

Optellen en aftrekken tot duizend kan cijferend:

$$1\ 1$$
$$378$$
$$257 +$$
$$\overline{635}$$

$$2\ 1$$
$$358$$
$$172 -$$
$$\overline{186}$$

Kenmerkend voor deze aanpak is dat met afzonderlijke getallen volgens bepaalde verkeersregels wordt gewerkt. Je kunt zodoende rekenen zonder het minste benul van de grootte van de getallen te hebben. In feite werk je per kolom en eigenlijk doet het aantal kolommen er niet toe, want je rekent steeds volgens dezelfde procedure. Dat automatische schakelen is juist de kracht van het cijferen, maar tegelijk ook de zwakte. Bij 51 - 49 en 101 - 99 blijkt bijvoorbeeld de zwakte: wat in de grond nogal simpel is wordt zo ineens lastig.

Nu is in Nederland die cijferende aanpak voor het rekenen onder de duizend, in tegenstelling tot bijvoorbeeld de Verenigde Staten, ook niet erg gebruikelijk. Gelukkig niet, zoals gezegd, want ze is ondoelmatig, ver van de alledaagse manier van rekenen, mechanistisch, en niet rechtstreeks op de ware grootte van de getallen gericht. Er zijn hier hoofdzakelijk twee andere onderwijsmethoden voor *optellen* in gebruik.

De eerste lijkt op die van het cijferen maar rekent van voor-naar-achter:

$378 + 257$

a. Tel honderdtallen op o o o $\quad 300 + 200 = 500$

b. Tel tientallen op o o o $\quad 70 + 50 = 120$

c. Tel eenheden op o o o $\quad 8 + 7 = 15$

d. Tel uitkomsten op o o o $\quad \begin{aligned} 500 + 120 \\ + 15 = 635 \end{aligned}$

De tweede methode werkt met sprongen van honderd en tien vanaf het eerste getal.

a. Tel honderdtallen bij eerste getal op o o o $\quad 378 + 200 = 578$

b. Tel tientallen bij uitkomst o o o $\quad 578 + 50 = 628$

c. Tel eenheden bij deze uitkomst o o o $\quad 628 + 7 = 635$

Naast deze vaste methoden bestaan varia-methoden van handig rekenen waarin de rekenwijze aangepast wordt aan specifieke gevallen, in casu getallen en hun relaties. Bijvoorbeeld:

a. $378 + 257$ OOO $\underbrace{400 + 257 = 657}$

b. Dat is 22 teveel OOO $\underbrace{657 - 22 = 635}$

Genoemde methoden zijn ook bruikbaar voor het *aftrekken*. Methode van het kolomsgewijze rekenen (in gedachten):

$$
\begin{array}{r}
358 \\
172 \quad - \\
\hline
\end{array}
$$
$$200 - 20 + 6 =$$
$$186$$

Methode rekenend vanaf het eerste getal:
 358 - 100 = 258; 258 - 70 = 188; 188 - 2 = 186.

Varia-methode:
 358 - 172 = 360 - 174 = 186, of
 172 + 28 = 200; 28 + 158 = 186 (bijtellen) of ...

Een ander voorbeeld werd eerder genoemd 1743 - 997, met andere gevarieerde, specifiek getalsgebonden oplossingen.
Al met al is kenmerkend voor het hoofdrekenende optellen en aftrekken dat met grotere gehelen wordt gewerkt, dit in tegenstelling tot de cijferende aanpak van 'rechts naar links'.

## • Vermenigvuldigen en delen

Nu nog wat over vermenigvuldigen (en delen als op-vermenigvuldigen).
Neem bijvoorbeeld de opgave 8 x 74.
Natuurlijk kan deze cijferend van achter-naar-voor uit het hoofd worden berekend: 8 x 4 = 32, 2 in gedachten noteren, 3 onthouden .... Op zich niet bezwaarlijk. Maar het kan bij niet-schriftelijk rekenen ook anders, en wel van voor-naar-achter rekenend, net als straks bij het optellen dus.

$8 \times 74$

a. Vermenigvuldig de eerste
faktor met het tiental uit $\quad 8 \times 70 = 560$
de tweede $\quad ^O O \, O$

b. Vermenigvuldig de eerste
faktor met de eenheden $\quad 8 \times 4 = 32$
uit de tweede $\quad ^O O \, O$

c. Tel de uitkomsten op $\quad 560 + 32 = 592$
$O O \, O$

En evenals bij het optellen geldt dat de uitkomst qua orde van grootte al snel binnen bereik komt, wat met name ook voor het goed leren schatten meetelt.

$8 \times 79$

a. Rond de tweede faktor
af op een tiental $O O \, O$ $\quad 79 \rightarrow 80$

b. Vermenigvuldig de eerste
faktor met het tiental $\quad 8 \times 80 = 640$
$O O \, O$

94

c. Vermenigvuldig de eerste faktor met het verschil uit de afronding

d. Trek de uitkomsten van elkaar af

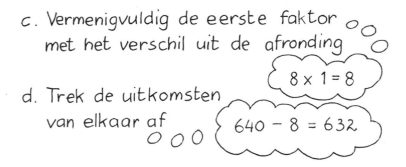

$8 \times 1 = 8$

$640 - 8 = 632$

48 x 25

a. Deel de eerste faktor door twee en vermenigvuldig de tweede ter compensatie met twee

$24 \times 50$

b. Herhaal dit

$12 \times 100$

c. Pas de nullen-regel toe of beter reken redenerend met nullen

$1200$

Deze opgave kan overigens ook met een combinatie van de eerste en tweede aanpak worden opgelost.

In deze voorbeelden van de voornaamste vermenigvuldig-strategieën worden de eigenschappen van verwisselen, verdelen, compenseren, transformeren en nullen-rijen op passende wijze gebruikt. In dat 'passende' zoeken en vinden zit voor een belangrijk deel de handigheid van het hoofdrekenen, de rest is vooral een kwestie van vaardigheid. Hoe kunnen we kinderen helpen zowel het een als het ander doelmatig te verwerven?

*Onderwijsprincipe 1*

In het algemeen zal het dagelijkse hoofdrekenwerk kort moeten zijn. De lesjes zijn interactief, dat wil zeggen dat er geregeld uitwisseling van ideeën plaatsvindt. Oplossingsstrategieën worden nabesproken en gewogen. Wat zijn de handigste werkwijzen bij 24 x 25? Waarom is 20 x 20 + 4 x 5 hier verkeerd? Wat te denken van 24 x 100 ÷ 4? Het hoofdrekenwerk is verbonden met datgene wat in het betreffende leerjaar speciaal de aandacht krijgt. Procenten, meten, kommagetallen, alle kennen een component van hoofdrekenen. Wij bepalen ons hier echter tot het deel dat in nauw verband staat met de basisbewerkingen van natuurlijke getallen, dus tot wat vooral in de onder- en middenbouw plaatsvindt - de getalvoorbeelden liggen dus voornamelijk op dat terrein.

*Onderwijsprincipe 2*

Het is noodzakelijk de verschillende methoden van het hoofdrekenen inzichtelijk te onderbouwen. Op zich zijn deze ook niet zo lastig te demonstreren en in te zien. De compensatieregel van het optellen (hier wat bij en daar wat af) is duidelijk te maken door twee latjes achter elkaar te leggen. De regel dat je bij het aftrekken van beide termen evenveel mag afhalen, is met twee latjes naast elkaar zo te zien. De winkelmethode van aftrekken via op-tellen kan op dezelfde manier gedemonstreerd worden.

Eigenschappen van vermenigvuldigen (en delen als op-vermenigvuldigen) zoals die van het verwisselen (8 x 23 = 23 8), verdelen (8 x 23 = 8 x 20 + 8 x 3) en transformeren (8 x 23 = 8 x 25 - 8 x 2) zijn overtuigend met behulp van het rechthoeksmodel aan te tonen (zie figuur 47). Dat er met tien keer één nul bij komt, slordig gezegd, en met honderd keer twee extra nullen verschijnen, wordt ineens met de wisseltruc duidelijk: 10 x 23 = 23 x 10, dat zijn 23 tienen dus 230. De regel van het nullen rijgen is natuurlijk snel geleerd. Blinde toepassing leidt echter makkelijk tot fouten. Bijvoorbeeld bij 50 x 80 (400). En later bij kommagetallen.

FIGUUR 47: 23 X 8 VIA HET RECHTHOEKSMODEL

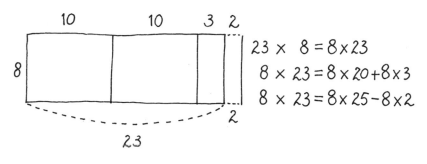

$$23 \times 8 = 8 \times 23$$
$$8 \times 23 = 8 \times 20 + 8 \times 3$$
$$8 \times 23 = 8 \times 25 - 8 \times 2$$

Het is dus noodzakelijk om de bronnen van het inzicht niet alleen open te leggen, maar ze ook open te houden. De eerdergenoemde interactieve aanpak biedt daartoe ruimschoots mogelijkheden, met name bij het nabespreken van verschillende oplossingen en handigheidjes.

*Onderwijsprincipe 3*
Bij de dagelijkse oefeningen dienen de opgaven zowel schriftelijk als mondeling gevarieerd te worden aangeboden.
In de moderne methoden treft men dan ook een staalkaart van alle mogelijke schriftelijke opdrachtvormen aan: sommenrijtjes, pijldiagrammen, tabellen, machientjes, getallenmolens, getallenblokken, doolhoven, geheimschriften - te veel om te tonen. En dan spelletjes natuurlijk en ook toepassingen - we komen daar verder op terug. We beperken ons nu tot voorbeelden die laten zien hoe gewone sommenrijtjes snel en effectief in korte mondelinge sessies kunnen worden gebruikt. Vlugge beantwoording, controle en correctie staan daarin voorop:
– completeren tot honderd (duizend):
71
36
84

- kettingsommen, waarvan de uitkomsten met elkaar verbonden zijn:

  $8 \times 15 = 120;$   $16 \times 15 =$
  $4 \times 27 = 108;$   $40 \times 27 =$
  $30 \times 40 = 1200;$   $1200 \div 40 =$

- goed-fout sommen, waarvan de leerling via een afgesproken teken te kennen geeft of ze al dan niet juist zijn:

  $700 + 320 = 820$
  $462 + 209 = 661$
  $50 \times 800 = 4000$

- grenssommen, waarin bepaald wordt of uitkomsten al dan niet binnen bepaalde grenzen vallen (100 - 200 bijvoorbeeld) - geef ja of nee aan:

  $7 \times 14 =$
  $7 \times 24 =$
  $201 - 2 =$

- is-er-een-rest, ja of nee?

  $450 \div 9 =$
  $450 \div 90 =$
  $910 \div 9 =$

- hoeveel cijfers heeft de uitkomst?

  $27 \times 5 =$
  $1146 - 293 =$
  $236 + 686 =$

- welke manier vind je de beste en waarom?

  $8 \times 29 = 8 \times 20 + 8 \times 9 = 160 + 72 = 232$
  $8 \times 29 = 4 \times 58 = 2 \times 116 = 232$
  $8 \times 29 = 8 \times 30 - 8 \times 1 = 240 - 8 = 232$

- vleksommen, kies het goede antwoord:

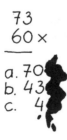

73
60 ×
─────
a. 70
b. 43
c. 4

a. 700
b. 400
c. 1090

Enkele van de voorgaande vraagstukken zijn ook bij het schattend rekenen in te delen. Qua rekentechniek komt schatten dan ook sterk met hoofdrekenen overeen. Dat zie je bijvoorbeeld aan de van-voor-naar-achter werkwijze bij het hoofdrekenen die een snelle schat-indicatie biedt. Qua begripsmatige achtergrond verschillen beide rekenvormen echter aanzienlijk.

Hoe het ook zij, uit het voorgaande is duidelijk dat hoofdrekenen en schatten door tal van vraag- en oefenvormen gestimuleerd kunnen worden. Vormen die eenvoudige notatie, controle en correctie mogelijk maken en dus makkelijk groepsgewijs te hanteren zijn. Als onderwijsgevenden kunnen we zelf een arsenaal van dergelijk oefenmateriaal ten behoeve van de korte mondelinge sessies opbouwen. De gebruikte methode plus de handleiding kunnen dit werk weliswaar ondersteunen maar zeker niet overnemen. Het gaat immers om interactief onderwijs en niet om louter schriftelijke instructie.

### Onderwijsprincipe 4

Spelletjes verlevendigen het hoofdrekenen en dienen daarom in het onderwijs betrokken te worden. We geven daarvan een sprekend voorbeeld dat in vrijwel alle leerjaren vanaf groep vijf kan worden gebruikt. Namelijk 'Cijfers en letters', om de naam van het bekende TV-spelletje maar aan te houden. Het gaat als volgt.
Er worden twee getallen gekozen (getrokken) uit de verzameling 0-5, en twee uit 6-10. Bijvoorbeeld 3, 1, 6 en 6. Kies vervolgens een doelgetal onder de honderd, zeg 21. De opgave luidt: probeer nu 21 met de vier getrokken getallen te maken. Je mag de hoofdbewerkingen op de getallen en de verkregen deeluitkomsten toepassen. Ieder getrokken getal dient hooguit één keer te worden gebruikt. Mogelijke oplossingen:

$$6 + 1 = 7 \qquad 7 \times 3 = 21$$
$$6 - 1 = 5 \qquad 5 \times 3 = 15 \qquad 15 + 6 = 21$$

Andere opgave bij dezelfde gegevens: welke getallen van een tot duizend kun je met die vier gekozen getallen maken?
Nu een moeilijker vorm van 'Cijfers en letters': kies zes getallen onder de honderd en één doelgetal onder de duizend. Probeer op de geschetste wijze in enkele minuten het doelgetal te bereiken of er zo dicht mogelijk bij te komen. (Het blijkt bijna altijd min of

meer te lukken, maar waarom dat zo is valt moeilijk met hoofdrekenen te verklaren, en is zelfs voor de computer een heel karwei om uit te rekenen.) Het gaat bij dit spelletje dus om vlug combineren, afschatten, ofwel handig rekenen-op-papier, maar toch zeker ook om rekenen-met-het-hoofd. 'Cijfers en letters' is één spelletje uit vele, maar wel een dat praktisch goed hanteerbaar is en werkzaam voor het beoogde doel.

*Onderwijsprincipe 5*
We dienen bij het hoofdrekenen individuele verschillen te accepteren en zelfs te benutten bij het bespreken van mogelijke strategieën.
Maar wat te doen als bepaalde leerlingen bij het groepswerk steeds achterblijven? Het adagium is dan: *indien het precieze berekenen niet lukt, accepteer dan (aanvankelijk) schattingen.* Deze zijn namelijk vaak vrij eenvoudig via de voor-naar-achter manier van rekenen en het nullen-rijgen te verkrijgen.
We moeten de kinderen bij het lange-termijndoel van het hoofdrekenen sterk stimuleren en er vooral voor waken dat de oefensfeer en de groepsgerichte werkvormen niet tot stress-toestanden leiden. Vandaar ook: lukt het niet exact, kies dan aanvankelijk voor de benadering van de uitkomst en juist niet voor de zekere cijfermatige aanpak - althans niet bij hoofdrekenen.
Dit is dus een wat andere werkwijze dan het 'verfijnde' hoofdrekenen in de vroegere opleidingsscholen waar kinderen vele snufjes en trucs leerden. Met dit soort hoofdrekengymnastiek zouden we het hier gestelde doel van het hoofdrekenen volledig voorbij schieten. Dat doel is niet meer dan het leren van elementair handig rekenen, het aankweken van feeling voor getallen en te berekenen uitkomsten, en het verwerven van inzicht in het alledaagse woonwerkverkeer van getallen.... Niet meer, maar ook niet minder.

●  ... EN KUNNEN DEZE VAARDIGHEID TOEPASSEN

Aan de vuist vol onderwijsprincipes dient, gelet op het laatste deel van de doelstelling, uiteraard nog één stelregel te worden toegevoegd, namelijk dat het aan te bevelen is om het hoofdrekenen voortdurend mede in de context van praktische toepassings situaties te plaatsen. Hoeveel kost het? Heb ik genoeg geld bij me? Kan die rekening kloppen? Wat is het voordeligst? Hoe kan ik eerlijk delen? Hoe ver is het? - zijn vragen die dan in wisselende situaties opduiken. We hebben over toepassingen nu verder niets anders dan de volgende persoonlijke noot uit het logboek van 11.7.1987 toe te voegen.

- 'Het is op de dag dat deze hoofdrekenparagraaf geschreven wordt 11 juli 1987, 'De Dag van Vijf Miljard'. In de krant lezen we dat de wereldbevolking met honderdvijftig zielen per minuut toeneemt, dat wil zeggen 220.000 per dag of tachtig miljoen per jaar. En ook: voor het jaar tweeduizend zal de wereldbevolking zes miljard bedragen.
- Vandaag staat in de nieuwe VPRO-gids dat een onderzoek heeft uitgewezen dat in een bepaalde jaargang van Vrij Nederland 23 foto's van vrouwen stonden tegenover 109 van mannen, dus van één vrouw op zes mannen, zo luidde de conclusie.
- Vandaag wordt de elfde etappe van de Tour de France gereden van Poitiers naar Chaumeil over een afstand van 250 kilometer. Het parcours schijnt nogal slingerend te zijn. Onze TV-commentatoren houden ons tenminste tot tweemaal toe serieus voor dat het zo'n tienduizend bochten telt....'

Ziehier hoofdrekenen in de actualiteit van de media. In medias res zogezegd - oftewel midden in het onderwerp. Want het plaatst niet alleen het hoofdrekenen in de actualiteit, maar ook de actualiteit van het hoofdrekenen nog eens in het venster.

NOTEN BIJ DOELSTELLING 4

1.   Scholten, P.C.: Uitlijnen en balanceren, *Tijdschrift voor nascholing en onderzoek van het reken-wiskundeonderwijs*, 6(3), 1988, pag. 41.
2.   Hope, J.A.: Mental Calculation: Anachronism or Basic Skill?,

*Estimation and Mental Computation,* H.L. Schoen en M.J. Zweng (eds.), NCTM, Reston 1986, pag. 47.

3.  Bokhove, J. en J. Janssen: Periodiek Peilingsonderzoek in het basisonderwijs (4), *Tijdschrift voor nascholing en onderzoek van het reken-wiskundeonderwijs,* 7(2), 1988, pag. 16-35.
4.  ibid.
5.  ibid.
6.  ibid.
7.  Reys, B.J. en R.E. Reys: Mental Computation and Computational Estimation - their time has come, *The Arithmetic Teacher,* 33, maart 1986, pag. 4-6.
8.  Foxman, D.: *Mathematical Development. Assessment of Performance Unit (APU),* HMSO, London 1980, pag. 95.
9.  Zie: Trafton, P.R.: Estimation and Mental Arithmetic: Important Components of Computation, *Developing Computational Skills,* M.R. Suydam en R.E. Reys (eds.), NCTM, Reston 1978, pag. 196-214.
    Reys, R.E.: Evaluating Computational Estimation, *Estimation and Mental Computation,* H.L. Schoen en M.J. Zweng (eds.), NCTM, Reston 1986, pag. 225-239.
    Hatano, G.: Learning to add and subtract: a Japanese perspective, *Addition and Subtraction: a cognitive perspective,* T.P. Carpenter, J.M. Moser en Th.A. Romberg (eds.), Lawrence Erlbaum, Hillsdale 1982, pag. 211-234.
10. Zie *School,* april 1987, pag. 8, met enquêtegegevens van M. de Hondt over mening ouders en leraren over het belang van verschillende onderdelen van het rekenen.
11. Op de oorspronkelijke tekst over hoofdrekenen en schattend rekenen is uitgebreid gereageerd. Deze reacties en nadere studie hebben tot enkele belangrijke veranderingen geleid in de tekst over optellen en aftrekken onder de duizend. Met name de bijdragen van Beishuizen, Van Mulken en Buijs hebben daartoe de aanzet gegeven. De andere reacties hebben in een aantal gevallen tot kleinere herzieningen geleid.
    Zie in: *Tijdschrift voor nascholing en onderzoek van het reken-wiskundeonderwijs* 6(3), 1988 de bijdragen van: J.E.H. van Luit, K. Blakenburg, M.K. van der Heijden, M. Beishuizen en F. van Mulken, R.S.C. van der Meer, P.Chr. Scholten en K. Buijs.
    Zie in dit verband de contrasterende ideeën van Van Luit en Ter Heege in *Tijdschrift voor nascholing en onderzoek van het reken-wiskundeonderwijs,* 6(2 en 3), 1987-'88. Onderzoeksgegevens van de Leidse onderzoekers Van der Heijden, Beishuizen, Van Mulken en Groenewegen, waarover in dezelfde tijdschrift nummers gerapporteerd wordt, geven geen aanleiding te veronderstellen dat zwakkere leerlingen minder informele handige werkwijzen zouden

werkwijzen zouden gebruiken, maar wel dat daarin gerichter onderwijs moet worden gegeven. Van der Heijden stelt 'dat het onderwijs sterk dient te zijn daar waar de leerling zwak is.' Naar zijn mening wijzen de onderzoeksgegevens erop dat bij zwakke rekenaars onderwijsmogelijkheden onbenut zijn gebleven, en ook dat met handig en flexibel hoofdrekenen zo vroeg mogelijk (in elk geval in groep vier) begonnen dient te worden.

# 5. SCHATTEND REKENEN

DOELSTELLING 5
Leerlingen kunnen schattend rekenen door:
A. de uitkomst van een berekening globaal te bepalen en op juistheid te controleren, en
B. tel- en meetgegevens in verschillende graden van nauwkeurigheid te gebruiken.

Schatten is op zich natuurlijk niet beperkt tot het werken met natuurlijke en gehele getallen. Ook bij breuken, procenten, kommagetallen, meten en meetkunde wordt geschat. In het volgende bepalen we ons echter voornamelijk tot de basisvaardigheid van het schattend opereren met natuurlijke getallen (aantallen en meetgetallen). Maar eenvoudige decimale getallen en elementaire maten zoals die van lengte (afstand) en oppervlakte, welke nauw verbonden zijn met fundamentele rekenmodellen als de getallenlijn en de rechthoek, zullen niet geforceerd worden buitengesloten - dit als opmerking vooraf.

Wat is schatten? Het is niet zomaar raden en evenmin precies bepalen, maar het zit er tussenin. Bij raden heb je (vrijwel) geen aanwijzingen voor een verstandige vaststelling van de gezochte uitkomst - het moet zogezegd in het wilde weg gebeuren. Bij precies bepalen echter zijn alle benodigde gegevens voorhanden en is de rekenweg gebaand en bewijzerd. Schatten daarentegen doe je op grond van steunpunten die weliswaar niet volledig zijn, maar toch voldoende aanwijzingen bevatten voor weloverwogen rekenen. Schattend rekenen staat tussen blind gissen en exact berekenen, tussen de getalsmatige gok en de numerieke precisie. Vanwege dit manco aan nauwkeurigheid werd het in het rekenonderwijs van oudsher inferieur geacht aan het precieze rekenwerk. In de leerplannen en de leerboeken was dit duidelijk aanwijsbaar en trouwens ook in de toetsen en niet te vergeten in het onderzoek. Of beter, het was juist niet aanwijsbaar omdat schatactiviteiten in deze sectoren vrijwel geheel ontbraken.

Ten onrechte, want zowel in het leven van alledag als binnen het vakgebied bekleedt schatten een belangrijke positie:

- schatten moet nogal eens omdat nu eenmaal geen exacte berekening te maken is;
- schatten volstaat soms omdat een benaderde uitkomst voldoende is;
- schatten valt vaak zoveel makkelijker doelmatig uit te voeren
  en is daarbij goed te doorzien en te overzien en
- schatten is niet zelden zinvoller dan exact uitrekenen.

We kunnen hetzelfde ook op negatieve wijze zeggen: precies rekenen is soms niet mogelijk, voldoet soms niet, is niet doelmatig uit
te voeren en minder betekenisvol of correct dan schatten. We zouden dit kunnen demonstreren met het eerder gegeven voorbeeld
van de telling van de wereldbevolking die geen telling in strikte zin
is. Maar we nemen een nieuw voorbeeld: de snelheid van dieren
te land. Het lijkt voor de hand te liggen deze snelheden in kilometers per uur af te ronden, althans voor de snellere zoogdieren. Metingen zijn hier immers tamelijk onnauwkeurig en de generalisatie
naar topsnelheid is moeilijk te maken en er vindt een omrekening
plaats van meter per seconde naar kilometer per uur. We zien echter in het boek 'Wonderen van de kampioenen in de dierenwereld'
dat die afronding voor slechts de helft van de opgetekende snelheden is gemaakt (figuur 48).

———————— FIGUUR 48: SNELHEDEN VAN DIEREN (VERBORGEN)
AFGEROND OP TIEN- EN VIJFTALLEN

Van de tweeëntwintig opgesomde snelheden van landdieren is de helft afgerond op een tiental. De overige zijn bepaald op: 12(1), 16(2), 24(1), 45(1), 48(4), 55(1) en 144 km/uur.

Waarom gebeurt dit niet consequent? Nauwkeurigheden als bijvoorbeeld 48 kilometer per uur (vier maal voorkomend!) lijken toch ronduit misplaatst. Of met de woorden van straks: nauwkeurigheid is niet mogelijk, niet voldoende, niet doelmatig en minder correct. Nu de verrassing: er blijkt een rekenkundige reden voor te zijn! Namelijk toch een afronding op tientallen maar dan nu met mijlen. Want 10 mijl is grofweg 16 kilometer, 30 mijl dus 48 kilometer en 90 mijl 144 kilometer. En de rest van de snelheden valt in de categorie van de vijftallen (kilometers of mijlen) - ook een afronding. Ziehier de verklaring voor een quasi-exacte meting en berekening.[2] Letterlijk en figuurlijk een schoolvoorbeeld van meten, afronden en rekenen hoe het niet moet.

In ieder geval geeft de opvatting van rekenen als 'het met numerieke precisie bepalen van de uitkomst van een getalsmatige bewerking' een sterk vertekend beeld van het rekenen in het leven van alledag, de beroepswereld en het vakgebied. In deze kringen is gepast schattend rekenen juist aan de orde van de dag. Men beklaagt zich er daar dan ook over dat kinderen zo slecht kunnen schatten, en dat het onderwijs zo weinig aandacht aan het schattend rekenen besteedt.[3]
In het volgende schrijven we eerst wat over die prestaties van leerlingen aan het eind van de basisschool of later.
Daarna volgt een kleine schets van een van de schaarse onderwijsprogramma's waarin schatten en hoofdrekenen een dominerende positie innemen.
En vervolgens worden categorieën van opgaven besproken die het programma van schattend rekenen vullen en de onderwijsaciviteiten praktisch uitvoerbaar maken. Aan dat laatste schortte het nu juist in het verleden: er was soms wel de wil, maar de weg naar schattend rekenen bleek niet begaanbaar.

## • PRESTATIES

Van de prestaties op het gebied van schattend rekenen worden in het volgende enkele sprekende voorbeelden gegeven.
De opgave 4 x 526 werd door ongeveer negentig procent van de dertienjarige leerlingen uit de Verenigde Staten goed opgelost. Maar als ze bij dezelfde opgave schattend moeten kiezen uit de antwoorden 2000, 2100, 2400 en 3000 ligt het percentage correcte antwoorden op ... 33 procent![4]
Slechts 54 procent van de zeventienjarigen bleek in staat de uitkomst van de volgende optelling 11.954.164 dollar + 1.126.005 dollar + 4.170.522 dollar + 750.572 dollar schattend op miljoenen af te ronden.
Algemeen geldt dat schattend rekenen in dat Amerikaanse onderzoek gemiddeld zo'n 25 procent lager scoort dan cijferend rekenen bij vergelijkbare opgaven.
Nu een voorbeeld dat te maken heeft met de orde van grootte van getallen.

> Hoeveel woorden bevat een boek van tweehonderd bladzijden?
> Geef een antwoord dat het meest redelijk lijkt.
> Verklaar je antwoord. Kies uit:
> a. ongeveer 1000 woorden;
> b. ongeveer 10.000 woorden;
> c. ongeveer 100.000 woorden;
> d. ongeveer 1.000.000 miljoen woorden.

Een op de drie kinderen (bovenbouw basisschool) kiest antwoord c., de meest redelijke uitkomst. Meer dan de helft van de kinderen is niet in staat een gefundeerde verklaring voor een gekozen antwoord te geven.[5]
Hoe hoog is een gebouw van vier verdiepingen ongeveer? Ongeveer de helft van de leerlingen bovenbouw basisschool komt hier met een redelijke schatting (tussen tien en twintig meter). Het schatten van oppervlakte, inhoud en gewicht levert in het algemeen nog lagere scores op - dit is de trend in onderzoek uit verschillende landen.[6]
In het Nederlandse PPON-onderzoek (Cito) luidt de eindconclusie bij schattend rekenen: 'slechts weinig leerlingen kiezen in opgaven

die uitnodigen tot schattend rekenen voor de oplossingsstrategie van het rekenen met afgeronde getallen.'

Enkele onderzoeksresultaten bij voorbeelden van opgaven:[7]

Afgeronde
goedscores
80%

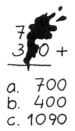

a. 700
b. 400
c. 1090

15000 - 3001 - 2998 - 2996 =                                         35%
Rond de getallen die je aftrekt eerst af.
De uitkomst van deze aftrekking is iets meer
dan:

288 x 908 =                                                          80%
Welk van onderstaande berekeningen geeft de
beste schatting?
(Zet een rondje om de letter bij het goede
antwoord.)

A  200 x   900
B  200 x 1000
C  300 x   900
D  300 x 1000

Jannie rekent uit op haar rekenmachine                               40%
835 - 4,305 - 7,795 = 8229.
Bij het opschrijven van het antwoord is ze de
komma vergeten.
Wat moet het antwoord zijn?

Yvonne rekent uit op haar rekenmachine:                              30%
715,347 + 589,2 + 4,553 = 13091
Bij het opschrijven van het antwoord is ze de
komma vergeten.
Wat moet het antwoord zijn?

De Cito-onderzoekers Bokhove en Janssen tekenen bij de laatste opgave, die bij 124 leerlingen individueel werd afgenomen, het volgende aan:[8]

'De opgave van Yvonne is ook individueel afgenomen. Hieronder volgt een overzicht van de belangrijkste oplossingsmethoden.'

| | | |
|---|---|---|
| 1 De meeste getallen hebben drie cijfers achter de komma, het antwoord dus ook. | 28,4% | allen fout |
| 2 Cijferend oplossen | 15,7% | 12 van 21 fout |
| 3 Schattend redeneren: 700 + 600 = 1300 | 12,7% | 3 van de 17 fout |
| 4 715,347 + 4,553 De vette stukjes zijn samen 0,100 dus achter de komma één cijfer (of 0,347 + 0,553 = 0,9 dus één cijfer achter de komma). | 9,7% | 4 van de 13 fout |
| 5 Samen 7 cijfers achter de komma, dus zeven cijfers achter de komma in het antwoord. | 6% | 6 van de 8 fout 2 bedenken zich |

Slechts 12,7% van de leerlingen volgt een schattingsstrategie. Oplossing 4 is ook als een handige oplossingswijze te typeren. Deze leerlingen zien dat gedeelten van twee getallen mooi bij elkaar passen. Het uitvoeren van bewerkingen met afgeronde getallen in open-contextsituaties blijkt extreem moeilijk te zijn voor leerlingen eind basisonderwijs.'

De juistheid van de laatste opmerking kan geïllustreerd worden met de volgende PPON-opgave:

'In de prijzenpot zit $f$ 6327,75.
Er zijn 8 winnaars die dit met elkaar moeten delen.
Hoeveel geld moet ieder dan krijgen?
Rond af op honderd gulden.

$f$ ------- '

Ongeveer dertig procent van de leerlingen maakt deze opgave goed. Maar wat betekent 'goed'? Eerst laten we de onderzoekers weer aan het woord.[9]

'Deze opgave is eenvoudig op te lossen door het te verdelen bedrag af te ronden op $f$ 6400,--. Maar doen leerlingen dit ook? In dit geval is daar antwoord op te geven aangezien we van deze opgave gegevens over de oplossingswijzen hebben.

| | | |
|---|---|---|
| 1 Het bedrag wordt afgerond op $f$ 6400,-- | 28% | allen goed |
| 2 Er wordt gecijferd en niet afgerond | 19,7% | allen fout |
| 3 De leerling weet niet wat te beginnen | 19,7% | allen fout |
| 4 Er wordt gecijferd en naar boven afgerond | 12,9% | 7 van de 17 goed |
| 5 Er wordt gecijferd en naar beneden afgerond | 5,3% | allen fout |
| 6 Het bedrag wordt afgerond op $f$ 5600,-- want $f$ 6400,-- is er niet | 5,3% | allen fout |

Ruim een kwart van de leerlingen hanteert een juiste schattingsaanpak. Maar een veel hoger percentage cijfert. De leerlingen die voor oplossingswijze 6 kozen waren te realistisch en wilden niet werken met wat er niet was. Ook dit voorbeeld laat zien dat opgaven die in de rubriek schatten staan vaak niet schattenderwijs door de leerlingen opgelost worden.'

Men zou kunnen verdedigen dat, gelet op de context, ook oplossing 6 goed is. Of anders gezegd, dat de opgave niet zo gelukkig is. Was het bijvoorbeeld om ruim $f$ 6500,-- gegaan dan was er meer eenduidigheid geweest over wat 'goed' is, schatten we in. Hoe het zij, het hoge percentage cijferaars zegt voldoende over de juistheid van de eerdere conclusie: slechts weinig leerlingen (kunnen) werken met afgeronde getallen!

Nu nog iets van eigen bodem over het aspect van schattend rekenen waarbij ankerpunten van mentale metingen gebruikt moeten worden. Het gaat om een krantenknipsel met vier of, zo men wil, vijf grove fouten dat aan 312 tweedejaars Pabo-studenten werd voorgelegd als onderdeel van een uitgebreide toets (figuur 49).

FIGUUR 49: EEN KRANTEKNIPSEL MET I, 2, 3,
... FOUTJES

De aldus verkregen klassering
heeft wel enige tijd als schaduw-
klassement gefunctioneerd, maar is
nooit in de officiële tabellen opgenomen. Toch is het wel eens aardig
naar de gelijkschakelingsformule te
kijken. Het kost nogal wat rekenwerk, laten we ons dus beperken tot
Nederland. Dat heeft zo'n 14 miljoen inwoners, tegen de VS ruim
drie miljard, twee honderd keer zo
veel. De oppervlakte van Nederland is pakweg 40.000 vierkante
meter, tegen de VS 33.000 vierkante *kilometer*, bijna duizend keer zoveel. Dit tegen elkaar afgewogen is
de bevolkingscoëfficient van Nederland een vijfde van die der V.S

Aanzienlijk minder dan de helft bleek in staat tenminste één fout
uit dit knipsel te halen: 33 procent sloeg het vraagstuk over en
acht procent ontdekte één fout.[10] De commentaren zijn veelzeg-
gend. Ongeveer tien procent merkt op dat drie miljard niet twee-
honderd keer zoveel is als veertien miljard en dat je niet kunt stellen dan 33.000 vierkante kilometer bijna duizend keer zoveel is
dan 40.000 vierkante meter. Daarentegen vindt vijf procent dat
die berekeningen juist wel ongeveer kloppen. En drie procent noteert dat die 'bijna duizend keer' bij de vergelijkingen van de op-
pervlakten fout is en 'een miljoen keer' moet zijn. Of de Verenigde
Staten wel miljoen keer zo groot als Nederland zou kunnen zijn,
wordt niet in overweging genomen.... Nederland een paar voet-
balvelden groot, de Verenigde Staten op het formaat van Nederland met een inwonertal van meer dan de helft van de wereldbevolking - dat alles wordt volledig over het hoofd gezien. Met getallen moet je rekenen, zo is de gerichtheid. Wat ze betekenen....?
De resultaten van deze opgave - misschien wel een van de meest
onthullende onderzoeksgegevens sinds jaren - dragen in de vorm
van één knipsel in feite alle onderzoeksberichten over de prestaties
van het schattend rekenen in het traditionele onderwijs. Want laten we duidelijk zijn: ze zeggen meer over het onderwijs dan over

wat leerlingen (zouden) kunnen presteren. Het onderwijs is er debet aan dat getallen niet tot leven komen. Het onderwijs heeft de dwangmatige gerichtheid op de getalsmatige exactheid opgelegd. Het onderwijs liet het schattend rekenen liggen. Thans wordt echter wel allerwegen het grote belang van dit onderwerp onderschreven. Alleen wordt steeds gesteld dat goede voorbeelden van programma's vrijwel ontbreken, internationaal bezien. Maar ook dat experimenten uitwijzen dat leerlingen reeds na vijf à tien lessen behoorlijke vooruitgang blijken te boeken.[11]

* PROGRAMMA

Ons is slechts één voorbeeld van een programma bekend waarvan de grondslag vrijwel volledig in hoofdrekenen en schattend rekenen werd gelegd. Het stamt uit de jaren dertig en werd gerealiseerd in New Hampshire (Verenigde Staten) onder leiding van een onderwijsinspecteur, Benezet genaamd.[12] Benezet merkte op hoezeer het rekenonderwijs de banden met de realiteit had doorgesneden. Gaf hij kinderen een probleem in de trant van 'ik kan in één minuut ongeveer honderd yard lopen, hoeveel mijl loop ik in één uur?', dan was het antwoord steevast zesduizend mijl. In eerste instantie misschien een begrijpelijk antwoord, maar niet in tweede termijn. Er zou dan immers direct een correctie vanuit ervaringskennis moeten volgen, wat niet gebeurde.
Op grond van dergelijke ervaringen ontwikkelde Benezet een experimenteel programma dat zich in de eerste vier à vijf leerjaren volledig van het formele rekenen afkeerde en het betekenisvol omgaan met benoemde getallen en meetgetallen vooropstelde.
In het aanvangsonderwijs stond het vergelijken en schatten centraal. Getallen werden gebonden aan de kalender, aan klokkijken, aan paginanummers en munten; vakantiedagen, verjaardagen, weken, maanden, tijdrekening en geldrekening. Bewerkingen vonden in deze samenhang plaats via het omzetten en inwisselen van uren, minuten, seconden, maanden, weken, dagen en verschillende muntstukken. Daarna werd lengtemeting aan de orde gesteld. Kinderen maakten ieder een schatting van hun eigen lengte, ver-

richtten dan een meting, bepaalden vervolgens de schatfout en deden dan hetzelfde met de lengte van hun medeleerlingen. De hoogte van een raam werd geschat en gemeten, idem de lengte, de breedte en de hoogte van het klaslokaal, en zo meer. Dan volgden oppervlaktematen en afstanden. Steeds schatten, meten en verschil bepalen, of alleen maar schatten en schattend rekenen als het om grotere getallen en maten gaat. Temperatuur, snelheid, inhoud, gewicht en vooral ook geldrekenen in de context van winkelen, dat alles kwam uitgebreid aan bod. Breuken als 1/2, 1/4 en 1/10 en kommagetallen, beide gebonden aan meetgetallen, werden van meet af aan in een natuurlijke samenhang aan de orde gesteld. Onderwijl werden de tafels geleerd. En geleidelijk aan, bijvoorbeeld vanaf klas vijf, werkten de leerlingen ook wel wat uit rekenboekjes. Vooral onderwerpen van hoofdrekenen kregen de aandacht. Maar schatten, meten en afronden bleef als een rode draad door het rekenonderwijs lopen.

Dit is kort samengevat de kern van Benezets programma waarover hij in grote lijnen publiceerde - globaal naar inhoud maar gedetailleerd naar onderwijsvisie. Uit toetsen aan het einde van het zesde leerjaar (groep acht) bleek de experimentele groep wat rekenvaardigheid betreft ruimschoots op het peil van de controle-groep te zitten. Maar wat het toepassen betreft waren de leerlingen met het nieuwe programma de anderen verre de baas.
Hoever blijkt uit een aardig probleem over de verplaatsing van de Niagara-waterval dat Benezet in een experimentele klas en een controle-klas aan de orde stelde (figuur 50).

Het probleem werd behandeld in een soort klassegesprek via een interactieve les. De experimentele klas ging als volgt te werk. Het heeft de waterval ongeveer 250 jaar gekost (1680-1930) om een halve mijl te verschuiven. Dat is dus een snelheid van één mijl in vijfhonderd jaar. Dus zal het ongeveer vijfduizend jaar geleden zijn dat de waterval bij Queenston lag. Op de vraag hoe lang het zal duren voor Buffalo bereikt wordt (op de kaart kun je zien dat die plaats ongeveer twee keer zover stroomopwaarts van de waterval ligt als Queenston stroomafwaarts) kwam de groep via globale meting en vergelijking al snel op tienduizend jaar.

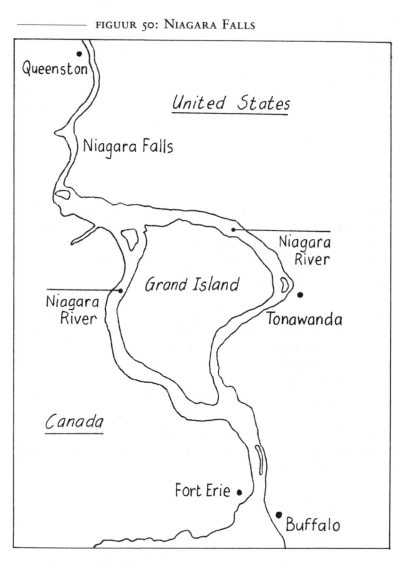

'In 1680 bleek de waterval 2500 voet verder stroomafwaarts te liggen. Afbrokkeling vindt plaats door wegslijpen van de onderkant en instorten van de bovenkant van de rotsen. De waterval vond z'n oorsprong in Queenston, tien mijl stroomafwaarts van de Niagara-rivier. Hoe lang zou dat ongeveer geleden zijn? En wanneer ongeveer wordt Buffalo bereikt?'

In een traditionele klas verliep de les totaal anders. De tijdspanne tussen 1680 en 1930 gaf al direct problemen. Schattingen liepen uiteen van 110 tot 450 jaar. Toen één kind voorstelde het nu maar eens precies uit te rekenen, kwam het volgende op het bord:

1680
1930 –
———

Het getal 1680 is in de tijd gezien het eerste, dus dat werd bovenaan gezet. De uitkomst leverde 350 op. Tweederde deel van de klas ging akkoord. Eén leerling bracht vervolgens de correctie aan dat negen niet van zes maar van zestien moest worden afgetrokken, dus dat het antwoord niet 350 maar 750 moest zijn. Vrijwel de hele klas kon zich hierin vinden. Eén leerling droeg tenslotte na heel veel heen en weer gepraat de goede oplossing aan: de getallen worden verwisseld, het antwoord is 250 jaar.

Op de vraag naar de verschuiving stroomopwaarts per jaar kwamen diverse antwoorden, doch slechts één leerling had tien voet. De eerdere vraag over de hoogte van de Niagara-waterval en daaraan voorafgaand de hoogte van het klaslokaal had Benezet overigens al laten lopen omdat bleek dat de meeste kinderen geen enkel benul van maten als voet, yard en mijl hadden. En de laatste vraag, namelijk het hoeveelste deel van een mijl de waterval in de laatste 250 jaar verschoof, werd dan ook door geen enkele leerling goed beantwoord. Toen was het tijd...

• CONDITIES

Dat Benezet de stand van zaken niet te zwart-wit voorstelde, blijkt wel uit de eerder opgesomde onderzoeksresultaten. Hij deed echter meer en toonde aan dat beter onderwijs mogelijk is. Alleen kan men uit zijn beschrijving niet alle gedetailleerde 'technische' wetenswaardigheden destilleren betreffende de volgende punten:
– een voorwaarde voor schattend rekenen is dat leerlingen de tafels beheersen, vaardigheid in hoofdrekenen hebben, goed kunnen afronden, kunnen rekenen met nullen en begrip hebben

van schatfouten en onnauwkeurigheden; hoe brengen we ze deze vaardigheden bij?

- leren schattend rekenen wil vooral zeggen het leren gebruiken van passende strategieën, zoals het afronden op hanteerbare getallen, het herstructureren van de opgave en het passend bijstellen van de berekening met afgeronde getallen in een bepaalde context; hoe stel je ze in staat die strategieën te leren?
- schattend rekenen in de sfeer van het meten veronderstelt de beschikbaarheid van een groot arsenaal ankerpunten in de vorm van concreet voorstelbare maten in reële situaties; hoe kunnen de kinderen zich die steunpunten verschaffen?
- en tenslotte een buitengewoon belangrijke conditie: hoe zorgen we ervoor dat kinderen niet de omwegen van het precieze rekenen bewandelen en pas daarna gaan afronden?

Een aantal van deze vragen is reeds in deze paragraaf over schattend rekenen en de voorgaande over tafels en hoofdrekenen gedeeltelijk beantwoord. Nu zal vooral het laatstgenoemde punt aan de orde worden gesteld. Namelijk hoe we in het onderwijs direct op het schatten en schattend rekenen kunnen aansturen.

Welnu, er zijn vier categorieën opgaven waaraan vier onderwijsprincipes ten grondslag liggen die bij het schattend rekenen in het oog gehouden moeten worden.

We zullen ze nu stuk voor stuk kort bespreken, wat niet anders kan dan via een wat droge opsomming van voorbeelden uit de eerste rij waar men hele kolommen opgaven achter moet denken.

• ONDERWIJSPRINCIPES

*Onderwijsprincipe 1*
Onderwijsprincipe 1 is: laat de kinderen rekenen met afgeronde getallen in plaats van met de gegeven getallen.
Voorbeeld 1: rekenen met afgeronde getallen (schriftelijk en mondeling):

| | | | |
|---|---|---|---|
| − | 382 + 828 | → | 400 + 800 = ... |
| − | 7 × 39 | → | 7 × 40 = ... |
| − | 32 × 48 | → | 30 × 50 = ... |
| − | 1491 ÷ 3 | → | 1500 ÷ 3 = ... |

Voorbeeld 2: bepalen van de beste schatting (schriftelijk en mondeling):
- 5 × 47 = ..    a) 5 × 40    b) 5 × 50    c) 5 × 60
- 32 × 47 = ..    a) 30 × 50    b) 30 × 40    c) 40 × 50

Voorbeeld 3: groter-kleiner, meer-minder (mondeling):
- 60 + 30 = 90, dus 62 + 34 is ... dan 90
- 60 - 30 = 30, dus 60 - 36 is ... dan 30
- 300 + 300 = 600, dus
    312 + 315 is ... dan 600
    288 + 294 is ... dan 600
    300 + 295 is ... dan 600
    301 + 298 is ... dan 600
- 6 × 70 = 420, dus
    6 × 72 is ... dan 420
    6 × 67 is ... dan 420
    5 × 69 is ... dan 420
    5 × 79 is ... dan 420
- 4200 ÷ 7 = 600, dus
    4235 ÷ 7 is ... dan 600

Voorbeeld 4: eerst rekenen met afgeronde getallen, dan met de strategie van voor-naar-achter met één getal en daarna met twee getallen (schriftelijk):
- 6 × 585
- 432 + 341 + 101

Voorbeeld 5: inklemmen tussen tientallen, honderdtallen, et cetera, dus 12 × 26 tussen 10 × 20 en 20 × 30 (schriftelijk):
- 32 × 47
- 24 × 36
- 101 × 113

## Onderwijsprincipe 2

Het tweede principe luidt: schattend rekenen moet lonen, dus duidelijk effectiever zijn dan cijferen. We onderscheiden hier twee soorten opgaven.

Voorbeeld 1: meerkeuze-vragen waarbij een van de alternatieven er duidelijk als het goede antwoord uitspringt (het gaat hierbij om grote series en snelle keuze):

| | | | | | | |
|---|---|---|---|---|---|---|
| – 44.778 + 173 = | a) | 951 | b) 4951 | c) | 4751 |
| –    543 – 178 = | a) | 365 | b) 165 | c) | 665 |
| –     72 × 504 = | a) | 36288 | b) 3808 | c) | 396288 |
| – 96.336 ÷ 12 = ongeveer | a) | 8000 | b) 800 | c) | 80 |

Voorbeeld 2: er is een oriëntatiepunt gegeven en de vraag is of we daaraan gemeten voldoende van iets hebben, plus variaties op dit thema:
– Henk wil voor zijn verjaardagspartijtje zeven petjes kopen die ieder *f* 1,95 kosten. Hij heeft *f* 15,-- bij zich, is dat genoeg?
– De bowlingscores van Adriaan zijn 125, 120 en 145, en die van Ada 135, 117 en 180. Wie heeft de meeste punten?

In feite omvatten deze twee voorbeelden een enorm arsenaal van opgaven, wat maakt dat 'schatten loont' in alle leerjaren kan worden toegepast.

*Onderwijsprincipe 3*
Het derde onderwijsprincipe: we zorgen er soms voor dat slechts schattend rekenen mogelijk is omdat de gegevens voor exacte berekening ontbreken of incompleet, tamelijk onbepaald of impliciet zijn.
Ook hier zijn twee grote categorieën van opgaven te onderscheiden die in alle leerjaren bruikbaar zijn.

Voorbeeld 1: vleksommen in meer-keuzevorm[13] (figuur 51):

————— FIGUUR 51: VLEKSOMMEN

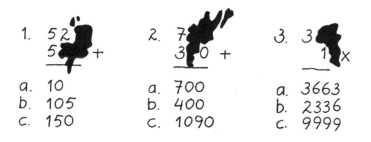

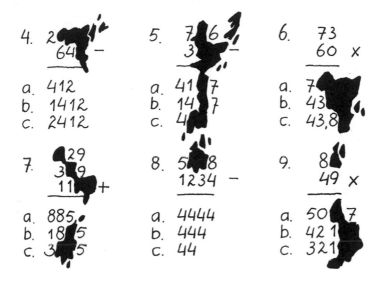

Voorbeeld 2: ankerpuntsommen:
In het voorgaande hebben we reeds voorbeelden van dit soort gezien: aantal bochten in de etappe van de Tour de France, de grootte van Nederland en de Verenigde Staten, aantal letters in een boek, de hoogte van een gebouw met vier verdiepingen. Er zouden vele, vele opgaven aan toe te voegen zijn. Steeds gaat het om getallen die op een of andere wijze via groatheden aan elkaar te binden zijn, voorstelbare getallen (vaak meetgetallen) uit de ervaringswereld. In de opgaven verzameling die bij de 'Proeve I' is opgenomen treft men andere voorbeelden aan. Wij volstaan hier slechts met één voorbeeld dat laat zien dat schattend rekenen loont, letterlijk en figuurlijk[14] (figuur 52).

FIGUUR 52

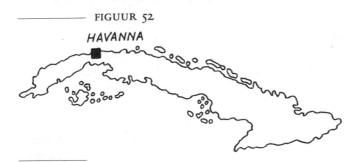

V: Waarom ging u naar Havana?
S: Voor de zon.
V: Hoe lang verbleef u daar?
S: Zo'n dag of twee.
V: Heeft Mr Fischetti u na aankomst in Havana aan Mr Charles
Luciano voorgesteld?
S: Nee, ik ben door een journalist uit Chicago, Nate Gross, aan
Mr Luciano voorgesteld.
V: Er wordt verder beweerd dat u op die reis een bedrag van on-
geveer twee miljoen dollar in een attaché-koffertje bij u had.
Wat is uw antwoord op die bewering?
S: Als u een attaché-koffertje voor mij kunt vinden waarin twee
miljoen dollar gaat, dan geef ik u die twee miljoen dollar.

(Onderzoek naar Frank Sinatra's vermeende contacten met de
maffia. Kan er voor twee miljoen aan 100-dollarbiljetten in een
attaché-koffertje?)

Met dit voorbeeld kunnen we ook iets meer van het oplossingsproces van schattend rekenen met behulp van ankerpunten
laten zien.
Hoe groot is een attaché-koffertje? We moeten maar iets bij grove
benadering aannemen. Hoe groot is een 100-dollarbiljet? Sommi-
gen van ons weten dat uit ervaring wel zo ongeveer in verhouding
tot een briefje van tien gulden. Anderen nemen maar aan dat het
ongeveer zo groot is als een tientje, bijvoorbeeld. Hoe dik is een
100-dollarbiljet? We zouden kunnen aannemen zo dik als een
blaadje papier. Een stapeltje dollarbiljetten kan dan geschat worden met behulp van een stapeltje papier of met het voorliggende
boek! Nu kunnen we aan het rekenen slaan. Bijvoorbeeld door
zo'n voorgesteld koffertje mooi passend te vullen met boeken: zoveel in de lengte en de breedte en de hoogte. En dan daarna ieder
boek in geld uitdrukken. Of van meet af aan met geldstapeltjes
werken. In ieder geval blijkt bij wat doorrekenen dat twee miljoen
zo ongeveer in een koffertje moeten kunnen. Bij snel rekenen was
er dus voor de ondervrager heel wat te verdienen geweest!
Maar wat nu voor ons belangrijker is: uit dit voorbeeld blijkt
vooral iets van wat vaardig schattend rekenen inhoudt. Door din-

gen aan te nemen en ze door te rekenen kan iets in orde van grootte worden bepaald. Hulpmiddelen in de vorm van ankerpunten liggen vaak binnen bereik (dikte boek als hulp van stapeltje biljetten) maar we moeten ze dan wel zien en durven oppakken. Ervaringskennis (grootte biljet, grootte koffertje) speelt daarbij een niet te verwaarlozen rol. Het kunnen hoofdrekenen, en vooral het rekenen met nullen vormt ook een belangrijke voorwaarde. Zo van: twee miljoen wil zeggen twintigduizend biljetten van honderd dollar, en nu maar eens passen en meten. Bijvoorbeeld: tien bij vijf rijen biljetten op de bodem - dat moet makkelijk kunnen - en dan een stapel van tweeduizend - dat is wat veel - en dan zouden we er wel zijn. Nu wat herschikken... Ziehier een soort handig knutselen met getallen, wat het rekenen met ankerpunten eigenlijk is. Iets van doe-het-zelf-werk.

*Onderwijsprincipe 4*
Dit brengt ons bij de vierde categorie, namelijk de eigen produkties van kinderen, dus doe-het-zelf in optima forma. Omdat die eigen produkties altijd binnen een bepaald kader plaatsvinden, is deze categorie niet van de voorgaande over ankerpunten te scheiden, want daarin wordt immers ook veel eigen inbreng gevraagd, zoals we zojuist zagen.
In het volgende voorbeeld ligt het werk dan ook in eerste ronde dicht bij het zojuist beschrevene, maar in het vervolg ervan komt de eigen produktie wat pregnanter naar voren. Het geciteerde fragment wil ook hier weer vooral voorbeeld zijn voor het onderliggende proces van het schatten en rekenen en niet zozeer voor het inhoudelijke produkt. Want dat is net zomin als bij de ankerpunten met één voorbeeld te vangen - de mogelijkheden daarvan zijn zeer divers en liggen in feite in het hele reken-wiskundeonderwijs voor het oprapen.
We laten nu mevrouw Querelle aan het woord.

'Iedere week krijgt de derde klas een blad opdrachten als huiswerk. Ik probeer zoveel mogelijk daarop iets waar te maken van mijn bedoelingen met de wiskunde voor deze leerlingen. Dat betekent dat er wat te maken valt waarmee aangeleerde kennis wordt gerepeteerd en er staat een probleempje op, waarvan ik hoop dat het intrigerend genoeg is

om over na te denken. Soms denk ik dat het aardig gelukt is en dan weer merk ik bij het nakijken van de resultaten, dat ik de plank weer behoorlijk missloeg.
Een van de laatste werkbladen heeft gezorgd dat ik nog eens nadacht over wat nu voor leerlingen een realistisch probleem is.

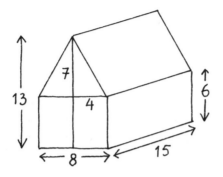

a. Van dit huis zal het dak geïsoleerd worden. Hoeveel m² isolatiemateriaal is er nodig?
b. Ook de dakpannen moeten vernieuwd worden. Men heeft gekozen voor deze. Hoeveel dakpannen zijn er nodig?

c. Het isolatiemateriaal kost ± f 3,50 per m², de dakpannen f 1,20. Hoeveel materiaalkosten heeft dit karwei?
Arbeidsloon f 50,-- per uur. Als ik het laat doen, wat zal het me dan gaan kosten?
Als ik nu al gedacht had dat het huisje met het verhaal erbij iets realistisch had, dan werd ik door de manier waarop Harald, Mark en Robert de 'sommen' gingen maken teruggebracht tot de realiteit.
a. Van dit huis zal het dak geïsoleerd worden. Hoeveel m² is er nodig?
92,4 is kennelijk groot genoeg om uitkomst te kunnen zijn, zo ze er al iets bij gedacht hebben.

b. Ook de dakpannen moeten vernieuwd worden. Men heeft gekozen voor deze. Hoeveel dakpannen zijn er nodig?

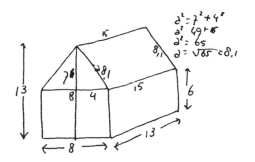

Dat ze ook van de dakpan de omtrek berekenen ligt voor de hand. De uitkomst 84 roept geen vraagtekens op. c. Het isolatiemateriaal kost ± ƒ 3,50 per m². De dakpannen ƒ 1,20. Hoeveel materiaalkosten heeft dit karwei?

$$92,4 \times ƒ 3,50 = ƒ 323,40$$
$$84 \times ƒ 1,20 = \underline{-100,80}$$
$$ƒ 424,20$$

Het berekenen van de materiaalkosten levert geen probleem.

Arbeidsloon f 50,-- per uur.
Als ik het laat doen, wat zal het me dan gaan kosten?

Enige discussie, hand omhoog.
'Dit kan je niet uitrekenen, je weet niet hoe lang ie erover doet.' Na mijn suggestie dat je dat misschien zou kunnen schatten, stond ik perplex. Als nieuw keken ze tegen de som aan. Waar ging het eigenlijk over? Een huis? Ja, hoe groot was zo'n dak en hoelang deed je erover om dat spul erop te leggen? Kortom het werd pas reëel toen ze zelf iets moesten invullen. Ze bedachten dat je het haast niet alleen kon doen en dat je er met z'n tweeën meer dan twee dagen mee bezig zou zijn. Dat de verhouding tussen het aantal dakpannen en de tijd nodig om ze te leggen wat vreemd is, zien ze helemaal niet; immers, dat stuk van de som is af, daar kijk je niet meer naar.

Arbeidsloon ƒ 50,-- per uur.
Als ik het laat doen, wat zal het me dan gaan kosten?

$$5 \text{ dagen} \times 8 \text{ uur} = 40 \text{ uur}$$
$$40 \times f50 =$$
$$f2000 + f424,20 = f2424,20$$

Realistisch onderwijs krijg je blijkbaar niet door reële probleempjes te nemen. Voor een aantal leerlingen in ieder geval blijven het sommen, waar je niets mee te maken hebt. Bovendien leert de dagelijkse ervaring je, dat op school alles mogelijk is. Je iets afvragen bij uitkomsten doe je dan ook meestal niet. Het valt veel leerlingen waarschijnlijk niet eens op, dat de liter melk uit de opgave een prijs heeft uit de jaren dertig. Mede door dit werkblad weet ik, dat je ze moet dwingen wakker te worden. Voorlopig geef ik ze van tijd tot tijd een opgave, waarbij te weinig gegevens zijn om klakkeloos wat te gaan doen. Ik zorg ervoor dat dat aan het begin van de opgave ontdekt wordt, zodat ook de uitkomst 84 dakpannen als onmogelijk wordt herkend. Of ik ze er mee help weet ik niet, maar het valt te proberen.'

In het volgende werkblad geeft zij een plattegrond van een rechthoekige tuin. De kinderen mogen er nu zelf zinvolle maten bij verzinnen: hoe groot is een tuin eigenlijk? Met die zelf gekozen maten maken ze vervolgens berekeningen over de oppervlakte van het grasgedeelte, aantal narcissen, et cetera. Deze zouden desgevraagd ook betrekking kunnen hebben op schattend rekenen.

Algemeen geldt dat door die eigen produkties de opgaven tot leven komen. Kinderen worden bij het ontwerpen gedwongen om zich te realiseren waar het bij het schattend rekenen om gaat; ze moeten als het ware vooraf reflecteren op zowel de realiteit als op het oplossingsproces. In die zin maken eigen produkties steeds onderdeel uit van het genoemde rekenen met afrondingen, van opgaven waarbij schatten loont, en van problemen waar de gegevens niet volledig worden verstrekt maar door schatten moeten worden opgediept, kortom van schattend rekenen als geheel.


• CONCLUSIE

In het voorgaande werden de *doelen van schattend rekenen* toegelicht. Maar wat vooral zichtbaar werd, was dat schatten ook een didactisch middel is om getallen tot leven te brengen en problemen te structureren zonder in precies rekenwerk opgesloten te raken. Waar het rekenen aanvangt houdt het denken op, is te zwaar aangezet. Maar beter zou zijn: waar het schatten begint wordt het anticiperen op de oplossingswijze of het reflecteren erop aangezet.[16] In die zin deed Benezet een goede zet die navolging verdient. In ieder geval stemmen de behaalde resultaten op het gebied van schattend rekenen tot nadenken over de opzet van het formele rekenonderwijs als geheel en over de doelstellingen van schatten in het bijzonder. Of zijn we van mening dat 7,2 + 7,2 in de sfeer van het meten inderdaad nooit 14,5 kan opleveren, zoals twee van de drie Pabo-studenten menen, dus dat het rekenen met afrondingen niet tot het rekenonderwijs behoort?[17]

─────────── FIGUUR 53: REKENEN MET DE KILOMETERTELLER

Jan heeft een kilometerteller op zijn fiets.
Hij stelt hem in op nul en rijdt langs het kanaal naar zijn vriend.
Daar staat 7,2 km op de teller.
Hij rijdt precies dezelfde weg langs het kanaal terug.
Dan staat er 14,5 op de teller.
Hoe kan dit?

Mogen we niet zeggen dat we onze leerlingen kippig voor schatten hebben gemaakt, gelet op het feit dat minder dan een kwart van de tweedejaars Pabo-studenten geen getallengrap ziet in het kranteknipsel van figuur 54 over het precies rekenen met een afgerond getal?

Uit het vooronderzoek van de 'Proeve ...' blijkt 99 procent van de respondenten het grotendeels met het gestelde doel van het schattend rekenen eens te zijn. Alleen nu de praktische uitvoering nog! Duidelijk is in ieder geval dat we ook hier weer niet met louter schriftelijk rekenen zullen kunnen volstaan. Wel kan de methode natuurlijk mooie voorzetten geven. Maar we zullen die als onderwijsgevende dan toch zelf in interactief onderwijs met de hele groep moeten afronden.

# 25.999 Kippen geroosterd

**Van onze correspondent**

Bij een brand op de boerderij van de familie K. in Hellendoorn zijn 25.999 kippen omgekomen. In de loods waarin de brand woedde, bevonden zich 26.000 kippen. Eén kuiken kon aan de vlammen ontsnappen. De brand ontstond in een leegstaande schuur, vermoedelijk ten gevolge van kortsluiting en sloeg door de harde wind over naar de loodsen, waarin zich de kippen bevonden. De schade bedraagt ruim een half miljoen gulden.

## Noten bij doelstelling 5

1. Klaarenbeek, J.: *Wonderen van de kampioenen in de dierenwereld,* Amsterdam Boek, Amsterdam 1974.
2. Freudenthal, H.: Wie genau ist die Mathematik?, *Mathematik Unterricht,* 32(2), 1987, pag. 5-14.
3. Cockcroft, W.H.: *Mathematics counts.* HMSO, London 1982, pag. 8, 15-19, 22-23, 76-78.
4. Reys, R.: Evaluating Computational Estimation, in *Estimation and Mental Computation,* (H.L. Schoen en M.J. Zweng, eds.), NCTM, Reston 1986, pag. 230.
5. Markovits, Z., R. Hershkowits en M. Bruckheimer: Estimation, Practice and Process, *Proceedings of the Ninth International Conference for the Psychology of Mathematics Education,* (L. Streefland ed.), OW & OC, Utrecht 1985, pag. 389.
6. Benton, S.E.: A summary of research on teaching and learning estimation, *Estimation and Mental Computation,* (H.L. Schoen en M.J. Zweng eds.), NCTM, Reston 1986, pag. 239-248.
7. Bokhove, J. en J. Janssen: Periodiek Peilingsonderzoek in het ba-

sisonderwijs (4), *Tijdschrift voor nascholing en onderzoek van het reken-wiskundeonderwijs,* 7(2), 1988, pag. 16-35.

8. ibid.
9. ibid.
10. Jacobs, C.: *Rekenen op de Pabo,* OW & OC, Utrecht 1986, pag. 34.
11. Zie noot 6.
12. Benezet, L.P.: The story of an experiment. *Journal of the National Education Association,* 24, 1935 en 25, 1936, pag. 241-244, 301-303, pag. 7-9.
13. Willoughby S.S., C. Bereiter, P. Hilton en J.H. Rubinstein: *Real Math,* V, Open Court, La Salle, pag. 34.
14. Uit een biografie over Frank Sinatra. Kelly, K.: *Sinatra 'his way',* Sijthoff, Amsterdam, pag. 463.
15. Querelle, W.M.G.: Realistisch? Welnee, *Nieuwe Wiskrant* 6(3), 1987, pag. 10-13.
16. Zie bijvoorbeeld: Teule-Sensacq, P. en G. Vinrich: Resolution de problèmes de division au cycle élementaire dans deux types de situations didactiques, *Educational Studies in Mathematics* 13, 1982, pag. 177-203.
17. Zie noot 10.

DOELSTELLING 6

Leerlingen kunnen getallen schrijven als produkten van factoren

We beperken ons hier tot één onderwerp, te weten 'kenmerken van deelbaarheid'. Als eerste voorbeeld kiezen we de deelbaarheid door negen. Men kan de betreffende regel van deelbaarheid domweg aanbieden en vervolgens laten toepassen (figuur 55).

————————— FIGUUR 55: DEELBAARHEID DOOR NEGEN STELLEN

2 Een getal is deelbaar door 3, als de som der cijfers deelbaar is door 3.
Voorbeeld: 5364
$5 + 3 + 6 + 4 = 18$. Dit is deelbaar door 3. Dan is 5364 ook deelbaar door 3.

3 Een getal is deelbaar door 9, als de som der cijfers deelbaar is door 9.
Voorbeeld: 89163
$8 + 9 + 1 + 6 + 3 = 27$. Dit is deelbaar door 9. Dan is 89163 ook deelbaar door 9.

4 *Uit het hoofd.*
Alleen de getallen, die deelbaar zijn door 3, opschrijven:
18 - 37 - 387 - 673 - 1987 - 9756 - 19385 - 92358 - 6381702

3 *Uit het hoofd.*
Alleen de getallen, die deelbaar zijn door 9, opschrijven:
27 - 49 - 783 - 973 - 8719 - 9756 - 19385 - 92358 - 6381702

We kunnen echter ook iets verder gaan in het onderwijs en de juistheid van die regel laten uittesten - een meer onderzoeksgerichte benadering (figuur 56).

| 1. | 11 | 2. | 17 | 3. | 21 | 4. | 22 | 5. | 129 |
|---|---|---|---|---|---|---|---|---|---|
| × | 9 | × | 9 | × | 9 | × | 9 | × | 9 |

Is the final sum always 9?

7. Choose at least 5 different numbers and multiply each by 9.
Try to find one for which Ken's rule doesn't work.

8. Manolo thinks that Ken's rule (page 177) also works
backward. He says, 'Suppose you keep adding the digits of a
number until you have a 1-digit sum. If that sum is 9, then
your number is divisible by 9. If that sum is not 9, then
your number is not divisible by 9.' Copy and complete the
chart to see if Manolo's rule works.

| Number | Final Sum of Digits | Remainder When Divided by 9 | Does Rule Work? |
|---|---|---|---|
| 351 | 9 | 0 | yes |
| 4122 | | | |
| 551 | | | |
| 2637 | | | |
| 442 | | | |

Nog een stap verder is het verklaren van de regel. Dat kan als
volgt. We starten met de opgave om bij '1115 : 9' het restgetal te
bepalen aan de hand van het eerlijk verdelen van geld (biljetten)
(figuur 57).

| 1000 | 1000 | 10 | 1 |
|---|---|---|---|
| 1 | 1 | 1 | 5 |

In figuur 57 slaat 1115 zowel op het geld als op de guldens die er per positie overblijven indien 1115 eerlijk wordt verdeeld over negen personen. Immers, indien tien wordt verdeeld, resteert één, en hetzelfde gebeurt bij verdeling van honderd en duizend over negen personen. Totaal blijven dus bij 1115 : 9 acht gulden over. In gevallen als 2115 : 9 of 1215 : 9 zou de rest nul geweest zijn. Vervolgens kunnen we leerlingen zelf opgaven laten produceren. Voor delingen door negen die rest nul opleveren, rest één, rest twee, ... rest acht. Rest negen, rest tien, rest elf, kan dat ook?
En nu een ander(?) geval: deling door drie. Hoe kun je snel bepalen of een getal deelbaar is door drie? We volgen dezelfde procedure, en we nemen hetzelfde startgetal '1115 : 3'.
Wat is kenmerkend voor deelbaarheid door vier? We laten ontdekken dat we alleen maar naar de biljetten en bedragen op de plaatsen van de eenheden en tientallen hoeven te kijken. Want ieder honderdtal laat zich immers volledig verdelen over vier.
Dat de deelbaarheid door zes kan worden gevonden via de kenmerken van twee gecombineerd met die van drie is een nieuw inzicht. Daaraan moet dan ook apart aandacht worden besteed. Begin daarbij eens aan de andere kant: 'probeer een getal te vinden dat deelbaar is door zes en door twee, maar niet door drie.'
Deelbaarheid door acht is een geval dat vergelijkbaar is met dat van vier. Het zou te ver voeren om ook nog andere (oude) bekende deelbaarheidskenmerken - zoals bijvoorbeeld elf - te beschrijven.

Waarom toch die aandacht voor deelbaarheid? Wel, op een bepaald moment is het nuttig om de getallen op zich zo goed mogelijk te leren kennen. We doelen dan op eigenschappen als even en oneven, drie-, vier- en vijfvouden ... en priemgetallen.
Elk getal zou je als het ware een 'karakter' toe kunnen kennen:

- 25 is een kwadraat;
- 26 = 2 × 13;
- 27 = 3 × 3 × 3;
- 28 is deelbaar door twee, vier, zeven en veertien;
- 29 is een priemgetal.

Voor vlot hoofdrekenen is het handig om in ieder geval van de getallen tot honderd zoveel mogelijk weetjes paraat te hebben. Deze kennis, samen met het inzicht in het positiesysteem en kennis van de structuureigenschappen van het rekenen, vergroot de mogelijkheden tot een flexibele omgang met getallen:

- $14 \times 35 = 7 \times 70 = 490$;
- $5100 : 3 = 1700$;
- $560 \times \frac{1}{7} = 80$.

Het is zinvol hierop ook gericht te oefenen tijdens de al eerder aanbevolen dagelijkse korte hoofdrekenlessen. Ook, en misschien vooral, in de hogere leerjaren. Daartoe zijn vele nuttige oefenvormen voor de schoolpraktijk voorhanden.

Zo noemden we bij de tafels al het leggen van zoveel mogelijk rechthoekige vloertjes van bijvoorbeeld 42 tegels ($42 \times 1; 21 \times 2; 14 \times 3; 7 \times 6; ...$).

Een andere oefenvorm kan het maken van een zogenaamde delerboom zijn en het aanleggen van een soort monografie van 42 (figuur 58).

───────── FIGUUR 58: DELERBOOM VAN 42

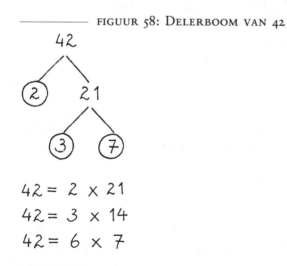

$42 = 2 \times 21$
$42 = 3 \times 14$
$42 = 6 \times 7$

In figuur 59 zijn de tafels van negen en van drie op een honderdveld 'ingekleurd':

| 1 | 2 | 3 | 4 | 5 | 6 | 7 | 8 | 9 | 10 |
|---|---|---|---|---|---|---|---|---|---|
| 11 | 12 | 13 | 14 | 15 | 16 | 17 | 18 | 19 | 20 |
| 21 | 22 | 23 | 24 | 25 | 26 | 27 | 28 | 29 | 30 |
| 31 | 32 | 33 | 34 | 35 | 36 | 37 | 38 | 39 | 40 |

Is elk getal dat deelbaar is door negen ook deelbaar door drie? En als een getal deelbaar is door drie, is het ook deelbaar door negen? Welke eindcijfers kunnen voorkomen bij de tafel van negen? En hoe verloopt het patroon?

Dit zijn slechts enkele activiteiten die op een wat 'hoger' niveau liggen, maar binnen het getallensysteem mooie onderzoeksproblemen opleveren. Er zouden er vele aan toe te voegen zijn, waaronder het opsporen van priemgetallen via het 'uitzeven' van tweevouden, drievouden, vijfvouden, enzovoort.

Van deelbaarheid wordt in de praktijk veelvuldig gebruik gemaakt voor controles van codes, zoals bijvoorbeeld bij banknummers. En sinds de laatste jaren is het opsporen van grote getallen die als produkten van twee grote priemfactoren geschreven kunnen worden tot een apart onderzoeksgebied van de getaltheorie geworden. Deze grote getallen dienen als beveiliging van computersystemen. Moeilijke stof, maar toch is het mogelijk ook voor de basisschool met een interessante en motiverende activiteit af te sluiten (figuur 60).

Laat een leerling van een voor u onzichtbaar bankbiljet de cijfers noemen behalve het laatste cijfer (of één ander cijfer). Door nu op te tellen weet u dat het onbekende cijfer de aanvulling moet zijn tot een negenvoud. In dit geval: 9 + 4 + 4 + 8 + 0 + 2 + 1 + 9 + 9 = 46, aanvulling met 8. Zouden we op 45 uitgekomen zijn dan was als aanvulling 0 of 9 mogelijk geweest.

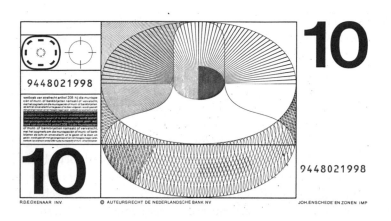

Aan het voorgaande kan men zien hoe in realistisch wiskundeonderwijs een formeel onderwerp als 'kenmerken van deelbaarheid' kan worden aangepakt. 'Realistisch' verwijst nu niet zozeer naar een contextsituatie, want die is bij de verdeling van geld tamelijk zwak. Maar het betekent vooral dat kinderen het probleem zo concreet krijgen aangeboden, dat ze zich kunnen *realiseren* waar de operaties werkelijk voor staan. Formeel rekenen kan van grote betekenis zijn, maar we moeten er dan wel voor zorgen dat het niet formalistisch wordt (naar analogie van 'verbalistisch'), dat wil zeggen 'zonder inhoud'. 'Kenmerken van deelbaarheid' levert een mooi onderzoeksterrein voor puur rekenwerk op basis van inzicht in de decimale schrijfwijze van getallen.

DOELSTELLING 7
Leerlingen kunnen de rekenmachine met inzicht gebruiken

'Wo das Rechnen anfängt, hört das Denken auf', is een citaat met een zeker waarheidsgehalte. Het geeft aan dat na het bedenken van een manier waarop iets uitgerekend kan worden, de feitelijke berekening slechts vervelend routinewerk is. Vandaar dat de mens altijd op zoek is geweest naar hulpmiddelen die het routinematige rekenen zo snel en efficiënt mogelijk kunnen doen verlopen. In de zeventiende eeuw zijn de eerste mechanische tel- en rekenmachines uitgevonden (Schickard, Pascal en Leibniz). De laatste mechanische machines werden overigens nog in het begin van de jaren zeventig geproduceerd.

Nog maar zo'n veertig jaar geleden kon de eerste elektronische buizencomputer in gebruik genomen worden, de Amerikaanse ENIAC. Deze machine deed over een vermenigvuldiging van twee tiencijferige getallen weliswaar maar 0,003 seconde, maar deze computer woog nog 30 ton, was 3½ meter hoog, 1 meter breed en 35 meter lang! Om de dag ging hij kapot vanwege oververhitting.

Na de ontdekking van de transistor (eind jaren veertig) en de ontwikkeling van de chip (zo'n twintig jaar geleden) hebben de technische vernieuwingen zich met onvoorstelbare snelheid voltrokken. Dezelfde schakelingen als voor de totale ENIAC nemen nu op een chip nog maar enkele vierkante millimeters in beslag. En het eind van deze technologische verbeteringen is nog niet in zicht.[1]

Chips hebben thans een heel ruim toepassingsgebied, zowel in wetenschap en techniek als ook in allerlei alledaagse apparatuur. Iedereen maakt veelvuldig gebruik van deze verworvenheden van de technologische vooruitgang en ook in het onderwijs zal een van de opbrengsten van deze elektronica-explosie, de rekenmachine, zich thans een plaats kunnen verwerven. Sinds zo'n vijftien jaar zijn deze handige, geruisloos werkende rekendoosjes nu voorhanden en thans voor een prijs die binnen het leerlingenbudget ligt. Vanaf

het moment dat de rekenmachine binnen het bereik van het onderwijs kwam, is er gepleit voor invoering van dit hulpmiddel. In de bekende rapporten 'Mathematics Counts' (Groot-Brittannië) en 'Agenda for Action' (Verenigde Staten) wordt dit onderbouwd met de volgende argumenten, die we hier in steekwoorden weergeven:

- maatschappelijke relevantie;
- terugdringing schriftelijk cijferen;
- versterking van inzicht in getallen en operaties;
- meer aandacht voor toepassingen;
- mogelijkheden voor problem solving;
- uitkomst voor zwakke rekenaars;
- betere motivatie van de leerling;
- bijdrage tot betere wiskundige attitude.

Er is en wordt hierover met name in de Verenigde Staten veel discussie gevoerd. Een van de belangrijkste argumenten tegen invoering van de rekenmachine in het basisonderwijs is dat (vroegtijdig) gebruik een negatieve invloed zou hebben op de beheersing van de basisvaardigheden. In de Verenigde Staten zijn thans enkele honderden onderzoeksrapporten uitgebracht die voor het merendeel over dit punt handelen. De algemene conclusie luidt dat de vorderingen op rekengebied even groot of groter zijn wanneer in het onderwijs wèl gebruik wordt gemaakt van de rekenmachine. En dan moeten we bedenken dat zowel in de Verenigde Staten als in Groot-Brittannië ervoor gepleit wordt om vanaf de allerjongste leeftijd met de rekenmachine te beginnen.[2]

In het in 1989 verschenen Amerikaanse Eindtermenrapport, de zogenoemde Standards, van de National Council of Teachers of Mathematics (NCTM) wordt bij voortduring de nadruk gelegd op het benutten van de nieuwe technologische hulpmiddelen voor het onderwijs, te weten de computer en de rekenmachine. Zo luidt een van de uitgangspunten voor het funderend reken-wiskundeonderwijs: 'Het K-4 curriculum zou een passend en voortgaand gebruik van rekenmachines en computers moeten maken.'[3] (K-4 komt overeen met onze groepen een tot en met zes.)

Ook in ons land heeft enig onderzoek en ontwikkeling plaatsgevonden. Ook hier bleek men zich zorgen te maken over de beheersing van de basisvaardigheden. Over het algemeen is men de mening toegedaan dat met name het hoofdrekenen en het schattend rekenen als belangrijke elementen van het leerplan gewaarborgd dienen te blijven, maar in samenhang met het gebruik van de rekenmachine in het leerplan beschreven zouden moeten worden.[4] Dit verklaart ook de plaats die de rekenmachine in de 'Proeve ...' toebedeeld krijgt.

Een eerste verkenning vindt pas plaats nadat de basisvaardigheden verzorgd zijn. Dit betekent concreet dat de rekenmachine voorlasnog op z'n vroegst in groep zes haar intrede in het onderwijs doet. De rekenmachine kan haar dienst gaan bewijzen wanneer het getalgebied tot honderd goed wordt beheerst, wanneer begripsmatig met machten van tien ($\times$ 10, $\times$ 100, ..., $\div$ 10, $\div$ 100) kan worden gewerkt en de cijferalgoritmen in het laatste stadium zijn - zo luidt onze didactische stellingname.

Ietwat paradoxaal geformuleerd: Om de rekenmachine te kunnen hanteren moet je goed kunnen rekenen! Voorkomen zou moeten worden dat rekenmachinegebruik door leerlingen ontaardt in het blind intoetsen van knoppen. Als een kind de aftrekking 70,3 - 25,6 met de machine wil berekenen en als antwoord wordt gevonden 677,4 dan zal het zich moeten realiseren dat er met het intoetsen iets verkeerd is gegaan.

Uit recent Nederlands onderzoek blijkt dat op ongeveer eenderde deel van de basisscholen lessen worden gegeven waarbij gebruik gemaakt wordt van de rekenmachine.[5] Als er in de methode lessen of activiteiten met de rekenmachine voorkomen, wordt daar door meer dan de helft van de scholen ook daadwerkelijk gebruik van gemaakt. Althans waar het de moderne reken-wiskundemethoden betreft, want bij de enige traditionele methode die ook rekenmachine-activiteiten kent, blijken deze nauwelijks in het onderwijs aan bod te komen. De meerderheid van de basisschoolleraren is thans nog van mening dat de rekenmachine niet op de basisschool thuishoort en dat het gebruik een nadelige invloed heeft op de leerprestaties van de kinderen.[6] Uit het genoemde onderzoek komt ook naar voren dat de leraren de rekenmachine het meest geschikt achten voor het doen uitvoeren van routinematig rekenwerk. Dat het rekenapparaatje echter nog andere mogelijkheden biedt voor het reken-wiskundeonderwijs is nog nauwelijks bekend.

In het volgende zullen we daar iets van laten zien, waarbij we vertrekken vanuit het nieuwe didactische perspectief van het hoofdrekenen en het schattend rekenen, zoals in het voorgaande beschreven. Het gaat daarbij om twee aspecten:

1.  De rekenmachine wordt geïntroduceerd.
2.  De activiteiten geven een extra dimensie aan het inzicht in de beheersing van de eerder geleerde basisvaardigheden.

Twee leerlingen kunnen kiezen tussen rekenen uit het hoofd of gebruiken van de rekenmachine. Wie het eerst het goede antwoord heeft, krijgt een punt.

$4 \times 9 \times 25$  =
$40 \times 50$  =
$48 + 52$  =
$1001 - 2$  =
$10 \times f\ 7,20$  =
$8 \times 7 \times 5 \times 0 \times 6$  =
$10.000 \times 10.000$  =

De strategieën worden met de gehele groep nabesproken. Het gaat hier om de bewustmaking dat uit het hoofd rekenen vaak veel sneller gaat dan met de rekenmachine.

Maak in één minuut zoveel mogelijk sommen als je kunt. Je mag een rekenmachine gebruiken.

| | | | | |
|---|---|---|---|---|
| $0 \times 6 =$ | $4 \times 8 =$ | $8 \times 2 =$ | $10 \times 6 =$ | $4 \times 14 =$ |
| $1 \times 3 =$ | $3 \times 7 =$ | $2 \times 9 =$ | $3 \times 11 =$ | $6 \times 13 =$ |
| $2 \times 7 =$ | $3 \times 9 =$ | $5 \times 8 =$ | $3 \times 13 =$ | $5 \times 15 =$ |
| $7 \times 5 =$ | $7 \times 6 =$ | $6 \times 4 =$ | $3 \times 15 =$ | $6 \times 15 =$ |
| $3 \times 4 =$ | $4 \times 4 =$ | $6 \times 4 =$ | $2 \times 4 =$ | $12 \times 12 =$ |

Ook deze activiteit wordt achteraf besproken. Per leerling proberen we erachter te komen bij welke opgave voor het eerst de rekenmachine werd gebruikt. Deze activiteit kan op allerlei niveaus worden uitgevoerd, met uiteraard als hoogste dat al deze vraagstukken uit het hoofd worden gemaakt.

Maak de eerste som per rij met de rekenmachine; reken de tweede uit het hoofd uit.

| | | | |
|---|---|---|---|
| $156 \times 3 =$ | | $157 \times 3 =$ | |
| $193 \times 5 =$ | | $192 \times 5 =$ | |
| $193 \times 5 =$ | | $193 \times 10 =$ | |
| $6 \times 37 =$ | | $12 \times 37 =$ | |
| $46 \times 49 =$ | | $460 \times 490 =$ | |

Hier gaat het om (her-)bewustmaking van bepaalde eigenschappen.

Vul de juiste cijfers in. Je mag de rekenmachine gebruiken ( $\square$ staat voor één cijfer):
$56 \times 2 \square = 1 \square \square 8$
$3 \square \times 73 = \square 701$
$81 \times 2 \square = \square \square 20$
$\square 9 \times 23 = 158 \square$

In dit soort opgaven komen eigenschapsrekenen, tafels (eindcijfers) en schatten in samenhang met gebruik van de rekenmachine aan de orde. Het is gemakkelijk variaties hierop te bedenken.

Vul op de plaatsen van de rondjes in: $+$, $-$, $\times$ of $\div$ en controleer het antwoord met de rekenmachine.

$$( 17 \bigcirc 5) \quad \bigcirc \quad 8 \quad = \quad 77$$
$$( 28 \bigcirc 11) \quad \bigcirc \quad 17 \quad = \quad 1$$
$$2 \bigcirc (215 \quad \bigcirc \quad 17) \quad = \quad 464$$
$$( 37 \bigcirc 21) \quad \bigcirc \quad 223 \quad = \quad 1000$$
$$27 \bigcirc (36 \quad \bigcirc \quad 18) \quad = \quad 675$$

De nadruk ligt hier op schatten en inzicht in getallen en bewerkingen. Tevens komt de betekenis van het gebruik van haakjes in verband met de volgorde van de operatie op de rekenmachine naar voren.

Welke van de volgende getallen zijn deelbaar door twee en welke door vier?

| 14 | 104 | 1006 | 1110 |
|-----|------|------|------|
| 56 | 212 | 1204 | 32 |
| 58 | 1600 | 696 | 320 |
| 100 | 346 | 2572 | 302 |

Kun je hiervoor regels formuleren?

Bij sommige eenvoudige rekenmachines is er, zoals aangegeven in figuur 61, een manier om een constante opteller (in casu zeven) te 'programmeren'. Beginnend bij nul wordt steeds zeven bijgeteld. Aldus verschijnt de tafel van zeven. Een uitgelezen gelegenheid om nog eens op de tafels terug te zien, maar ook om er uitbreidingen aan te geven, zoals:
– uitgaan van boven de tien keer;
– tafels boven de tien;
– patronen van eindcijfers bestuderen.

──────── FIGUUR 61

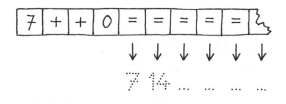

In het laatste voorbeeld wordt gebruik gemaakt van een specifieke eigenschap van de rekenmachine, de zogenoemde constante opteller, ook wel constante factor genoemd. Tevens wordt een aparte taal, namelijk die van de stroken geïntroduceerd. Met behulp van deze strokentaal is een meer verfijnde didactische aanpak van de rekenmachine mogelijk, vooral als ook gebruik gemaakt wordt van de op de machine aanwezige geheugenknoppen.[7] Beperken we ons bij het gebruik echter tot de vier hoofdbewerkingstoetsen ( +, -, ×, ÷), de tien cijfersymbolen en de resultaattoets ( = ) dan hoeft de introductie van het machientje op zich niet al te veel problemen op te leveren. Zeker niet als er door alle kinderen met eenzelfde soort apparaat gewerkt wordt en naast de machine ook potlood en papier gebruikt worden om (tussen-)resultaten te noteren.[8]

Het controleren van de orde van grootte van de uitkomst van een (enkelvoudige) operatie is een belangrijk aandachtspunt bij het leren gebruiken van de rekenmachine. Wie de precieze uitkomst van 120.765 + 750.088 wil weten, kan natuurlijk een rekenmachine gebruiken. Snel even ingetoetst, antwoord: 195.853. Belangrijk is nu het besef dat dit fout moet zijn omdat *één* honderdduizend plus *zeven* honderdduizend al *acht* honderdduizend (800.000) is. (Wat is hier misgegaan?) Vooral als we met kommagetallen opereren (2,9 × 41,5 ÷ 3 × 40) kan controle door middel van schattingen met afgeronde getallen een bijdrage leveren aan het schattend rekenen. De rekenmachine biedt ook mogelijkheden om gerichte oefeningen in deze te doen, ook binnen het gebied van de gehele getallen. We geven weer enkele suggesties.

Welke schatting is het beste? Controleer daarna met de rekenmachine.

| | | | |
|---|---|---|---|
| 28 × 7 = | 150 | 200 | 250 |
| 36 × 4 = | 100 | 150 | 200 |
| 73 × 8 = | 600 | 650 | 700 |
| 85 × 7 = | 500 | 550 | 600 |

Schat eerst in welke buurt het antwoord komt en bereken het daarna precies met de rekenmachine.

| | | | |
|---|---|---|---|
| 368 + 473 = | 712 - 480 = | 312 × 19 = | 168 ÷ 3 = |
| 788 + 77 = | 1233 - 517 = | 45 × 73 = | 696 ÷ 6 = |
| 1035 + 183 = | 2517 - 628 = | 126 × 49 = | 182 ÷ 7 = |

Schat produkten vooraf.

$$5 \times 6 \times 7 = \qquad 59 \times 59 =$$
$$29 \times 31 \qquad = \qquad 123 \times 13 =$$
$$31 \times 127 \qquad = \qquad 98 \times 9 =$$

Twee opeenvolgende getallen hebben als produkt 1122. Probeer deze getallen te vinden.

```
 4,17
12,33
 0,88
 0,88
37,02
 2,33
25,--
24,95
 3,11  +
_____
```

Dit is een kassabon. Schat het totaal, reken het daarna met de rekenmachine na.

Hoeveel cijfers bevatten de volgende produkten? Controleer met de rekenmachine.

aantal cijfers

| | |
|---|---|
| 13 × 15 | ..................... |
| 33 × 45 | ..................... |
| 836 × 212 | ..................... |
| 836 × 112 | ..................... |
| 1820 × 901 | ..................... |

Kun je een regel vinden?

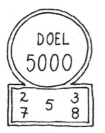

Kies drie getallen uit de doos. Maak er een driecijferig getal van. Vermenigvuldig dat met zeven. Probeer zo dicht mogelijk bij het doel vijfduizend te komen. Je mag twee keer proberen.

Bijvoorbeeld:

$$7 \times \boxed{7} \boxed{3} \boxed{5} = 5145$$

$$7 \times \boxed{7} \boxed{2} \boxed{3} = 5061$$

Dit levert een score van 61 op (5061 - 5000). Herhaal dit met andere 'doelen', 'dozen' en vermenigvuldigers.
Bijvoorbeeld:
2000 met 0, 2, 4, 5, 8 (3 ×);
8000 met 5, 6, 7, 8, 9 (9 ×);
4500 met 0, 2, 4, 6, 8 (7 ×);
3500 met 1, 3, 5, 7, 9 (9 ×).
Tracht zo weinig mogelijk punten te scoren.

Wat kost dit? (figuur 62)
 – 4 pakken sprits
 – 2 pakken wafels
 – vlaaien
 – 2 zakken zomermelange

——————— FIGUUR 62

NOBO SPRITS
2 pakken                                    1.98  1.75

CREMERS CHOCOGALET WAFELS
pak 250 gram                                1.89  1.59

LUTTI ZOMERMELANGE
zak 500 gram                                      3.95

APPELPARTENVLAAI
1200 gram                                         6.95

VLOERKADETTEN
zak 6 stuks                                 1.99  1.49

BOERENBRUIN
heel                                        2.39  1.90

Hoeveel minuten ben je op dit moment ongeveer oud? Hoeveel seconden is dat ongeveer? Pas op: dit gaat niet meer op de rekenmachine.

Wat is de gemiddelde lengte van alle kinderen in de klas? Van de meisjes? Van de jongens?

Hoeveel kinderen zijn er ongeveer nodig om een hand-in-hand-rij van Amsterdam naar Parijs te maken?

Hoeveel keer slaat je hart in één jaar?

Ziehier een aantal voorbeeldactiviteiten om met de rekenmachine in de basisschool te starten.[9]

We vatten de kernpunten van het voorgaande nog eens samen:
– De rekenmachine zou in groep zeskunnen worden geïntroduceerd, wanneer de basisvaardigheden veilig gesteld zijn.[10]
– Het verdient aanbeveling om instructie te geven aan de totale groep en gebruik te maken van één soort machine.
– Er wordt gestart met eenvoudige activiteiten.
– De rekenmachine wordt niet gebruikt voor het uitrekenen van rijtjes cijferopgaven.
– De nadruk ligt op herbewustmaking van de structuur van getallen en de eigenschappen van de bewerkingen.
– Schattend rekenen krijgt veel aandacht.
We pleiten voor het uitbuiten van de didactische mogelijkheden van de rekenmachine. Het uiteindelijke doel is dat de leerlingen op den duur een zodanige houding ontwikkelen dat ze zelf kunnen beslissen of ze voor een bepaalde berekening:
– louter uit het hoofd rekenen;
– een schatting maken, al of niet met behulp van de rekenmachine;
– op papier rekenen;
– een of andere mengvorm toepassen.[11]
De betrekkelijkheid van het citaat aan het begin van dit stuk zal hiermee duidelijk geworden zijn. Voor de rekenmachine zouden

we daarom liever zeggen: *'Wo das Rechnen mit dem Taschenrechner anfängt, soll das Denken nicht aufhören.*

## NOTEN BIJ DOELSTELLING 7

1. Voor een bondig maar interessant overzicht van de historische ontwikkelingen van rekenhulpmiddelen en -apparatuur verwijzen we naar:
   H. van Maanen: Rekenen met Raderen, *Nieuwe Wiskrant,* 6(4), 1987.

2. Een goed overzicht van de stand van zaken in de Verenigde Staten medio jaren tachtig wordt gegeven in nummer 6, volume 34, februari 1986 van 'The Arithmetic Teacher', welke aflevering geheel gewijd is aan 'calculators'. Vooraanstaande Amerikaanse rekendidactici laten hun licht schijnen over deze problematiek. Ook in de daaraan voorafgaande jaargangen (nummer 2, volume 35 (oktober 1987) en nummer 1, volume 34 (september 1986)) is belangwekkende informatie over rekenmachine-gebruik opgenomen. Met name een overzicht van een groot aantal onderzoeken (Hembree en Dessart 1986) maakt de volgende punten duidelijk:
   - er dienen materialen (werkbladen e.d.) ontwikkeld te worden voor rekenmachine-gebruik op schoolniveau;
   - er dient een leerplan ontwikkeld te worden, waarin de rekenmachine geïntegreerd is opgenomen;
   - er dient nascholing te komen;
   - hoofdrekenen en schattend rekenen dienen een belangrijker plaats in het leerplan te gaan innemen;
   - men zal invoering van de rekenmachine alleen af kunnen dwingen als ook passende toetsen bij het leerlingen-materiaal geleverd worden;
   - regelmatige peiling van opbrengsten van het onderwijs zullen ook in deze kunnen bijdragen tot verbetering van het onderwijspeil.

3. National Council of Teachers of Mathematics: *Curriculum and Evaluation Standards for School Mathematics,* Reston, Virginina, USA 1989.

4. De reacties op inpassing van de rekenmachine naar aanleiding van '10 voor de basisvorming', zoals gerapporteerd in het onderzoek van Cadot en Vroegindewey (1986) vertoonden een grote variëteit. Zo waren er enerzijds reacties dat de inpassing van de rekenmachi-

ne reeds een feit had moeten zijn. Hieronder was een aantal basis-schoolleraren. Anderzijds stelde een aantal respondenten zich voorzichtiger op. Deze terughoudendheid betrof de twee hoofdpunten:
a. veiligstelling van de basisvaardigheden;
b. nader ontwikkelingsonderzoek.
Zie: *10 voor de basisvorming onderzocht,* Utrecht 1986, pag. 174.

5. Edelenbos, P. en E.G. Harskamp: *Zakrekenmachines in de basisschool,* SVO-project 8002, Deelrapport, Groningen 1989.
6. ibid.
7. Bij eerste gebruik van de rekenmachine zal men zich bewust moeten zijn dat elke rekenmachine een eigen taal kent. De verschillen met de gebruikelijke geschreven rekentaal beginnen al met de symbolen en aanduidingen op het toetsenbord. De gewone cijfers nul tot en met negen leveren geen problemen op. Ook de plus-, min- en maaltekens zijn bekend, maar 'gedeeld door' wordt ÷ en hoe de %-toets werkt is vaak onlogisch. De kinderen zullen gewend moeten raken aan het schrijven van een punt in plaats van een komma bij kommagetallen. Er worden wat Engelse woordjes gebruikt, zoals *ON* en *OFF* voor *aan* en *uit,* maar wat zijn de betekenissen van $M+$, $M-$, $MR$, $AC$ etc.? We dienen ons echter bewust te zijn dat de huidige rekenmachines ontworpen zijn voor het bedrijfsleven en gebruik in de maatschappij. Dus gericht op mensen waarvan men mag aannemen dat ze al kunnen rekenen. De gebruiker zal begrijpen wat de machine doet als hij '15' indrukt en daarna de $\sqrt{}$-toets. Hij voert dan namelijk eerst het getal vijftien in en laat daarna de machine haar worteltrek-algoritme uitvoeren. Schematisch gebeurt het volgende:

——————— FIGUUR 63

De '15' verschijnt eerst in het venster en na het indrukken van de $\sqrt{}$-toets flitst 3.8729833 op. Dit wijkt sterk af van de geschreven wiskundetaal waar we $\sqrt{15} = ...$ zouden noteren.
Er is dus een verschil in notatie tussen het rekenwerk op papier en dat van de rekenmachine. We laten dit zien door eens precies te beschrijven wat er op de CASIO-LC-827 gebeurt als we het sommetje 2 + 3 = moeten uitrekenen.
We gebruiken daarvoor de volgende 'programmeertaal':

TOETSEN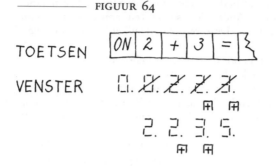

VENSTER

Moeten we (2 + 3) + (2 × 3) uitrekenen dan kan dat met de volgende programmastrook uitgevoerd worden op de CASIO-LC-827:

———————— FIGUUR 65

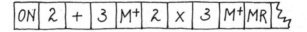

De $M^+$ toets slaat de uitkomst van 2 + 3 op in een geheugen dat elke volgende uitkomst er steeds bijtelt. De MR (Memory Recall) roept uiteindelijk het totaal 5 + 6 = 11 terug.

Men ziet aan deze eenvoudige voorbeeldjes wel hoe sterk deze rekenmachine-taal verschilt van de gewone rekentaal. Het inzicht in de formele rekenoperaties is uitermate belangrijk omdat de rekenmachine anders alleen nog maar storend in plaats van verhelderend gaat werken in het onderwijs. We wijzen in dit verband nog even op een kwestie als die van de zogenaamde voorrangsregel (Meneer Van Dalen ...), die bij rekenmachine-gebruik in een geheel ander licht komt te staan. Wie niets vermoedend de opdracht van figuur 66 uitvoert zal '21' als antwoord krijgen omdat de meeste rekenmachines lineair werken.

———————— FIGUUR 66

Aan deze enkele voorbeelden zal duidelijk geworden zijn waarom aan de introductie van de rekenmachine aparte aandacht geschonken wordt. De kinderen leren daarbij de volgende dingen:
- omgaan met het machientje (toetsenbord, woordjes, etc.);
- de eigen manier van noteren (getal in venster, dan weer weg, etc.);
- opdrachten uitvoeren via een programmastrook;
- opdrachten maken voor een programmastrook.

Omdat al deze zaken voor verschillende soorten machientjes kunnen verschillen is het raadzaam bij introductie:
- alle kinderen met hetzelfde soort machientje te laten werken;
- de instructie klassikaal via een soort meewerkpracticum uit te voeren.

Voor wie zich nader wil verdiepen in de didactische mogelijkheden van de rekenmachine op de basisschool verwijzen we naar het boek 'De taal van de rekenmachine', (Zwijsen 1988). Het is een boek met zowel praktische ideeën als theoretische achtergronden, een geschikt studieboek voor ontwikkelaars, onderzoekers, begeleiders, opleiders, studenten en geïnteresseerde leraren basisonderwijs.

8. Er is tot nu toe slechts één practicum voorhanden dat zich specifiek richt op de introductie van de rekenmachine-taal. Het betreft 'Mijn zakrekenmachineboek' van H. ter Heege, SLO, Enschede 1985. Dit boek is vooral gericht op het introduceren van de rekenmachine-taal (strokentaal) behorende bij de CASIO-LC-827. Het is geschikt voor de hoogste klassen van de basisschool. Het bevat te kopiëren werkbladen met daarnaast een docentenhandleiding.

9. In de methoden 'Operatoir Rekenen', 'Taltaal', 'De wereld in getallen', 'Rekenwerk', 'Rekenen & Wiskunde' en 'Naar Aanleg en Tempo' zijn rekenmachine-activiteiten opgenomen voor de groepen zeven en acht. 'Sommasjien' is een verzameling werkkaarten voor rekenmachine-gebruik (Zwijsen). Eerder noemden we al 'Mijn rekenmachineboek' (zie noot 6).

10. Hierover wordt verschillend gedacht, met name in de Verenigde Staten en Groot-Brittannië. In het 'Tijdschrift voor nascholing en onderzoek van het reken-wiskundeonderwijs', 7(2), pag. 46-47 beschrijft W. Struik dat hij al eind groep vijf, begin groep zes met rekenmachine-activiteiten begint.

11. Op de eerste versie van basisvaardigheden en rekenmachine is gereageerd door Edelenbos en Harskamp, Van Luit, Struik en Vermeulen in het 'Tijdschrift voor nascholing en onderzoek van het reken-wiskundeonderwijs', 7(2), pag. 41-51. Vermeulen en Struik zouden de didactische mogelijkheden van de rekenmachine veel meer willen uitbuiten. Edelenbos en Harskamp pleiten voor een

meer gedetailleerde voorwaardenbeschrijving alvorens het reken-apparaat te introduceren. Tevens achten zij sommige van de genoemde activiteiten te lastig voor de basisschool. Van Luit wijst op de mogelijkheden en onmogelijkheden voor het speciaal onderwijs. Allen zijn het erover eens dat de rekenmachine een plaats moet krijgen binnen het leerplan van de basisschool.

DOELSTELLING 8
De leerlingen kunnen de basisvaardigheden, zowel afzonderlijk als
gecombineerd, in toepassingssituaties gebruiken

Alle leergangen van het traditionele rekenonderwijs in de periode
van 1950-1975 worden gekenmerkt door 'kale' rekensommen.
Hooguit in de laatste fase van iedere leergang vindt men wat toepassingen van het formeel geleerde in de vorm van aangeklede rekenopgaven en redactiesommen. Maar niet zelden is de verzameling toepassingen miniem.

Men gaat er in het mechanistisch opgezette onderwijs van uit dat
het toepassen ofwel geen problemen geeft of zich in de loop van
de jaren vanzelf zal ontwikkelen. Ook in de eindtoetsen lag tot
voor kort het percentage toepassingen ver beneden de vijftig procent van het totaal aantal opgaven. De laatste jaren echter zien we
in de leerboeken en de toetsen meer toepassingsproblemen opduiken. Blijkbaar breekt het inzicht door dat toepassen niet vanzelf
gaat. Onderzoeksgegevens wijzen dit trouwens ook duidelijk uit.
Kijken we eerst naar de vaardigheid van elf- à twaalfjarigen om
bij kale sommen passende verhaaltjes te verzinnen (figuur 67).[1]
De invloed van de grootte van de getallen is onmiskenbaar. Ook
valt er verschil tussen de moeilijkheidsgraad van enerzijds optellen
en aftrekken, en anderzijds vermenigvuldigen en delen waar te nemen. Maar vooral ook is interessant wat er achter de getallen
schuilgaat, namelijk de structuur van de bewerking die door de
kinderen in de verhaaltjes is neergelegd.

—————— FIGUUR 67: VERHAALTJES BIJ SOMMEN

| Uitdrukking | Percentage goed-scores |
|---|---|
| 84 − 28 | 77 |
| 9 ÷ 3 | 60 |
| 84 ÷ 28 | 42 |
| 9 x 3 | 45 |
| 84 x 28 | 31 |

Het blijkt in dit en ander onderzoek ruwweg zo te zijn, dat optel-opgaven tot 'erbij-verhaaltjes' leiden, aftrekken tot 'eraf', verme-nigvuldigen tot 'keer' en delen tot 'eerlijk verdelen'. Dat zijn ook precies de aspecten van de bewerkingen die het eenvoudigst in toe-passingsopgaven geïdentificeerd worden. Neem bijvoorbeeld het vermenigvuldigen. Een opgave als 'vier kinderen hebben ieder drie auto's, hoeveel auto's hebben ze samen?', wordt door het overgro-te deel van de kinderen aan het eind van de basisschool goed opge-lost. Maar het vraagstuk 'een speelgoedauto is in drie verschillen-de groottes en vier verschillende kleuren verkrijgbaar, hoeveel ver-schillende autootjes van één bepaald merk kun je kopen?' is voor meer dan de helft van de leerlingen te moeilijk.[2] Bij verhou-dingsproblemen ziet een op de drie leerlingen een optelling in plaats van een vermenigvuldiging.[3]

Het is moeilijk om tot een strakke indeling naar moeilijkheids-graad van bewerkingen te komen, omdat er tenminste twee be-langrijke variabelen in het geding zijn, namelijk: (1) de structuur van de betreffende bewerkingen en (2) de invloed van de context - we noemden ze eerder. Dit maakt dat we van betrekkelijk een-voudige bewerkingen als optellen en aftrekken toch een lastige op-gave kunnen samenstellen door op beide genoemde punten com-plexe gegevens te kiezen. Bijvoorbeeld als volgt:

'Iemand koopt een pen voor één gulden, verkoopt hem
vervolgens voor twee gulden, koopt dezelfde pen terug voor
drie gulden om hem tenslotte weer van de hand te doen voor
vier gulden. Hoeveel is de winst?'

In een zaal met honderden onderwijsdeskundigen was de ene helft van mening dat de winst één gulden was, en de andere dat die twee gulden moest zijn. Schijnbaar een simpel rekensommetje onder de tien, maar door de context toch ineens een moeilijk vraagstuk.[4] Aan de andere kant kan een betrekkelijk lastige bewerking als die van het delen zo eenvoudig worden voorgesteld via 'eerlijk verde-len' zonder rest, dat opgaven daarover reeds in het aanvangson-derwijs, zelfs voorafgaande aan optellen en aftrekken, aan leerlin-gen voorgelegd kunnen worden. Daarom is het, zoals gezegd, als we het over toepassingen hebben, ondoenlijk een algemeen geldige indeling naar moeilijkheidsgraad te maken. Nemen we echter de meest gangbare kanten van de basisoperaties, dan is de volgorde van moeilijkheid die van respectievelijk optellen, aftrekken, delen en vermenigvuldigen - dus net zoals die van figuur 67. We hebben het dan bij 'gangbaar' over optellen als 'erbij' en 'meer' in vergelijkingssituaties, idem aftrekken als 'eraf' en 'minder', delen als 'eerlijk verdelen' of 'opdelen' en vermenigvuldigen als 'keer zoveel' en 'herhaald optellen'.

Daarbij dient echter aangetekend te worden dat kinderen vooral in de onder- en middenbouw, maar ook nog in de bovenbouw van de basisschool, informele methoden gebruiken om toepassingsproblemen op te lossen. Dat wil zeggen dat ze niet de standaardaanpak gebruiken - we komen hier nog op terug.

In ieder geval blijkt de veronderstelling dat de toepasbaarheid van de vier rekenoperaties geen speciale verzorging zou behoeven, volstrekt onjuist. Anders gezegd: in het traditionele, formeel getinte rekenonderwijs is de doelstelling van de toepasbaarheid onvoldoende tot gelding gebracht. En zover dat nog wel enigszins gebeurde, werd het met context-arme opgaventypen gedaan.

Over deze traditionele opgaven zal in het volgende allereerst worden geschreven. Daarna voeren we de zogenoemde contextopgaven op en bespreken deze achtereenvolgens naar vorm, inhoud en functie. Enkele van de zojuist aangestipte kwesties zullen daar dan nog wat verder worden uitgediept.[5]

• TRADITIONELE OPGAVENTYPEN

Om de beschrijving van het bedoelde contextrijke onderwijs wat meer reliëf te geven, maken we eerst een korte kenschets van de vorm, inhoud en functie van de verschillende opgaventypen binnen het traditionele rekenonderwijs. Dit rekenonderwijs omvat grofweg de volgende drie vormen van opgaven:
1. Kale rekensommen als $5 \times 7 = ..$
2. Aangeklede rekenopgaven van het type 'Anita koopt zeven filmkaartjes à $f$ 7,50. Zij betaalt dus ...'.
3. Redactievraagstukken als 'Willem van Oranje stierf in 1584. Hij werd 51 jaar. Wanneer werd hij geboren?'

Naar hun inhoud bezien zijn de opgaven nogal schraal. De kale rekensommen laten zich eenvoudig in het gelid van uniforme rijtjes opstellen. De aangeklede rekenopgaven bevatten open termen ('filmkaartjes') die simpel door andere vervangen kunnen worden zonder dat de aard van de opgave wezenlijk verandert. En de redactievraagstukken zijn zo duidelijk in een vooropgezet rekenkundig kader geplaatst dat er geen ruimte meer overblijft voor reële overwegingen bij het vertalen van de uitkomst van de berekening naar de werkelijke oplossing.

Zo staat bij het genoemde probleem over Willem van Oranje in het antwoordenboek van de betreffende methode kortweg '1584 - 51 = 1533'. Dat het ook 1532 geweest zou kunnen zijn is een reële overweging die niet wordt gemaakt. In feite is de redactiesom dus ook een aangeklede rekenopgave: het gaat per slot om het sommetje 1584 - 51 en niet om het probleem als zodanig.

Dit brengt ons bij de functie van redactiesommen en aangeklede rekenopgaven. Beide vervullen voorzover aanwezig in het traditionele rekenonderwijs de functie van toepassingen-achteraf van wat eerst (meestal na een korte concrete opstap) via kale sommen binnen het formele rekensysteem is aangeleerd. Niet alleen is het toepassingsgehalte ervan, zoals we zojuist vaststelden, nogal beperkt, bovendien zijn de opgaven geijkt, het oplossingsschema pasklaar en laat het schoolse karakter ervan geen ruimte voor redeneringen vanuit de (vaak zwakke) context van de betreffende opgaven. Maar ook als geheel beschouwd is de verzameling stereotiepe toepassingen van het traditionele rekenonderwijs ontoereikend. De veelzijdigheid van de verschijningsvormen van de basisoperaties (of ruimer gezien van wiskundige begrippen en structuren) komt er niet voldoende in tot uitdrukking. Met het zojuist gestelde willen we de drie typen opgaven echter geenszins diskwalificeren. Ze vervullen immers in contextrijk onderwijs als oefenopgaven en elementaire toepassingsproblemen een niet onbelangrijke functie. De opgavenverzameling die bij de 'Proeve I' is opgenomen getuigt daar trouwens ook van. Bij het oplossen is het hier echter uitdrukkelijk de bedoeling dat de kinderen hun ervaringskennis niet buitenspel zetten. Rekenonderwijs dat uitsluitend uit dit drietal opgaventypen met de genoemde beperkte functie bestaat, is te weinig gericht op toepasbaarheid, werkt niet motiverend en lijdt aan betekenisarmoede.

## • Vorm contextrijk onderwijs

Contextrijk onderwijs bevat naast de eerdergenoemde opgaventypen ook zogenoemde contextproblemen die zich qua vorm, inhoud en functie van deze traditionele sommen onderscheiden. De hier geformuleerde doelstelling van de toepasbaarheid van basisvaardigheden is met name ook op deze contextopgaven gericht. Nu eerst iets over de vorm ervan. Qua vorm kan een contextopgave overeenkomen met een tekstopgave of redactiesom. Maar dat hoeft niet per se, want hij kan evenzeer worden uitgebeeld met een (toneel-)spel, beschreven in een verhaal, aangeboden in een knipsel, voorgesteld door een grafiek of een model of een andere informatiedrager en geclusterd in een thema of project.

De term 'context' duidt aan:
– dat men bij een geïsoleerde, op zichzelf staande opgave met een 'omgeving' van de tekst of uitbeelding te maken krijgt die niet expliciet geformuleerd of uitgebeeld is (of kan worden), maar die tot de achtergrond-assumpties wordt gerekend, dus als het door kennis en ervaring bekend veronderstelde referentiekader;
– dat men bij een niet op zichzelf staande opgave te maken krijgt met de expliciet opgeroepen 'omgeving' van het betreffende verhaal, thema of project, die overigens ook weer ieder hun eigen impliciete achtergrond-assumpties meebrengen.

In ieder geval sluipt met de context een variabel element in de probleemstelling. Dat kan een zwakke of een sterkere variabele zijn, al naar gelang de aard van het probleem. Zo is de contextvariabele in een probleem als 'verdeel 250 objecten eerlijk onder tien personen' zeer zwak. Toch is zij niet helemaal afwezig, want er zit een aanname van gelijkwaardigheid in, namelijk ten aanzien van bijvoorbeeld een baby en een volwassene. Bij 234 objecten verdelen gaat de context al wat sterker meespreken. Het hangt dan onder meer van de aard van de objecten af wat er met de rest van vier gebeurt. En de context telt nog zwaarder in 'onze auto rijdt één op tien, dat wil zeggen gebruikt één liter benzine op tien kilometer rijden; hoeveel liter gebruikt hij voor een tocht van 234 kilometer?' Qua vorm verschilt deze opgave niet van een klassieke redactiesom. Wat hem tot contextopgave maakt is de wijze waarop hij in het onderwijs wordt gebruikt. Wordt namelijk bij de oplossing de reële context betrokken of niet, dat is de kwestie. Net als bij het eerdergenoemde probleem van Willem van Oranje dus.

Of nog wat algemener gesteld: in contextrijk onderwijs worden de antwoorden bij problemen waarin $234 \div 10$ vervat ligt, nauwkeurig op de context-afhankelijkheid getoetst. De uitkomst daarvan kan ongeveer 23 zijn of 20 tot 25; of 23,4 of 23; of 24; of 23 rest 4, al naar gelang de reële situatie vraagt. In contextarm onderwijs daarentegen luidt het antwoord in de middenbouw steevast 23 rest 4, en in de bovenbouw 23,4. Het rekensysteem bepaalt dan zogezegd de uitkomst: het is de enige 'context' die telt. Sterker: de opgave is daarop juist geselecteerd. Het is een aangeklede rekensom, en om die rekensom gaat het in feite. Of anders gezegd: de toepassing is hier ondergeschikt aan de wiskunde.

Bij contextproblemen is het echter juist andersom. Het probleem is primair en de wiskunde wordt dienstbaar gemaakt aan het oplossen ervan. De realiteit staat voorop en de wiskunde is daarvan de afgeleide. In ieder geval zit er zoals gezegd in een contextopgave altijd een variabel element. Dit kan aanleiding geven tot reële overwegingen bij het terugvertalen van het rekenantwoord naar de werkelijke oplossing. Soms speelt de context een bijrolletje, soms een hoofdrol.

Het al of niet afzien van bepaalde contextfactoren maakt dan ook een niet weg te cijferen onderdeel van het wiskundige oplossingsproces uit. Natuurlijk is het niet zo dat iedere opgave altijd een sterk context-afhankelijke lading zou moeten hebben of in een groter thematisch verband zou moeten passen. Soms is een en ander zelfs ongewenst - we komen daar zo nog op.

Samenvattend: de vorm van contextproblemen is in feite niet bepalend. Maar het is vooral de inhoud van de vraagstelling en de wijze waarop aan de al dan niet sterke context bij de oplossing recht wordt gedaan, welke bepalen of we van een contextprobleem kunnen spreken, of veeleer van een vooropgestelde, aangeklede rekenopgave waarbij de kinderen geacht worden hun ervaringskennis tussen haakjes te zetten.

Het is daarom dat het voorgaande niet alleen over de vorm maar ook al voor een deel over de inhoud van contextopgaven ging. Al was het dan wel de 'kleine' inhoud van de opgaven op zich en niet van het geheel van toepassingsproblemen in een leergang. Naar dat laatste zal nu onze aandacht uitgaan.

## • INHOUD CONTEXTRIJK ONDERWIJS

In de inleiding van deze paragraaf en vooral ook aan het slot van beide vorige paragrafen werd reeds het een en ander over de verschillende verschijningsvormen van de basisoperaties in toepassingssituaties geschreven. Naast de onderliggende structuur werd als andere bepalende variabele genoemd de invloed van de context waarin het probleem wordt geplaatst.

Als algemeen onderwijsprincipe werd eerder gesteld dat niet alle aspecten van meet af aan in het onderwijs betrokken moeten worden, maar dat de reikwijdte van de toepassingen gedurende de leerjaren geleidelijk zou moeten worden uitgebreid. Dat wil bijvoorbeeld voor vermenigvuldigen zeggen dat begonnen kan worden met herhaald optellen op de getallenlijn en in het rechthoeksmodel, en pas later met bijvoorbeeld combinatieproblemen. Criterium voor de keuze is of een bepaald soort problemen de leerling binnen het rekensysteem snel verder kan helpen en tegelijkertijd het toepassingsbereik aanzienlijk vergroten.

Vanuit de einddoelen bezien is vooral bepalend of het totale gebied van de reële verschijningsvormen van de betreffende operaties voldoende wordt bestreken, gelet op de structuur van de bewerkingen en de invloed van de contextsituaties. Uit wat er in het voorgaande reeds geschreven is en hetgeen in de opgavenverzameling bij de 'Proeve I' werd verstrekt, kan men vrij nauwkeurig zicht krijgen op wat die veelzijdigheid van reële toepassingen inhoudt.

## • FUNCTIES CONTEXTEN

We dienen vooral probleemsituaties in het oog te houden die zo veelzijdig zijn dat ze meerdere functies tegelijk kunnen vervullen. Dergelijke, in zowel letterlijke als figuurlijke zin, modelproblemen staan in het hart van het realistisch reken-wiskundeonderwijs omdat ze zowel de voortgang binnen het systeem als de toepasbaarheid erbuiten kunnen bewerkstelligen - we spraken er reeds over bij de tafels van vermenigvuldiging. Modelsituaties noemden we die voorbeeldige problemen. Eerst zijn ze voorwerp van onderzoek, later dienen ze als model ter ondersteuning van het rekenen en het toepassen. Eerst hebben ze een functie bij de begripsvorming omdat ze de leerlingen een natuurlijke en aansprekende toegang tot de wiskunde verschaffen, later fungeren ze als model en bieden houvast bij het uitvoeren van de bewerkingen en het identificeren of produceren van toepassingsmogelijkheden in contextsituaties. Meer algemeen geldt dat contextproblemen de realiteit als toepassingsgebied blootleggen, of, juist omgekeerd, dat de rekenoperaties dienstbaar kunnen zijn om probleem situaties te helpen oplossen. Ook dienen contextproblemen om specifieke vaardigheden in toepassingssituaties te oefenen - in dit geval rekenvaardigheden.

Al met al kunnen dus vier functies aan contextproblemen worden toegekend, namelijk die van:
- begripsvorming;
- modelvorming;
- toepasbaarheid;
- oefening.

Geïllustreerd met het voorbeeld van het delen: een elementaire delingsopgave kan als start dienen om meer complexe delingsopgaven die boven de tien-keer uitgaan te helpen oplossen. Omgekeerd kan hij als houvast worden gebruikt bij het opsporen van bepaalde eigenschappen, zoals die van het verdelen $84 \div 7 = (70 + 14) \div 7$ en dus ook bij het berekenen van een kale opgave. Tevens kan zo'n probleem als toepassing-achteraf dienst doen en als oefenopgave fungeren.

We vatten het voorgaande samen: de grondstelling van realistisch reken-wiskundeonderwijs is dat toepasbaarheid de kern van de doelstelling van het reken-wiskundeonderwijs uitmaakt. Dit houdt voor ons in dat toepassingen, in casu contextproblemen een veel belangrijker rol zouden moeten spelen: je leert immers toepassen door het te doen. 'Belangrijker' niet alleen in de zin van méér toepassingen of meer aansprekende problemen, maar vooral van anders. Toepassingen op andere plaatsen in de leergang: niet alleen toepassingen-achteraf maar ook vooraf. Daarmee wordt namelijk een concrete basis voor het reken-wiskundeonderwijs gelegd, wat de toepasbaarheid ten goede kan komen.

In het voorgaande werd veel aandacht besteed aan enkelvoudige opgaven waarin een van de basisbewerkingen besloten ligt. Toch is het niet zo dat het identificeren of het toepassen van de passende basisoperatie het hart van het rekenonderwijs uitmaakt. Waar dat wel het geval is, leidt het ertoe dat de kinderen vaak de juiste operatie gaan 'raden'. Van meet af aan zou het reken-wiskundeonderwijs op drie onderdelen een *uitbreiding* aan de bekende opgaven-verzameling moeten geven:

1. Ook niet-stereotiepe vraagstukken komen aan bod.
2. Minder verkorte, informele oplossingsstrategieën worden niet alleen toegestaan, maar vormen de grondslag voor de meer verkorte standaard-methoden.
3. Vrije produkties van opgaven door de kinderen zelf krijgen een plaats - dit punt wordt apart in de volgende doelstelling besproken.

• NIET-STEREOTIEPE VRAAGSTUKKEN

Voorbeelden van niet-stereotiepe opgaven liggen al in het aanvangsonderwijs voor het grijpen:
- Welk boek heeft meer bladzijden: dit of het andere dat iets dunner is?
- Karin is geboren in 1980 en Diederik in 1981. Hoe oud zijn ze nu? Wie is het grootst?
- Twee vrienden vieren samen hun verjaardag. Ze nodigen zonder met elkaar te overleggen hun vrienden uit. De ene schrijft vijf kaartjes en de andere zes. Hoeveel vrienden zijn er uitgenodigd?
- ...

Er wordt bij de onvermijdelijke knikkersommen dus niet alleen gevraagd hoeveel knikkers Carla na zoveel winst heeft. Of hoeveel zij er meer heeft dan Jan. Of hoeveel ze samen hebben. Maar ook hoeveel Jan (met twaalf knikkers) er moet winnen van Carla (met achttien) om er evenveel te hebben als zij. Of nog lastiger: als Carla negentien knikkers heeft.

De oplossingen van dit type opgaven zijn onbepaald, of minder bepaald, of begrensd, of onmogelijk, wat tot discussies leidt of zelfs tot conflictsituaties.

Ook raadselachtige opgaven of grappen behoren ertoe:

Drie personen betalen ieder een tientje voor consumpties. De prijs is echter geen $f$ 30,-- maar $f$ 25,--. De ober deed alsof het $f$ 27,-- was. Hij gaf ieder $f$ 1,-- terug en stak $f$ 2,-- in eigen zak. Van het drietal had ieder $f$ 9,-- betaald, samen dus $f$ 27,--. De ober hield $f$ 2,-- zelf. Dat is samen $f$ 29,--. Waar is die ene gulden gebleven?

Niet dat het onderwijs van dit soort niet-stereotiepe problemen zou moeten wemelen, maar alleen eenduidige, enkelvoudige opgaven wekken star en stereotiep oplossingsgedrag op, en zoals gezegd een neiging tot raden in plaats van reflecteren en rekenen.

• INFORMELE OPLOSSINGSSTRATEGIEËN

We moeten toelaten dat kinderen niet noodzakelijkerwijs de meest verkorte operatie verrichten, doch in staat worden gesteld informele, minder verkorte werkwijzen uit te voeren - we wezen er al op. Voorbeelden daarvan zijn: aftrekken via optellen, vermenigvuldigen als herhaald optellen, delen als herhaald aftrekken of als op-vermenigvuldigen. Indien dit proces van verkorting niet doorlopen kan worden, lopen we het gevaar dat de hogere bewerkingen niet eerst in de lagere verankerd worden om vervolgens een eigen status te kunnen verwerven.

Figuur 68 geeft een tussenstand van zo'n gedifferentieerd verkortingsproces in groep vijf op het moment dat de leerlingen de tafels al wel kennen maar nog niet altijd toepassen.

Het 'Sinterklaas-probleem' markeert de overgang naar het cijferen. De kern daarvan wordt namelijk door zo'n verkortingsproces gevormd. Verkorting op basis van vaardigheden betreffende tafels, hoofdrekenen, schattend rekenen en toepassen.

Vrije produkties worden in het volgende apart besproken.

Sinterklaas laat door acht Pieten pakken rondbrengen in het dorp.
Iedere Piet heeft 23 pakjes in z'n zak.
Hoeveel hebben ze samen uit te delen?

1. Dickson, L., M. Brown en O. Gibson: *Children Learning Mathematics: A Teacher's Guide to Recent Research,* Holt, Rinehart en Wiston, Eastborne 1984, pag. 232.
2. idem pag. 235.
3. idem pag. 231-232.
4. We doelen hier op een conferentie in de stadsschouwburg van Hilversum over basisvorming, georganiseerd door Cito, SLO en SVO op 31 maart en 1 april 1987.
   Zie: Kuijk, J.J. van: *Basisvorming in de basisschool,* Tilburg 1987.
5. Speciaal op het eerste ontwerp van dit deel en in meer algemene zin op basisvaardigheden is door L. Verschaffel gereageerd in het *Tijdschrift voor nascholing en onderzoek van het rekenwiskundeonderwijs,* 6(4), 1988, pag. 11-17.

Doelstelling 9
Leerlingen zijn in staat op grond van een beschreven of figuraal
gepresenteerde situatie zelf reken-wiskundeproblemen te formuleren en oplossingsmethoden met elkaar en de leerkracht te bespreken

Deze doelstelling is in het voorgaande herhaaldelijk besproken.
We volstaan hier met een toevoeging van vier nieuwe voorbeelden
van eigen (of vrije) produkties. Het sociale aspect van het leren
wordt vooral in de bespreking van de laatste doelstelling van basisvaardigheden nader belicht.

• Vrije produkties

Kinderen zouden regelmatig moeten worden aangezet tot het zelf
produceren van problemen. Of bescheidener, binnen een aangegeven kader zelf zinvolle gegevens aandragen en die vervolgens in de
oplossing verwerken.
Hier kan evenzeer gelden 'jong geleerd, oud gedaan' zoals Van den
Brink laat zien met leerlingen van groep drie:[1]

> 'Het maken van eigen produkties in de oefenfase (het zelfstan-
> dig bedenken van opgaven en dergelijke) wordt door de
> kinderen zeer gewaardeerd. Deze activiteit kan in een ruimer
> kader worden geplaatst door de kinderen een rekenboek te
> laten ontwerpen voor de kinderen die het volgend jaar naar
> groep 3 gaan. Hierdoor komen de eigen produkties in een
> ander licht te staan: je maakt ze ten behoeve van anderen die ze
> ook gaan gebruiken. 'De kinderen van volgend jaar' werken
> hier als een zingevende en daardoor stimulerende context.'
> 'In de bovengenoemde zingevende onderwijssituaties kwamen de
> contexten op de eerste plaats en waren de rekeninhouden voor
> de kinderen slechts hulpmiddelen. Die contexten geven zin aan
> het mathematiseren, in tegenstelling tot bijvoorbeeld 'het
> bedenken van een verhaal of context bij een gegeven som'.'

Vaardigheden aan de basis (figuur 69).[2]

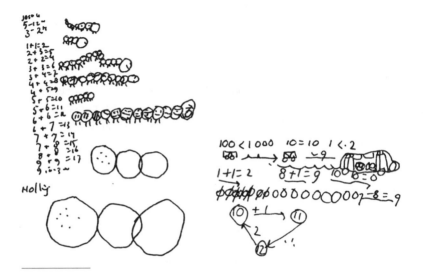

Een ander voorbeeld ontlenen we aan Grossman.[3] Kinderen in klas een (groep drie) kregen de opdracht om optel- en aftreksommen te maken waar drie of vijf uitkwam. Mark deed eigenlijk nooit goed mee met rekenen. Maar nu raakte hij geboeid. De volgende dag kwam hij met zijn eigen produktie aan. En Jon toonde dat hij al veel meer kon dan de juf in de verste verten vermoedde (zie figuur 70).

Nog een voorbeeld: op 15 oktober 1986 was er een Teleacuitzending over remediërend rekenen. Daarbij kwam een kind in beeld dat moeite had de structuren te doorzien van opgaven als 17 + 2; 27 + 2; 37 + 2; ... Het honderdveld kwam eraan te pas: de leerling moest kruisjes zetten bij de antwoorden. Ineens doorzag het de structuur, duwde de begeleider opzij en zei: 'Geef nu maar 's wat velletjes' en ging zelf aan de slag met zelf-bedachte opgaven - vrije produkties van een rekenzwakke leerling.

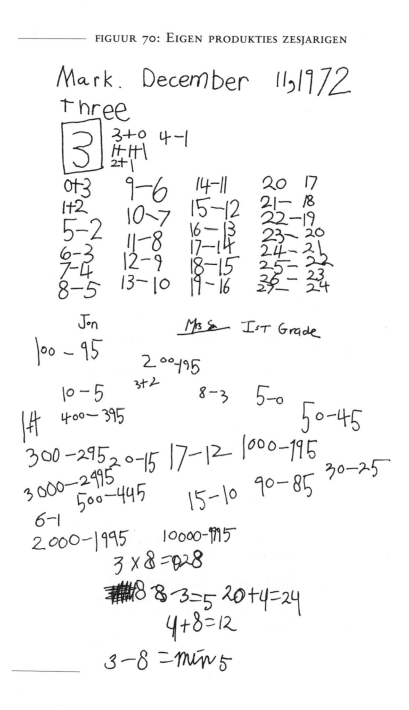

Mark. December 11,1972

Three

3

3+0   4-1
H-H-l
2+1

0+3    9-6    14-11    20   17
1+2    10-7   15-12    21- 18
5-2    10-7   16-13    22-19
6-3    11-8   17-14    23- 20
7-4    12-9   18-15    24- 21
8-5    13-10  19-16    25- 22
                       26- 23
                       27- 24

Jon                Mrs.___ IST Grade

100 - 95        2 00-195

10 - 5    3+2       8-3    5-0

1H   400-395                    50-45

300 -295  20-15  17-12  1000-195
3000-2995                90-85   30-25
    500-445    15-10

6-1
2000-1995    10000-9995

3 x 8 =028

###8   8-3=5  20+4=24
        4+8=12

3-8 =min 5

Tenslotte enkele citaten uit een boek van Fynn, getiteld 'Hallo God, hier is Anna'.[4]

'En', vroeg ik, 'wat is er nu zo grappig?'
'Nou - ik bedacht net dat ik wel 'n antwoord zou kunnen geven op een skwiljoen vragen'
'Ik ook', antwoordde ik zonder enige verbazing.
'Kun jij dat ook?' Ze leunde opgewonden naar voren.
'Jazeker! Niks aan. Maar denk erom dat ik wel 'n half skwiljoen fout zou hebben.'
Ik had deze opmerking met opzet gemaakt, maar hij miste faliekant zijn doel.
'Oh', er klonk duidelijk teleurstelling in haar stem, 'ik heb al mijn antwoorden goed.'
Dit, dacht ik, is het juiste moment voor een stukje ouderwets degelijk opvoedkundig werk; een beetje correctie zou hier zeker op zijn plaats zijn.
'Dat kun je niet. Niemand kan 'n skwiljoen vragen goed beantwoorden.'
'Wel waar. Ik kan op 'n skwiljoen vragen 'n goed antwoord geven.'
'Dat is gewoonweg onmogelijk. Dat kan niemand.'
'Ik wel ... écht waar!'
Ik haalde diep adem, klaar om haar een uitbrander te geven en toen draaide ik haar naar me toe zodat zij me wel moest aankijken. Twee ogen keken mij aan, rustig en zeker. Het was duidelijk dat ze dacht dat ze gelijk had.
'Ik kan 't jou leren', ging ze door.
Voor ik ook maar de kans had om nog één woord uit te brengen, was ze al bezig.
'Hoeveel is één plus één plus één?'
'Drie, natuurlijk.'
'Hoeveel is één plus twee?'
'Drie.'
'Hoeveel is acht min vijf?'
'Ook drie.' Ik vroeg me af waar dit naar toe ging.
'Hoeveel is acht min zes plus één?'
'Drie.'
'Hoeveel is honderddrie min honderd?'
'Stop es even, meidje! Natuurlijk is 't antwoord 'drie', maar je zit me wel een beetje voor de gek te houen hè?'
'Nee, helemaal niet.'
'Daar lijkt 't anders aardig veel op, vind ik. Je verzint deze vragen zomaar op dit moment.'
'Ja, dat weet ik.'

'Waarom, met dat soort vragen zou je kunnen blijven doorgaan tot Sint Juttemis.'
Haar brede glimlach explodeerde in een daverend geschater en ik vroeg me af wat voor grappigs ik had gezegd. De ruk waarmee zij haar hoofdje naar me toedraaide en de brede grijns op haar gezichtje deden me opeens beseffen wat ik had gezegd. Als 'doorgaan met vragen tot Sint Juttemis' niet hetzelfde was als een skwiljoen vragen, wat was het dan? Voor het geval dat de les nog niet grondig genoeg ingepompt was, draaide zij de duimschroef nog een laatste slag om met: 'Hoeveel is 'n half plus 'n half plus 'n half plus 'n ...' Ik legde mijn hand op haar mondje, ik had de boodschap begrepen. Ik gaf geen antwoord, dat werd ook niet van me verwacht. Met het gemak en de realiteitszin van een moeder die de boertjes bij haar baby losklopt, vroeg ze tot slot: 'En op hoeveel sommen is 'Drie' 't antwoord?' Terecht op mijn nummer gezet en bovendien met het vage gevoel dat zij me in een hinderlaag had gelokt, antwoordde ik 'Skwiljoenen'.
Ondertussen keek ik van haar weg en was druk aan het zwaaien naar de voorbijrijdende treinen alsof er niets gebeurd was. Een paar minuten later legde zij haar hoofdje op mijn schouder en zei 'Grappig hè Fynn, elk getal is 't antwoord op skwiljoenen vragen."

NOTEN BIJ DOELSTELLING 9

1.  Brink, J. van den: Zingevende en zinontnemende contexten, *Willem Bartjens,* 6(3), 1987, pag. 135.
2.  Brink, J. van den: Children as Arithmetic Book Authors, *For the Learning of Mathematics,* 7(2), 1987, pag. 44-48.
3.  Grossman, R.: Open-ended lessons bring unexpected surprises, *Mathematics Teaching,* 71, 1975, pag. 14-15.
4.  Finn: *Hallo God, hier is Anna,* Bosch & Keuning, Baarn 1975.

DOELSTELLING 10
Leerlingen hebben inzicht in het positiesysteem waarop de decimale schrijfwijze van de getallen berust

Inzicht in het positiesysteem kwam reeds bij vrijwel alle besproken doelstellingen terloops aan de orde. In het aanvangsonderwijs, van groep een tot groep vier, werd een sterk analytische en cijfermatige benadering van de getallen via de decimale schrijfwijze ongewenst geacht. De nadruk komt dan te snel op het manipuleren met cijfers te liggen en te weinig op het rekenen met getallen - zo luidde onze didactische stellingname. Later echter werd op het grote belang van het vlot kunnen rekenen met nullen gewezen, op grond van inzicht in de decimale schrijfwijze van het positiesysteem. Met name kwam dat bij de bespreking van hoofdrekenen en schattend rekenen naar voren. Maar ook de kenmerken van deelbaarheid kunnen slechts door inzicht in het positiesysteem ontdekt en begrepen worden.
In het volgende wordt een keuze-thema van enkele lessen voor eind groep acht beschreven waarmee het inzicht in het decimale positiesysteem desgewenst nog wat verder kan worden verdiept. Dit gebeurt door introductie van het achttallige positiesysteem via het zogenoemde 'Land van Acht'. Aan de hand hiervan lichten we tevens het interactieve karakter van het onderwijs toe waar in de voorgaande doelstelling expliciet op werd gewezen.
Het 'Land van Acht' fungeert hier als een didactische parabel om het bedoelde onderwijs van alle voorgaande doelstellingen aanschouwelijk te maken: tellen, tafels, hoofdrekenen en schattend rekenen - dat alles zal de revue passeren.
Ook de meer algemene kenmerken van goed reken-wiskundeonderwijs die in het eerste hoofdstuk van 'Proeve I' werden genoemd, kunnen via het thema 'Land van Acht' nog eens worden geïllustreerd en daarmee ook de kenmerken van goed onderwijs in basisvaardigheden. De didactische kanttekeningen voor ons als onderwijsgevenden worden via de vormgeving van het inspringen duidelijk gescheiden van het onderwijsverhaal voor de leerlingen.

• Het 'Land van Acht'

*Les 1: inleiding in het 'Land van Acht'*
Na een inleidend gesprekje over tekenfilms en Walt Disney wordt
de transparant van figuur 71 op de overhead-projector getoond.

──────── FIGUUR 71: FIGUREN UIT HET 'LAND VAN ACHT'

Is er iets bijzonders aan de figuurtjes te zien?
Walt Disney tekende ze met vier vingers omdat dit werk spaarde.
Voor een tekenfilm moeten immers tienduizenden tekeningen
worden gemaakt. Maar wat belangrijk bleek: het viel de mensen
niet eens op dat er een vinger te weinig was. Bij drie vingers bleek
dat overigens wel het geval te zijn.

En nu het onderwijsverhaal.

De filmfiguren bleken moeite met rekenen te hebben. Hoe kwam dat? Wat hebben die vingers ermee te maken? Tellen doe je met je vingers. En als we 10 schrijven en 'tien' zeggen hebben we alle vingers gebruikt. Of anders gezegd: we hebben dan één 'greep' en nul vingers (10), dan tellen we verder met één greep en één vinger (11) enzovoort. Drie-en-twintig (23) betekent: twee grepen plus drie. Maar de figuren uit de tekenfilm konden dat zo niet zeggen: twee grepen plus drie is bij hen 2 x 8 + 3 oftewel 19! Ze besloten dan ook anders te gaan tellen ... Hoeveel cijfers hebben ze nodig? De volgende oplossingen worden aangedragen:

- 1, 2, 3, 4, 5, 6, 7;
- 0, 1, 2, 3, 4, 5, 6, 7;
- 1, 2, 3, 4, 5, 6, 7, 8;
- 0, 1, 2, 3, 4, 5, 6, 7, 8;
- 1, 2, 3, 4, 5, 6, 7, 10.

Met name de rijen 'o tot en met 7' en 'o tot en met 8' worden in de groepsbespreking tegen elkaar afgewogen naar analogie van de tientallige telrij. Dan blijkt dat bij acht gezegd moet worden één greep (twee handen met ieder vier vingers) en bij negen één greep en één vinger, respectievelijk te noteren als '10' en '11', en uit te spreken als één-nul en één-één. Deze notatie- en spreekwijzen worden door de kinderen van groep acht zelf ontwikkeld.

Vervolgens krijgen de kinderen de opdracht de nieuwe telrij uit te schrijven tot er een getal van drie cijfers ontstaat. Bij bijna alle kinderen loopt het na '77' spaak. Ze noteren dan namelijk als volgende '80' en vergeten dat er in het 'Land van Acht' geen symbool 8 bestaat... Wat nu te doen? Ook dit probleem wordt weer in groepsverband besproken. Daarbij verschijnt dan de 'grote greep' die staat voor twee handen vol met 'tienen'. Sommige kinderen echter beschouwen '77' naar analogie van 99: de getallen van twee cijfers zijn op, dus moet nu wel aan die van drie cijfers worden begonnen. Hoe het zij, na '77' komt '100'. Zelfs de sprong naar '1000' en verder kan nu worden gemaakt: kinderen tellen met 'eenheden', 'tientallen' en machten van 'tien'.

We merken op dat we de telrij kunnen opbouwen zonder diepgaand inzicht in het inruil-mechanisme van het positiesysteem. Na '77' komt '100' en na '777' zijn de mogelijkheden met drie cijfers uitgeput, dus volgt '1000' enzovoort. Zo vergaat het de kinderen in ons decimale systeem ook: aanvankelijk doorzien ze wel de 'kleine' systematiek van de opbouw, maar hoeven dan nog niet te weten dat dertig drie tienen bevat of hoe er bij cijfermatig optellen en aftrekken gewisseld moet worden. Het gevarieerde hoofdrekenen sluit aanvankelijk dan ook beter aan op de impliciete kennis van het positiesysteem dan het cijfermatig opereren dat op inzicht in het positiesysteem steunt. Het 'Land van Acht' biedt ons zelf deze ervaring ook.

Kinderen kunnen nu tellen. Vervolgens proberen we met hen samen het handige en verkorte tellen te leren, want dat vormt immers weer de basis voor het elementaire rekenen.

*Les 2: turven en tellen van grote aantallen*
Hoe turven wij en hoe zouden we dat in het 'Land van Acht' doen? De kinderen hebben de oplossing snel voorhanden: ﬀﬀ .
Daarna bepalen de kinderen geturfde aantallen:

ﬀﬀ ﬀﬀ ﬀﬀ ﬀﬀ ﬀﬀ ﬀﬀ ﬀﬀ ﬀﬀ ﬀﬀ / / /

Een handige telstrategie is het nemen van twee groepen van vier. Dat is één greep ofwel '10' (één-nul). Dus het aantal is vlug geteld: '10', '20', '30', '40', '47'.
Vervolgens krijgen ze de opdracht het aantal sterren van figuur 72 te tellen.

Er zijn verschillende oplossingen mogelijk:
– tellen '1', '2', '3', '4', '5', '6', '7', '10', '11' ... '20', en dan met stappen van '20' verder tellen '20', '40', '60', '100', en daarna met stappen van '100', dus '100', '200', '300', '400', '500', of varianten van deze telmethoden;
– door vierkanten van acht bij acht (of eigenlijk '10' bij '10') te tellen en daarvoor '100' te noteren;

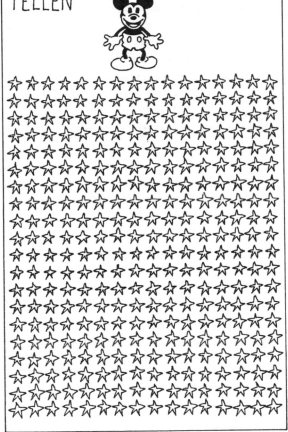

- door omrekenen van 20 x 16 = 320 en dat te noteren in het achttallige stelsel, een lastig karwei;
- door binnen het 'Land van Acht' te vermenigvuldigen '20' × '24', dat kan via '2' × '24' = '50' dus '20' × '24' = '500', of via '240' + '240' = '500'.

Maar met name de laatste handige methode gaat nogal ver. De leerlingen kunnen immers nog niet eens optellen. Hoe kun je dan al wel vermenigvuldigen? Vermenigvuldigen ('20' x '24') wordt in zulke gevallen teruggebracht tot optellen ('240' + '240') dat op zijn beurt weer via tellen gebeurt. Bijvoorbeeld '240' + '240' gaat zo: '240' + '200' = '440'; nu nog '30' erbij '400' + '30' = '470', en tenslotte nog '10': '471', '472', '473', ... '477' plus '1' is ... '500'.

Aan dit voorbeeld zien we hoe belangrijk hoofdrekenen via handig tellen is. Puur cijfermatig kan het zo:

$$'240'$$
$$'240' +$$
$$\overline{\phantom{xxxxx}}$$
$$'500'$$

Wat inzichtelijker is kolomsgewijs hoofdrekenen van links naar rechts werkend:

$$'240'$$
$$'240'$$
$$\overline{\phantom{xxxxx}}$$
$$'400'$$
$$'100'$$
$$\overline{\phantom{xxxxx}}$$
$$'500'$$

Maar zoals gezegd gaat het puur hoofdrekenend ook. Zo is vermenigvuldigen via het afsplitsen van 'tienen' betrekkelijk eenvoudig. Bijvoorbeeld '23' × '24' is '20' × '24' plus '3' × '24', welke laatste we via herhaald optellen kunnen oplossen - '24' + '24' + '24' = '60' + '14' = '74' - dus is de uitkomst '574'. Hier merken we trouwens hoezeer we de tafelkennis in het 'Land van Acht' missen! Maar ook zonder dat redden we ons. Van vlug en handig hoofdrekenen en schatten komt echter zonder die tafelkennis niet veel terecht. Zo is dat in het tientallige stelsel ook!


Al met al gaf het tellen van grote hoeveelheden tot een grote diversiteit van oplossingen aanleiding: handige en minder handige. De handige bedienden zich alle van 'tien' of 'honderd' zowel bij het tellen als bij het vermenigvuldigen.

Het feit dat de nulregel ook in het 'Land van Acht' werkt, dus dat '10' × '6' hier eveneens '60' oplevert, kan overigens op zichzelf als probleem worden gesteld. De tafel van '6' is totaal afwijkend van de ons bekende maar komt toch ook mooi op '60' terecht, en de tafel van '5' eindigt op '50' enzovoort. Hoe kan dat? Het rechthoekige sterrenpatroon uit figuur 72 biedt de oplossing: '10' × '6' kan ook geteld worden via '6' × '10' en dan is duidelijk dat we op '60' uitkomen. Nullen rijgen is ook in het 'Land van Acht' een handige rekenwijze!

• Didactische terugblik

Kenmerkend voor het 'Land van Acht' en eigenlijk voor alle eerder genoemde leergangen is dat aan het begin ervan een reële en betekenisvolle situatie staat waaraan de kinderen houvast hebben als het leren voortgang vindt (i.c. Walt Disney-figuren die op de vingers gaan tellen). Het onderwijs is dus zo ingericht dat de kinderen leren door zelf begrippen en structuren te construeren. Naast deze reële contextsituaties (waartoe op den duur ook getallen gaan behoren) zijn er ook allerlei modellen, schema's en symbolen die de voortgang van het leren bevorderen (i.c. de cijfersymbolen en de getallenrij in het 'Land van Acht'). Voorts krijgen de kinderen volop gelegenheid zelf opgaven te produceren. Deze vrije produkties geven een helder beeld van het leerproces en -produkt (en dus ook van het onderwijzen).

Het onderwijs is interactief: er wordt individueel en in kleine groepjes gewerkt, maar er zijn ook momenten dat de hele groep bijeen is om instructie te ontvangen, voorstellen te bespreken, te discussiëren, enzovoort. De onderwijsgevende speelt in dit geheel een cruciale rol: soms is zij of hij terughoudend, een andere keer wordt met de kinderen meegedacht en het leerproces wat gestuurd, dan weer wordt de kinderen volledig de vrije hand gegeven (in alle delen van het 'Land van Acht' ziet men de wisselende posities van de onderwijsgevende). Tenslotte kunnen kinderen alleen maar begrippen en structuren construeren indien deze hecht verbonden worden met reeds bestaande noties. Ziehier de didactische basisbeginselen die in 'Proeve I' werden geschetst.

Tenslotte een beginselverklaring van een onderewijsgevende naar aanleiding van onderwijs als dat met het 'Land van Acht'.[1]

'Wiskunde ... onderwijzen. Twee woorden, die beide onze aandacht verdienen, maar ik zou zeggen dat de sleutel tot het wiskundeonderwijs ligt in het onderwijzen en niet in de wiskunde. En daarbij denk ik dan speciaal aan twee punten:
1. Luisteren naar wat kinderen je te zeggen hebben.
2. Erover nadenken.
Het gaat er voor de onderwijsgevende niet primair om dat hij meer van wiskunde moet weten, maar veeleer om wiskundig te leren denken. Voor de kinderen geldt dit trouwens ook. En als je denkt over 'het waarom' van opmerkingen en fouten die kinderen maken, dan moet je wel wiskundig gaan denken! En als je in de gaten krijgt dat je dat in bepaalde opzichten lukt, dan geeft het je een plezierig gevoel...
Kortom, het komt bij het wiskunde onderwijzen vooral aan op de attitude ten opzichte van de eigen kennis en het gebrek eraan, idem ten aanzien van de kinderen. Dit betekent overigens niet dat ik mijn wiskundekennis niet wat zou willen bijspijkeren. Integendeel. Maar in het algemeen gesproken heeft dit pas zin als mensen zelf iets aan het gebrek aan kennis willen doen. Zo heeft in mijn geval bijvoorbeeld het inzicht in het positiesysteem via het werken in andere talstelsels ertoe geleid dat ik de fouten van de kinderen beter heb leren begrijpen. Het was bij dit onderwerp trouwens ook de eerste keer dat ik het gevoel had dat ik werkelijk wiskunde deed. Van toen af groeide mijn interesse voor de wiskunde en sindsdien ging mijn eigen wiskundige opvoeding en die van de kinderen hand in hand.'

NOOT BIJ DOELSTELLING 10

1.    Uit: Wheeler, D.J. (ed.): *Notes on Mathematics for Children*, Cambridge 1977, pag. 226-230.

# Deel II
# Cijferen

INLEIDING

Cijferen is rekenen-onder-elkaar volgens een standaardprocedure:

$$\begin{array}{cccc} 472 & 5213 & 142 & 14 \, / \, 1383 \, \backslash \\ 579 \; + & 3472 \; - & \underline{37} \; \times & \\ \end{array}$$

Cijferen is zo oud als het rekenen zelf, het ligt als het ware in het geordende werken met getallen besloten. Op de bijna vierduizend jaar oude papyrus Rhind, handelend over de geheimen der getallen, staat een voorbeeld van cijferend vermenigvuldigen[1] (figuur 73).

———————— FIGUUR 73: EGYPTISCH VERMENIGVULDIGEN 12 × 12

In bovenstaande figuur staan links de hiëroglyfen (net andersom te lezen dan wij met getallen gewoon zijn). Rechts staat de uitwerking met de ons bekende symbolen. De berekening berust op de methode van het verdubbelen. Deze is altijd toereikend om een bepaald veelvoud samen te stellen. Ook werd wel met tien en vijf (halvering tien) vermenigvuldigd. In een ander 'rekenboekje' - de papyrus Kahun - werd 16 × 16 zo uitgerekend:

$$
\begin{array}{ll}
1 & 16 \\
10 & 160 \\
\underline{5} & \underline{80} \\
16 & 256
\end{array}
$$

Verdubbelen en tien keer zijn ook de pijlers waarop het delen rust. De opgave 1120 ÷ 80 ging als volgt:

$$
\begin{array}{ll}
1 & 80 \\
10\,' & 800\,' \\
2\,' & 160 \\
\underline{4\,'} & \underline{320\,'} \\
14 & 1120
\end{array}
$$

Eigenlijk is dit makkelijker te doorzien dan onze standaardalgoritmen voor vermenigvuldigen en delen binnen de bedding van het positiestelsel. Deze zijn weliswaar uiterst doelmatig en kort van opzet maar mede daardoor ook moeilijker te doorgronden. Is cijferen nuttig? Is cijferen nodig? Kan hoofdrekenen of handig rekenen het cijferen niet funderen of zelfs geheel vervangen? - dat zijn zo de kwesties die steeds weer in het geding komen. Dat gebeurde honderd jaar geleden al bij de twee belangrijkste rekenmethoden, te weten Versluys en Van Pelt.[2] De laatste benadrukte in tegenstelling tot de eerste vooral het hoofdrekenen en meende dat het ook de grondslag van het cijferen diende te vormen. Vijftig jaar geleden was het niet anders bij de toen belangrijkste leerboekauteurs: Diels & Nauta accentueerden het hoofdrekenen en Bouman & Van Zelm het cijferen.[3] Tot de dag van vandaag is dit onderscheid in het onderwijs blijven bestaan en onder invloed van de rekenmachine misschien zelfs nog wel wat verscherpt.

Niet alleen historisch, maar ook geografisch bezien valt de onderscheiden aandacht voor hoofdrekenen en cijferen waar te nemen. In de Verenigde Staten bijvoorbeeld wordt meer dan in Engeland of hier te lande het cijferen op de voorgrond geplaatst. Neem bijvoorbeeld de volgend opgave:

'Sally heeft een boek met 223 bladzijden.
Ze heeft 158 pagina's gelezen.
Hoeveel bladzijden moet ze nog lezen?'

Als regel wordt zo'n probleem daar in de middenklassen cijfermatig aangepakt, vaak met ondersteuning van inwisselmateriaal, bijvoorbeeld MAB (zie de lossen, staven en plakken in figuur 74). Eerst wordt dan 223 uitgelegd.[4] Daarvan moet 158 worden afgehaald. Dat gaat zomaar niet. Dus moet er eerst ingewisseld worden: tien lossen voor één staaf, en tien staven voor één plak. Nu lukt het afnemen van 158 wel. De tussenstappen van het inwisselen en wegnemen worden steeds genoteerd en tenslotte ook het eindresultaat. Later geschiedt een en ander zonder hulp van materiaal of visuele voorstelling. Ziehier hoe een belangrijk fragment uit het rekenen in de aanvangs- en middenklassen per traditie in de Verenigde Staten wordt uitgevoerd.[5]

De laatste jaren is daartegen echter nogal wat verzet gerezen. De bezwaren uit het hoofdrekenkamp tegen de cijfergerichte aanpak van Sally's leesprobleem kunnen als volgt worden samengevat:
- drie van de vier kinderen uit de middenklassen lossen een dergelijk probleem niet op met aftrekken maar via aanvullend optellen (van 158 naar 223) - ze herkennen er zelfs geen aftrekking in;[6]
- het inpakken van pagina's in MAB is toch wel erg kunstmatig en werkt vervreemdend;
- de wijze van kolomsgewijs rekenen is zo versnipperd dat de kinderen door de blokken het boek niet meer zien;
- inherent aan de cijfermatige benadering is dat niet met getallen

maar met cijfers wordt gewerkt: de positiewaarden worden uit het oog verloren, net zoals de getallen als geheel, waardoor kinderen onvoldoende feeling voor getallen ontwikkelen;
- cijfermatig rekenen is verkokerd. Het mist de soepelheid van het gevarieerde hoofdrekenen. Opgaven als 101 − 2 of 111 − 98 zijn cijferend uitermate lastig op te lossen, terwijl ze met hoofdrekenen heel eenvoudig gemaakt kunnen worden;
- het materiaalgebruik is op dit niveau niet zo doelmatig. Kinderen hebben immers al idee van eenheden, tientallen en honderdtallen.

En waarom werkt deze blokkenvoorstelling wel voor optellen en aftrekken maar niet voor vermenigvuldigen en slechts ten dele voor delen? Blijkbaar is het werken met positieblokken toch niet makkelijk af te beelden op het werken met getallen. De laatste tijd komen er steeds meer onderzoeksgegevens beschikbaar die tot voorzichtigheid manen.[7]

FIGUUR 74: EERSTE EN LAATSTE STAP VAN 223 - 158 VIA MAB-SCHEMA

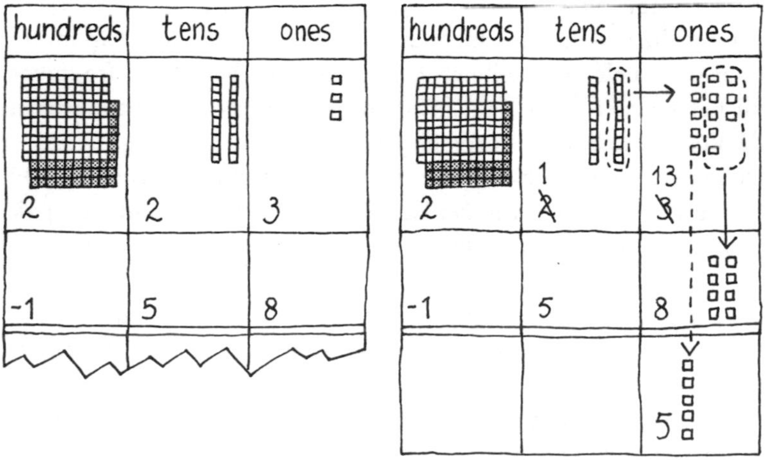

| hundreds | tens | ones |
|---|---|---|
| 1 | 11 | 13 |
| | 5 | 8 |
| | | 5 |

| hundreds | tens | ones |
|---|---|---|
| 1 | 11 | 13 |
| 1 | 5 | 8 |
| | 6 | 5 |

De aftrekking '223 − 158' in het genoemde contextprobleem kan trouwens betrekkelijk makkelijk niet cijfermatig worden opgelost, bijvoorbeeld via optellen:

− (158) + 42 (200) + 23 (223); 42 + 43 = 65;
− (158) + 70 (228) − 5 (223); 70 − 5 = 65;
− (158) + 100 (258) − 30 (228) − 5 (223); 100 − 30 − 5 = 65.

Er zijn echter ook nog verschillende aftrekmethoden-uit-het-hoofd die niet zoals bij het cijferen van rechts naar links werken (dus vanaf de eenheden, dan de tientallen en tenslotte de honderd-tallen), maar van links naar rechts. Allemaal natuurlijke werkwij-zen die te prefereren zijn boven de standaardprocedure van het cij-feren - aldus de hoofdrekenbeweging.
Daartegenover stelt men dat cijferen hoofdrekenen geenszins hoeft

179

uit te sluiten. En wat het gebruik van MAB betreft: je stelt pas problemen als dat van Sally op het moment dat de kinderen geen materiaal meer nodig hebben. Dus zo'n voorbeeld slaat nergens op.

Maar, zeggen de voorstanders van hoofdrekenen, dat betekent dan wel dat we kinderen eerst puur leren cijferen en pas daarna het toepassen ervan in contextproblemen. Maar als ze de betreffende bewerking nu niet herkennen, en bijvoorbeeld gaan doortellen? En daar komt nog bij dat kinderen als ze MAB-materiaal gebruiken vaak andere procedurehandelingen volgen dan die van het standaardalgoritme. Ze halen bij '223 - 158' eerst een plak van honderd weg, pakken vervolgens van de resterende honderd de dertig weg die ze bij de tientallen tekort kwamen, blijft over zeventig, en halen daar nog vijf vanaf; uitkomst vijf-en-zestig. Een soort gestileerd hoofdrekenen dat net zo handig is als cijferen.
Voor grotere getallen is dit lastig. Ze zullen de standaardprocedure toch moeten leren, zeggen de voorstanders van het cijferen daarop. Discussie...
De opbrengst van het sterk op cijferen gerichte rekenen onder relatieve verwaarlozing van hoofdrekenen is in de Verenigde Staten als volgt: een op de twee kinderen beheerst aan het einde van de basisschool volledig de staartdeling, en twee van de drie de cijferalgoritmen voor aftrekken en vermenigvuldigen.[8] Bij het hoofdrekenen scoren de Amerikaanse kinderen als opgetekend in figuur 75.[9]

Deze onthutsende resultaten zullen zeker mede aanleiding zijn geweest tot de recente kentering. Er wordt namelijk thans veel meer nadruk gelegd op het hoofdrekenen - althans in rapporten, artikelen, 'agenda's for action' en op stapel staande eindtermen.
In een werkversie van 'Standards for school mathematics' (1987) - een soort proeve van een nationaal programma voor de Verenigde Staten - wordt voorgesteld het leren van de cijferalgoritmen drastisch te beperken. De kinderen hoeven alleen nog maar optellingen- en aftrekkingen-onder-elkaar met getallen van hooguit drie cijfers te kunnen maken. Vermenigvuldigen-onder-elkaar kan beperkt blijven tot getallenparen van één bij drie of twee bij twee cijfers. En staartdelen wordt slechts met getallen van hooguit

table 1

| Type of problem | Time allowed (seconds) | Percentage correct by age | | |
|---|---|---|---|---|
| | | Nine | Thirteen | Seventeen |
| 64 + 20 | 13 | 52 | | |
| 40 + 50 | 11 | | 81 | 96 |
| 6 + 47 | 12 | 47 | | |
| 73 - 23 | 12 | 29 | | |
| 700 - 600 | 11 | | 92 | 97 |
| 49 - 16 | 11 | | 77 | 86 |
| 1250 - 400 | 12 | | 39 | 57 |
| 36 - 9 | 12 | 20 | | |
| 2 × 34 | 12 | 25 | | |
| 4 × 30 | 9 | | 73 | 88 |
| 90 × 3 | 12 | 23 | | |
| 60 × 70 | 9 | | 46 | 55 |
| 20 : 5 | 9 | | 88 | 94 |
| 60 : 15 | 12 | | 32 | 58 |
| 3500 : 35 | 14 | | 39 | 63 |

table 2

| Problem | Do in my head | Use paper and pencil | Use a calculator | No response |
|---|---|---|---|---|
| 4 × 99 | 44 | 39 | 16 | 1 |
| 945 × 1000 | 38 | 31 | 31 | |
| 40)2800 | 31 | 45 | 23 | 1 |

drie cijfers gedeeld door één-cijferige getallen beoefend. Voor het overige: 'Calculators should be used for more complex computations'.

De opgave van de papyrus Kahun $1120 \div 80$ zou volgens dit voorstel dus met de rekenmachine moeten worden opgelost... Achter deze 'Standards' zit een vanouds bekende gedachtengang over het cijferen. Namelijk dat de algoritmen makkelijker zouden zijn te leren en uit te voeren naarmate men met kleinere getallen te maken heeft. Zo zijn de traditionele leergangen ook inderdaad opgezet: er wordt met eenvoudige, betrekkelijk 'kleine' opgaven gestart en voortgegaan met sommen die volgens opklimmende moeilijkheid zijn geordend. De mate van complexiteit wordt, zoals gezegd, vooral bepaald door de grootte van de getallen. Daarnaast tellen de benodigde inwissel- en leenhandelingen plus de aanwezigheid van 'storende' nullen in de gegeven getallen of de uitkomsten. Steeds leren de kinderen per deelgeval het standaard algoritme waarop ze dan in een volgend complexer geval kunnen voortbouwen. Men kan zich ongeveer voorstellen hoe bijvoorbeeld de complete leergang voor het staartdelen is opgebouwd. In ieder geval verschijnt een opgave als $1120 \div 80$ niet in het begin en $1128 \div 36$ pas tegen het eind. Wil men de leergang bekorten dan ligt het volgens deze opvatting voor de hand de meer complexe gevallen en getallen uit te sluiten. Dus valt $112 \div 8$ nog wel binnen de leergang, $1120 \div 80$ misschien net niet, maar $1128 \div 36$ zeker niet. Ziehier de logische gedachtengang achter het voorstel van de 'Standards'. Maar dan wel 'logisch' op basis van een bepaalde opvatting over het leren cijferen.

Er is echter ook een geheel andere kijk op het cijferen mogelijk, namelijk de visie die veel meer aansluit bij de Egyptische werkwijze waarmee we dit hoofdstuk begonnen. In deze opzet kan een opgave als $1128 \div 36$ al wel in het beginstuk van de leergang staan. Weliswaar niet als kale rekensom maar ingekleed in een probleem. Bijvoorbeeld:

'Er worden 1128 supporters vervoerd in bussen met 36 plaatsen. Hoeveel bussen zijn nodig?'[11]

In tegenstelling tot de vorige cijferaanpak wordt nu niet direct naar de meest verkorte werkwijze volgens de standaardmethode toegewerkt, maar ruimte geboden om deze procedure zelf geleidelijk te construeren. Dit voltrekt zich via gedurige verkorting van handig rekenen en afschatten zoals dat in feite ook in het papyrusvoorbeeld gebeurde.

In het volgende zal deze aanpak van hoofdrekenen-naar-cijferen worden beschreven. Maar ook de methoden van het pure cijferen, dus cijferen naast en losstaand van hoofdrekenen, die thans nog veelvuldig dienst doen, zullen bij iedere doelstelling besproken worden. Een en ander gebeurt achtereenvolgens bij optellen, aftrekken, vermenigvuldigen en delen. Daarna belichten we nog de toepassingen, het gebruik van de rekenmachine en het inzicht in de structuur van de algoritmen.[12]

1. Zie voor het rekenen van de Egyptenaren hoofdstuk I van het volgende standaardwerk:
   Waerden, B.L. van der: *Ontwakende wetenschap. Egyptische, Babylonische en Griekse wiskunde,* Noordhoff, Groningen 1950.

2. Zie:
   Versluijs, J.: *Rekenboek voor de Lagere School 1-8,* Amsterdam 1876.
   Pelt, D. van: *Even of oneven,* Harlingen 1880.
   Bij Versluijs vinden we de bekende scheiding tussen cijferen en hoofdrekenen. In zijn 'De methodiek van het rekenen. Ten dienste van Kweekelingen' (Amsterdam 1889) schrijft hij:
   'Ongetwijfeld is het hoofdrekenen met het oog op het dagelijksch leven van groot gewicht, maar even zeker is, dat het cijferen veel praktische waarde bezit. Is dit zoo, dan verdienen beide onderdeelen ieder volgens zijn aard behandeld te worden.' (pag. 87)
   En wat verder:
   'Als ik cijfer, is dat slechts hulpmiddel en heb ik wel wat anders te doen dan mij daarvan een levendige voorstelling te vormen; en den leerling zal het later ook in 't dagelijksch leven niet anders gaan.' (pag. 89-90)
   Van Pelt gebruikt voor het cijferen meer de Egyptische aanpak die op hoofdrekenen gestoeld is, namelijk het werken met vijfvouden, tienvouden en tweevouden.

3. Bouman, P.J. en J.C. van Zelm: *De rekenkundige denkbaarheden in logischen samenhang met - als proeve van toegepaste logica - een rekenmethode voor de lagere school,* Versluijs, Amsterdam 1918. (De vernieuwde serie stamt uit de jaren dertig.)
   Diels, P.A. en J. Nauta: *Fundamenteel Rekenen* (nieuwe uitgave), Wolters, Groningen 1939.
   De zesde didactische richtlijn van Diels en Nauta (zie hun 'Richtlijnen', 1939) luidt:
   'Het hoofdrekenen neme in het rekenonderwijs een belangrijke plaats in.' (pag. 15)
   In hun boeken is na elke drie paragrafen er één bestemd voor hoofdrekenen met als onderdeel daarvan het rekendictee ('de onderwijzer(es) zegt de opgave, de leerlingen schrijven het antwoord op').

4. Zie voor dit voorbeeld:
   Labinowicz, E.: *Learning from children. New beginnings for teaching numerical thinking,* Addison Wesley, Amsterdam 1985.

5. Zie het belangrijke handboek met artikelen van B.J. Reys, R.E. Reys, Trafton en anderen:

Schoen, H.L. en M.J. Zweng (eds.): *Estimation and mental computation*, NCTM, Reston 1986.

6.  Zie twee belangrijke evaluatie-studies uit respectievelijk het Verenigd Koninkrijk en de Verenigde Staten die vergelijkbaar zijn met de herhaaldelijk geciteerde PPON-studie van het Cito: 'Balans...'. APU: *Mathematical development. Primary Survey Report no. 1*, HMSO, London 1980. Carpenter, T.P. e.a.: *Results from the second mathematics assessment of the National Assessment of Educational Progress*, NCTM, Reston 1981.

7.  Zie bijvoorbeeld: Resnick, L.B. & S.F. Omanson: Learning to Understand Arithmetic, R. Glaser (ed.), *Advances in Instructional Psychology*, 1987, Lawrence Erlbaum, Hillsdale, pag. 41-97.

8.  Zie noot 6.

9.  Reys, R.E.: Testing mental-computation skills, *The Arithmetic Teacher*, 33, 3, 1985, pag. 15.

10. NCTM: *Standards for School Mathematics*. (Working draft), NCTM, Reston 1987.

11. Dit is een item uit het derde 'National Assessment of Educational Progress' (Verenigde Staten 1983). Minder dan de helft van de kinderen (einde basisschool) had het goede antwoord. In het tweede NAEP-onderzoek werd bij een soortgelijk probleem naar de rest gevraagd: één van de drie leerlingen had het goede antwoord - althans indien geen rekenmachine ter beschikking staat; mèt een rekenmachine is het percentage goede antwoorden ... 6 procent!

12. Op een gedeelte van dit hoofdstuk is in het *Tijdschrift voor nascholing en onderzoek van het reken-wiskundeonderwijs*, 7(1), 1988, gereageerd door J. van Erp en A. van Dongen.

## I OPTELLEN

**DOELSTELLING I**
Leerlingen kunnen cijferend optellen-onder-elkaar volgens de standaard procedure of een variant ervan

Cijferend optellen blijkt betrekkelijk makkelijk te zijn. Driekwart van de leerlingen beheerst het algoritme aan het einde van de middenbouw en meer dan negentig procent bij het verlaten van de basisschool.[1]
In het volgende worden twee methoden voor het leren cijferen beschreven:
1. de combinatiemethode hoofdrekenen-cijferen;
2. de pure cijfermethode.

● COMBINATIEMETHODE HOOFDREKENEN-CIJFEREN

Het is bij optellen mogelijk een verbinding tussen kolomsgewijs hoofdrekenen en cijferen te leggen. Kolomsgewijs hoofdrekenen gaat als volgt:

$$258$$
$$167 +$$
of
$$300+110+15 = 425$$

$$258$$
$$167 +$$
$$300$$
$$110$$
$$15 +$$
$$425$$

(a.)　　　(b.)

Hierbij wordt van links naar rechts, van groot naar klein gerekend: eerst de honderdtallen, dan de tientallen en tenslotte de eenheden. Dat gaat in dit voorbeeld (a) zo: 300 + 110 = 410; dan

185

410 + 15 = 425. Ook in (b) gebeurt dat aanvankelijk zo. Maar in een later stadium kan de aandacht bij het rekenen met de deeluitkomsten op de kolommen gericht worden.
Nu ligt de weg naar het standaardalgoritme open. Eerst de volgorde van werken veranderen, namelijk rekenen van rechts naar links, vervolgens het kolomsgewijze rekenen bekorten.

$$
\begin{array}{l}
258 \\
167 + \\
\hline
15 \\
110 \\
300 \downarrow \\
\hline
425
\end{array}
\qquad
\begin{array}{l}
\overset{1}{2}58 \\
167 + \downarrow \\
\hline
425
\end{array}
\qquad
\begin{array}{l}
258 \\
167 + \downarrow \\
\hline
425
\end{array}
$$

(c.)        (d.)        (e.)

Hoe dit precies gaat beschrijven we in het volgende.

• Puur cijferen

In het voorgaande werden positiematerialen niet in de beschouwing betrokken. Het zal echter duidelijk zijn, ook al vanuit het rekenen onder de honderd, dat bij het optellen steeds inwissel materiaal in de vorm van MAB of geld als concrete ondersteuning kan worden benut, zij het dat ook de bezwaren daartegen reeds werden aangestipt.
Maar als optellen-onder-elkaar op verkorte wijze dient te worden uitgevoerd valt de volle aandacht op de positiegetallen en dan is de abacus bijzonder doelmatig. Men kan de abacus inzetten in de laatste fase van hoofdrekenen-naar-cijferen die zojuist werd beschreven. Maar hij kan ook gebruikt worden om het *pure cijferen* te leren. Omdat we zoals eerder gesteld ook steeds aan dit cijferen aandacht willen besteden zal in het volgende de fasering van deze aanpak kort worden beschreven. In plaats van de abacus zou men overigens ook inpak- of inwisselmateriaal kunnen gebruiken, zoals MAB.

In de *eerste fase* rekenen de kinderen de optellingen uit op de abacus. Eerst worden de aantallen bij elkaar gevoegd en pas daarna ingewisseld (figuur 76).[2]

$$483$$
$$344 +$$

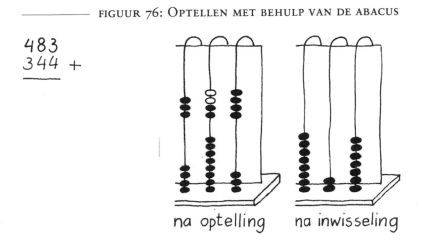

na optelling          na inwisseling

In de *tweede fase* werken de leerlingen met de abacus en noteren de opgave met behulp van positiestrepen. Het verband tussen een en ander kan nadrukkelijk worden gelegd door de abacus boven de kolommen te houden (figuur 77).

———————— FIGUUR 77: ABACUS EN POSITIESTREPEN

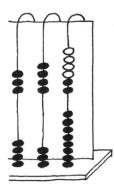

| 4 | 3 | 8 | |
|---|---|---|---|
| 3 | 4 | 6 | + |
| 7 | 7 | 14 | |
| 7 | 8 | 14 | |

Steeds verwoorden de kinderen wat ze doen (figuur 78).

572
356 +
———

> Marleen :
> – je doet eerst zes bij de twee ;
> – en dan bij de tientallen : vijf bij de zeven ;
> – en nu drie bij de vijf op de honderdstaaf ;
> – dan heb je acht bij de eenheden, twaalf bij de tientallen en acht bij de honderd-tallen ;
> – die twaalf wissel je in ;
> – het antwoord is 928.

In de *derde fase* noteren de leerlingen de opgave op de positiekaart zonder tussenkomst van de abacus. Er komen nu ook grotere getallen aan bod. Het inwisselen gebeurt nog maar met één tussenstap (figuur 79).

$426 + 119 =$     $23464 + 5674 =$

| 4 | 2 | 6 |   |
|---|---|---|---|
| 1 | 1 | 9 | + |
| 5 | 3 | 15 |  |
| 5 | 4 | 5 |  |

| 2 | 3 | 4 | 6 | 4 |   |
|---|---|---|---|---|---|
|   | 5 | 6 | 7 | 4 | + |
| 2 | 8 | 10 | 13 | 8 |  |
| 2 | 9 | 1 | 3 | 8 |  |

In de *vierde fase* verdwijnen de positiestrepen en wordt het antwoord zonder tussennotaties opgetekend. Het standaardalgoritme is nu binnen bereik en kan verder ingeoefend worden.

• TOT SLOT

Bij kale sommen kan gebruik worden gemaakt van *vrije produkties*. Men kan kinderen de opdracht geven zelf sommen te maken: makkelijke, middelmoeilijke en moeilijke. Om het algoritme goed te leren doorzien zijn *vleksommen* doelmatig (figuur 80).

———————— FIGUUR 80: VLEKSOMMEN

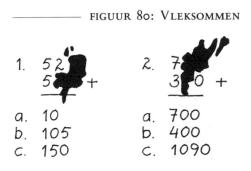

1. 5 2 ● +
   5 ● +

a. 10
b. 105
c. 150

2. 7 ● +
   3 ● 0 +

a. 700
b. 400
c. 1090

Op het gebruik van *contextproblemen* gaan we later in een aparte bespreking in.

NOTEN BIJ DOELSTELLING I

1.  Bokhove, J. en J. Janssen: Periodiek peilingsonderzoek in het basisonderwijs (5), *Tijdschrift voor nascholing en onderzoek van het reken-wiskundeonderwijs*, 7(3/4), pag. 3-14.
2.  Zie: Jong, R. de: *De abacus*, IOWO, Utrecht 1977.

DOELSTELLING 2
De leerlingen kunnen cijferend aftrekken-onder-elkaar volgens de
standaardprocedure of een variant daarvan

Het traditionele aftrekkingsalgoritme bezorgt kinderen veel problemen: in de middenbouw beheerst een van de twee kinderen de
standaardprocedure en in de bovenbouw zijn dat er vier van de
vijf.[1] De twee meest voorkomende categorieën fouten zijn:
– per kolom, ongeacht de volgorde, het kleinste getal van het
grootste aftrekken:

$$
\begin{array}{r}
542 \\
389\ - \\
\hline
247
\end{array}
$$

– bij het aftrekken van nul consequent een verkeerde handeling
verrichten:

$$
\begin{array}{r}
9\ 1 \\
602 \\
436\ - \\
\hline
266
\end{array}
\quad \text{of} \quad
\begin{array}{r}
602 \\
437\ - \\
\hline
135
\end{array}
$$

Maar er zijn nog tientallen andere systematische fouten opgespoord via het vele onderzoek dat in de loop van de jaren is gedaan.[2]
Uiteraard is men ook voortdurend op zoek geweest naar de meest
waardevolle en effectieve onderwijsmethode. In het volgende zullen enkele methoden worden beschreven. Net als bij het optellen
beginnen we met een beschouwing over hoe men via (gestileerd)
hoofdrekenen-onder-elkaar geleidelijk tot een alternatieve procedure van cijferen kan komen. Daarna worden twee leergangen van
puur cijferen geschetst. Eerst een strak gestuurde cijferaanpak met

behulp van de abacus. Daarna een onderwijsimpressie van een pure standaardleergang met behulp van MAB-materiaal waarin de leerlingen wat vrijer worden gelaten. De verschillende oplossingsmethoden van kinderen worden nu wat nauwkeuriger onder de loep genomen waarbij een verrassende overeenkomst met de eerder geschetste alternatieve procedure naar voren blijkt te komen.

• COMBINATIEMETHODE HOOFDREKENEN-CIJFEREN

*Cijferen vanuit hoofdrekenen of juister cijferen als een gestileerde vorm van hoofdrekenen*
Op de Village Community School in New York construeren de kinderen hun eigen algoritmen, ook voor het aftrekken.[3] Ze hebben de beschikking over MAB-materiaal. De meest opvallende punten van hun 'natuurlijke' methoden zijn:
– de kinderen rekenen in de leesrichting (gedeeltelijk) kolomsgewijs van links naar rechts;
– de kinderen rekenen met positiewaarden en niet louter met positiegetallen;
– de standaardmethode van het lenen wordt niet gevolgd, maar er wordt ofwel gewerkt met tekorten of eerst afgetrokken van tien;
– hun methoden ontwikkelen zich volgens voortschrijdende verkorting.
Aanvankelijk worden, zoals ook al eerder aangegeven, de volgende oplossingen bedacht bij een opgave als:

$$\begin{array}{r} 53 \\ 24 \ - \\ \hline \dots \dots \end{array}$$

– 53 min 20 is 33, dan 4 eraf 32, 31, 30, 29;
– 50 min 20 is 30, 30 plus 3 is 33, 33 min 4 is 29;
– 50 min 20 is 30, 30 min 4 is 26, 26 plus 3 is 29;
– 50 min 20 is 30, 3 eraf 4 dan moet er nog één van de 30 af, 30 min 1 is 29.

Indien met MAB wordt gemanipuleerd, voltrekken zich de reken-
handelingen op analoge wijze met blokken. Speciaal de laatste werkwijze leent zich voor kolomsgewijs rekenen. Sterker: de kiem van een alternatief algoritme, namelijk van
kolomsgewijs hoofdrekenen, ligt erin besloten. Voor wat grotere
getallen gaat dat zo:

$$
\begin{array}{l}
8371 \\
3754 \; - \\
\hline
5000 - 400 + 20 - 3 = 4617
\end{array}
$$

Kortom, er wordt van links naar rechts gerekend met positiewaarden en tekorten. Alleen wordt de voortschrijdende verkorting bij
deze notatiewijzen nog niet volledig uitgebuit - we komen daarop
direct terug.

In de onderzoeksliteratuur duidt men deze alternatieve procedure,
die voortkomt uit het kolomsgewijze rekenen, vaak aan met de
naam van de kinderen die hem hebben ontdekt: men spreekt dan
van de methode van Kye, of van Mark, of van Danny, of van Stephen, ...[4] Maar ook leraren, onderwijsontwikkelaars en onderzoekers hebben herhaaldelijk op deze natuurlijke combinatiemethode van hoofdrekenen en cijferen gewezen. We citeren uit de
meest recente bijdrage, namelijk een ingezonden brief in 'The
Arithmetic Teacher' (december 1987) van de hand van Stanley
Becker:

'De aftrekking-van-voor-naar-achter kan aan een derdeklas-
ser op de volgende manier worden uitgelegd:

$$
\begin{array}{rcll}
 & & 634 & \\
 & & 368 \; - & \\
\hline
600 - 300 = 300 & \rightarrow & 300 & \\
30 - 60 = (30) & \rightarrow & (30) & \\
4 - 8 = (4) & \rightarrow & (4) & \\
\hline
300-30-4 = 270-4 = & & 266 &
\end{array}
$$

Het voorbeeld geeft het eindresultaat van het proces van aftrekken-van-voor-naar-achter.'[5]

Wij zouden dit echter niet als eindresultaat hoeven te beschouwen, net zo min als de eerder aangeduide schrijfwijze bij het voorbeeld '8371 - 3754'. Het volgende willen we als mogelijke verkorting toevoegen:

$$
\begin{array}{r}
8371 \\
3754 - \\
\hline
5423 \\
4617
\end{array}
$$

Enkele opmerkingen over zowel de notatiewijze: 5 4 2 3 als over de manier waarop men vandaar tot de uitkomst 4617 komt:

Men zou de tekorten op de twee betreffende positieplaatsen met haakjes kunnen noteren: 5(4)2(3) zoals de zojuist geciteerde Becker met de positiewaarden doet. Of kunnen aanduiden met min-strepen onder of boven de getallen: 5423 als verkorte schrijfwijze - een notatievorm die Wiskobas voorstond.[6] Ook is het mogelijk de tekorten met rood te schrijven, zoals een Nederlandse onderwijsgevende met zijn groep deed.[7]
We kunnen echter ook voor 'rondjes' kiezen, zodat uit de schrijfwijze kan worden gelezen dat er nul op die positie over is en er zelfs nog wat weggenomen moet worden, namelijk het getal dat in het rondje staat: 5 ④ 2 ③. Men kan ook een punt of een klein rondje boven de tekort-getallen plaatsen om aan te geven dat men onder nul werkt.[8] In principe is ieder van de notatiewijzen toereikend om de tekorten op de betreffende positie aan te duiden. Het is dan ook aan te bevelen de kinderen zelf een passende vorm te laten bedenken of kiezen uit enkele van de genoemde mogelijkheden.
Hoe kan men van 5 4 2 3 tot 4617 komen? Natuurlijk is het mogelijk om 5 4 2 3 om te zetten in 4617 via het inwisselen van respectievelijk *1* duizend en *1* tien. Maar men moet wel bedenken dat

we dan met een tussenuitkomst als bijvoorbeeld 400<u>7</u> dezelfde problemen krijgen als bij het 'pure' cijferen, terwijl langs de weg van het hoofdrekenen 4000 − 7 niet veel moeilijkheden hoeft op te leveren, tenminste indien de kinderen flexibel kunnen optellen en aftrekken met machten van tien. Overigens zijn er leerlingen die zo'n algoritme zelf snel ontwikkelen.[9] Het is mogelijk om de overgang naar het standaardalgoritme vanuit het kolomsgewijze hoofdrekenen te maken, en wel op dezelfde wijze als bij het optellen. Het is dan nodig om de leerlingen erop te wijzen dat het rekenen vanaf rechts, net als bij het cijferend optellen, makkelijk is. We nemen het eerdergenoemde voorbeeld:

$$
\begin{array}{r}
8371 \\
3754 \;- \\
\hline
5423
\end{array}
$$

Rekenend vanaf rechts verloopt de leenprocedure als volgt:

$$
\begin{array}{r}
8371 \\
3754 \;- \\
\hline
5423 \\
\hline
7
\end{array}
\qquad
\begin{array}{r}
8371 \\
3754 \;- \\
\hline
5423 \\
\hline
17
\end{array}
\qquad
\begin{array}{r}
8371 \\
3754 \;- \\
\hline
5423 \\
\hline
617
\end{array}
\qquad
\begin{array}{r}
8371 \\
3754 \;- \\
\hline
5423 \\
\hline
4617
\end{array}
$$

Hierbij wordt met positiecijfers gewerkt: er wordt zo nodig geleend bij de buurcijfers, terwijl bij het hoofdrekenen de oplossing wordt gevonden via 5000 − 400 + 20 − 3 = 4617. Er is dus sprake van cijferen, zij het dat niet de standaardmethode wordt gebruikt. Men kan desgewenst nog een stapje verder gaan en de tussennotatie weglaten. Indien er geleend wordt kan men dit aangeven bij de buurkolom door daar bijvoorbeeld een punt boven de kolom te plaatsen of iets dergelijks. Men hanteert dan in feite de standaardprocedure - straks komen we nog even op deze overgang naar het standaardalgoritme terug.

• PUUR CIJFEREN

*Puur cijferen met behulp van de abacus via een betrekkelijk strak gestuurde aanpak*[10]
In de *eerste fase* wordt uitsluitend op de abacus gerekend, dus zonder notatie op papier. Opgaven met hooguit één inwisseling. Afspraak: rechts beginnen, dus bij de eenheden (figuur 81).

─────────── FIGUUR 81: AFTREKKEN OP DE ABACUS

396
148 −
───

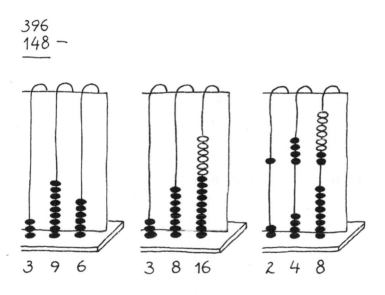

3 9 6        3 8 16        2 4 8

───────────

In de *tweede fase* wordt zowel op de abacus gewerkt als op papier gerekend. Ook opgaven met opeenvolgende inwisselingen worden aangeboden. Twee werkwijzen zijn nu mogelijk, namelijk ten eerste ervoor zorgen dat alle kolommen kloppen voor de aftrekkingineens (de methode van een Hilversumse school) en ten tweede per kolom inwisselen en afrekenen (de Arnhemse methode) - (figuur 82).

724
186 −

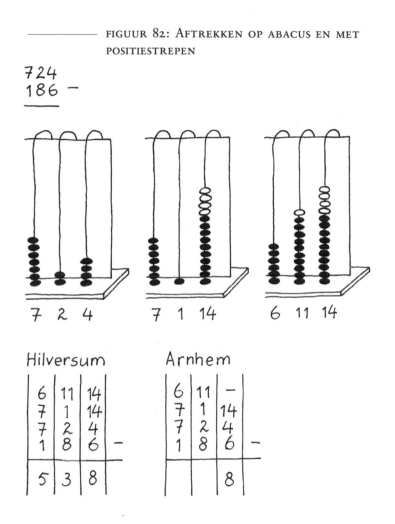

| 6 | 11 | 14 | |
| 7 | 1 | 14 | |
| 7 | 2 | 4 | |
| 1 | 8 | 6 | − |
| 5 | 3 | 8 | |

In de *derde fase* rekenen de leerlingen alleen op papier binnen het schema van de positiestrepen, dus zonder gebruik te maken van de abacus. In deze fase is het verwoorden van de rekenhandelingen van bijzonder belang. In Hilversum verloopt dit dan als volgt (figuur 83).

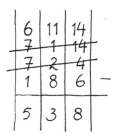

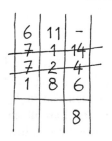

Frank:
- bij de eenheden en tientallen kan ik niet aftrekken;
- ik zet 724 anders op; zo: |7|1|14|;
- nu kan ik de tientallen nog niet aftrekken;
- ik zet |7|1|14| nog anders op;
- zò: |6|11|14|;
- nu kan ik overal aftrekken;
- er komt 538 uit.

En in Arnhem gaat het aldus (figuur 84).

Marco:
- zes van de vier kan niet;
- inwisselen bij de tienen; zo: | 7 | 1 |14|;
- zes van de 14 is acht;
- bij de tienen kan ik niet aftrekken;
- in de eerste kolom zet ik een streepje,
  want daar ben ik klaar;
- inwisselen bij de honderden; zo: | 6 |11| - |;
- nu acht van de elf; is drie;
- en één van de zes; is vijf;
- er komt dus 538 uit.

---

In deze fase is nog een verkorting mogelijk bij het noteren van de
lening c.q. inwisseling, dat wil zeggen dat /6/11/14 in één stap
ontstaat. In de *vierde fase* tenslotte wordt zonder positiestrepen gerekend
volgens de standaardmethode. Een kleine variatie in notatiewijzen
is hier mogelijk waarin de restanten van fase drie minder of meer
zichtbaar blijven - de leergang is voltooid.

*Puur cijferen met behulp van MAB in een betrekkelijk vrije aan-
pak*
In het volgende wordt een moment-opname gemaakt van cijferend
aftrekken aan de hand van de opgave '312 - 187'. De leerlingen
volgen een leergang waarin ze vrijelijk over MAB-materiaal kunnen beschikken.[11]
In de *eerste fase* wordt alleen met MAB gewerkt. De aftrekking
'312 - 187' wordt dan opgelost door 312 uit te leggen met drie
plakken, één staaf en twee blokjes. Daarvan moeten één plak,
acht staven en zeven blokjes worden afgehaald. Dat kan alleen
maar als er eerst geleend en ingewisseld wordt, dus net als zojuist

beschreven bij de abacus - de werkwijze van rechts naar links wordt min of meer voorgeschreven. In de *tweede fase* worden MAB en notatie gecombineerd. En in de *derde en vierde fase* voeren de kinderen de aftrekking uitsluitend op papier uit, of met positiestrepen of in de conventionele notatievorm.

De volgende onderwijsimpressie betreft de laatste fase van de leergang: de kinderen gebruiken geen MAB meer (al mag dat best) en noteren de opgaven op de standaardmanier. Oppervlakkig bezien werken ze allemaal op dezelfde wijze. Maar dat is slechts schijn, zo zal uit de interviews van Birgitte Bennedbek blijken. Want juist het feit dat de kinderen niet precies wordt voorgeschreven hoe ze moeten 'handelen' (lenen, inwisselen) heeft tot gevolg dat er vele subtiele verschillen in oplossingsmethoden zijn ontstaan. Tom, Christien, Morten en Dorthe worden hier als uitvinders van de verschillende strategieën opgevoerd.

## Tom

Tom tekent het volgende bij zijn oplossing aan:
'9 van 2, dat gaat niet, dus moet ik lenen,
dan heb ik 12
dat is 3
8 van 0
dan moet ik lenen
en dan is daar 2 over
en dan 8 van 10, dat is 2
en 1 van 2 dat is 1.'

## Christien

Het commentaar van Christien:
'Ik heb 2 en 9 en dat kan niet
dus neem ik een van die en dan krijg ik 3,
dan heb ik 0 en 8 en dat kan ik niet
dus neem ik 1 en wissel in
dan krijg ik 2, en 2 en 1 geeft 1.'
Je zei zojuist 'en dan krijg ik drie', hoe deed je dat?
'Wel, ik nam hier een tien, dan heb ik tien van die andere (wijst op de eenheden) en tien en negen, dan heb ik er één over, en met die twee is dat drie.'

*Morten*

Morten geeft de volgende motivering:
  '9 van de 2 kan niet
  dus nam ik er daar 10
  en dan nam ik 2 van de 9
  en dan werd het 7 van 10 en werd het 3
  en dan werd dat 2 (wijst op de tien-kolom)
  en dan werd het 223.'
  Hoe kwam je aan twee honderden?
  1 van 3 is 2, wel, nee... ik heb er één
  van gebruikt, zie, dus wordt het 1.'

*Dorthe*

Dorthe licht haar werkwijze glashelder toe:
  'De 2 en de 9 betekent dat er nog 7 zijn die weggenomen
  worden dus pak ik een 10 en dan blijven er 3 over.
  0 en 8 betekent dat er nog 8 weggehaald moeten worden dus
  neem ik er een honderd, dan heb ik 2 over.
  8 van 10 tienen is 2
  1 van 2 is 1.'

Tom volgt de klassieke oplossing. Christien benut de makkelijke aftrekking van tien. En Dorthe en Morten werken met tekorten. Met name de werkwijzen van Christien, Dorthe en Morten blijken 'natuurlijk' te zijn, dus veel door kinderen zelf gehanteerd te worden indien men ze vrij laat.

Dat blijkt ook uit het eerder genoemde onderwijs op de Village Community School waarin kinderen nog vrijer waren en niet eens de aanwijzing kregen om van rechts naar links te werken, dus bij de eenheden te beginnen, zoals zojuist hiervoor werd beschreven. Die natuurlijke werkwijzen, met name de rekenwijzen met tekorten blijken mooie toegangen naar alternatieve procedures te bieden die cijferen en hoofdrekenen verbinden. En daarmee zijn we weer terug bij de alternatieve combinatiemethode van hoofdrekenen en cijferen waarmee we straks begonnen. We stelden immers eerder dat er een overgang van het rekenen met tekorten naar het standaardalgoritme mogelijk zou zijn. Niet dat we dit per se nodig achten, zeker niet, maar het kan op een hele natuurlijke wijze.

• TOT SLOT

Voor het inoefenen van het aftrekken onder elkaar kunnen *vrije produkties* van de leerlingen een belangrijke functie vervullen (figuur 85).

─────── FIGUUR 85: VRIJE PRODUKTIES VAN ANNEMARIE EN SANDER MET DE COMBINATIEMETHODE VAN HOOFDREKENEN EN CIJFEREN

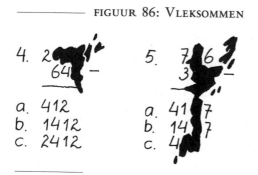

Annemarie                                    Sander

Om het algoritme te leren doorzien kan gebruik gemaakt worden van *vleksommen* (figuur 86).

─────── FIGUUR 86: VLEKSOMMEN

4.  2⬛️ —
       64⬛️

a.  412
b.  1412
c.  2412

5.  7⬛️6⬛️ —
       3⬛️

a.  41⬛️7
b.  14⬛️7
c.  4⬛️

Op de kwestie van de *contextproblemen* gaan we later in.

## Noten bij doelstelling 2

1. Bokhove, J. en J. Janssen: Periodiek peilingsonderzoek in het basisonderwijs (5), *Tijdschrift voor nascholing en onderzoek van het reken-wiskundeonderwijs,* 7(3/4), 1989, pag. 3-14.

2. Bekend onderzoek in verband met systematische fouten bij het cijferen, waaronder aftrekken:

   Schonell, F.J. en F.E. Schonell: *Diagnosis and remedial teaching in arithmetic,* Oliver & Boyd, Edinburgh 1957.

   Cox, L.S.: Diagnosing and remediating systematic errors in addition and subtraction, *The Arithmetic Teacher,* 1975, pag. 151-158.

   Radatz, H.: *Fehleranalysen im Mathematikunterricht,* Vieweg, Braunschweig 1980.

   Brown, J.S. en K. van Lehn: Towards a generative theory of 'bugs', *Addition and Subtraction. A Cognitive perspective,* (T.P. Carpenter, J.M. Moser en T.A. Romberg eds.), Erlbaum, Hillsdale 1982, pag. 117-135.

   Maurer, S.B.: New knowledge about Errors and New Views about Learners, *Cognitive Science and Mathematics Education,* (A.H. Schoenfeld ed.), Erlbaum, Hillsdale N.J. 1987, pag. 165-189.

3. Madell, R.: Children's natural processes, *The Arithmetic Teacher,* 32(7), 1985, pag. 20-22.

4. Over Kye:

   Cochran, B., A. Barson en R. Davis: Childcreated Mathematics, *The Arithmetic Teacher,* 17, 1970, pag. 211-215.

   Over Mark:

   Davies, H.B.: A second grader's subtraction techniques, *Mathematics Teaching,* 83, 1978, pag. 15-16.

   Over Danny:

   Carnihan, H.: Danny's method of subtraction, *Mathematics Teaching,* 89, 1979, pag. 6-7.

   Over Stephen:

   Nuttael, T.: Readers' Dialogue, *The Aritmetic Teacher,* 28, 2, 1980, pag. 55.

5. Becker, S.: Readers' Dialogue, *The Arithmetic Teacher,* 35, 4, 1987, pag. 5.

6. Zie: Dekker, A., H. ter Heege en A. Treffers: *Cijferend vermenigvuldigen en delen,* OW & OC, Utrecht 1981, pag. 220.

7. Persoonlijke mededeling van Ger Jansen (uitgeverij Zwijsen, Tilburg).

8.    Suggestie van Hessel Pot.
9.    Dongen, A. van: Verschil in reactie, *Tijdschrift voor nascholing en onderzoek van het reken-wiskundeonderwijs*, 7(1), 1988.
10.    Jong, R. de: *De Abakus*, IOWO, Utrecht 1977.
11.    Zie: Bennedbek, B.: Is self taught well taught?, *Mathematics Teaching*, 95, 1981, pag. 11-14.

DOELSTELLING 3
De leerlingen kunnen cijferend vermenigvuldigen volgens de standaardprocedure of een variant daarvan

Aan het einde van de basisschool zijn de resultaten van het cijferend vermenigvuldigen grofweg dezelfde als die van het aftrekken: drie van de vier leerlingen beheersen dan het standaardalgoritme.[1] Dit algoritme ziet er als volgt uit:

$$
\begin{array}{r}
45 \\
62 \times \\
\hline
90 \\
270. \\
\hline
2790
\end{array}
$$

We beschrijven in het volgende op welke wijze vermenigvuldigingen 'onder elkaar' inzichtelijk kan worden geleerd. Eerst wordt een voorbeeld van een leergang geschetst die berust op het principe van herhaald optellen. Daarna worden mogelijkheden voor andere leergangen met een meer meetkundige inslag aangeduid. In deze gevallen gaat het om een combinatiemethode van gestileerd hoofdrekenen en cijferen. Tot slot besteden we ook nog kort aandacht aan de pure cijfermethode.

• COMBINATIEMETHODE HOOFDREKENEN-CIJFEREN

*Leergang op basis van herhaald optellen*
Men kan cijferend leren vermenigvuldigen via de methode van het herhaalde optellen. Door steeds meer verkortingen in de berekening van zo'n lange optelling aan te brengen verschijnt tenslotte het standaardalgoritme. Belangrijke voorwaarden voor een dergelijke verkorting zijn ten eerste de beheersing van de tafels en ten

tweede het kunnen rekenen met nullen.

Voor de beginsituatie roepen we het zwarte pieten-probleem van '8 x 23' uit doelstelling 8 van deel I nog even in herinnering. De meeste leerlingen losten het zwarte-pieten-probleem '8 x 23' op volgens een vorm van herhaald optellen. Ze kenden de tafels op dat moment al wel behoorlijk, maar zetten deze kennis nog niet in om het herhaalde optellen kort en vlot uit te voeren. Worden de kinderen vaker met dit soort problemen geconfronteerd dan komen ze er via nabespreking van de verschillende aanpakken allengs achter dat het handig is om de lange herhaalde optelling met hulp van de tafels op te lossen.[2] Wat vooral ook aanslaat is het pakken van happen van 10, dus $12 \times 23$ via $10 \times 23$ plus $2 \times 23$, wat enkele kinderen ontdekken. Immers $10 \times 23$ is gelijk aan $23 \times 10$ (rechthoekmodel) en dat is 230. Kortom, ze ontdekken de nul-regel.

Met deze wetenschap zijn de kinderen al na een les of tien in staat het volgende, betrekkelijk lastige probleem zelfstandig en handig op te lossen.

In een adresboek van 62 bladzijden staan op iedere pagina 45 namen. Hoeveel namen staan er in het hele boek?

In gedachten zien ze een lange optelling op een tel- of rekenrol. In de klas is zoiets namelijk een paar keer ook werkelijk zo lang genoteerd. Enkele lessen later duiden ze die lengte aan door een lange streep in de lucht (met handbeweging) te trekken, en nog wat later door een streep op papier.

In het adressenboekprobleem zien de handbeweging en de tekening als verkorte aanduiding van de rekenrol waarop 62 keer 45 onder elkaar staat, er als volgt uit.

45
— 10
— 10
— 10
— 10
— 10
— 10
— 2

Zes happen van tien termen 45 worden als het ware uit de kolom genomen en vervolgens nog een hap van twee keer 45. In figuur 87 staat het werk van vijf leerlingen uit groep vijf.

FIGUUR 87: ADRESSENPROBLEEM 62 × 45

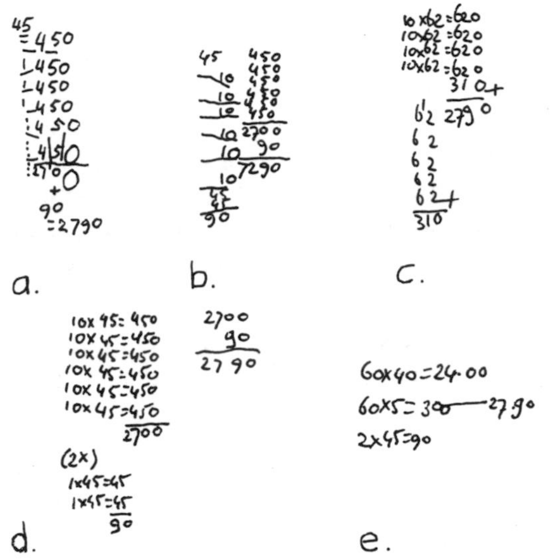

a.

$$\begin{aligned} &\frac{45}{=}450 \\ &\llcorner 450 \\ &\llcorner 450 \\ &\llcorner 450 \\ &: 4\,50 \\ &: 4\underline{5|0} \\ &: 27\overline{{}^{0}0} \\ &\quad +0 \\ &\quad 90 \\ &=2790 \end{aligned}$$

b.

$$\begin{aligned} &45\quad 450 \\ &\underline{-10}\ 4\,5\,0 \\ &\underline{-10}\ 4\,5\,0 \\ &\underline{-10}\ \overline{2700} \\ &\underline{-10}\ 90 \\ &\underline{-10}\ \overline{7290} \\ &\overline{90} \end{aligned}$$

c.

$$\begin{aligned} &10\times62=620 \\ &10\times62=620 \\ &10\times62=620 \\ &10\times62=62\,0 \\ &\qquad 37\,0+ \\ &6'2\ 27^{\,0}0 \\ &6\,2 \\ &6\,2 \\ &6\,2+ \\ &\overline{310} \end{aligned}$$

d.

$$\begin{aligned} &10\times45=450 \\ &10\times45=450 \\ &10\times45=450 \\ &10\times45=450 \\ &10\times45=450 \\ &10\times45=450 \\ &\qquad\overline{2700} \\ &(2\times) \\ &1\times45=45 \\ &1\times45=45 \\ &\qquad\overline{90} \end{aligned}$$

$$\begin{array}{r} 2700 \\ 90 \\ \hline 27\,90 \end{array}$$

e.

$$\begin{aligned} &60\times40=24\cdot00 \\ &60\times5=300\quad\text{—}27\,90 \\ &2\times45=90 \end{aligned}$$

In werkwijze (a) zien we nog duidelijk de gedachtensporen van de lange optelling op de rekenrol in schema gezet. Werkwijze (b) verschilt daarvan niet veel. Alleen worden hier de happen van 10 × 45 expliciet aangegeven. De verwisseling van enkele cijfers (7290 in plaats van 2790) wordt hier kennelijk niet gecorrigeerd door een globale schatting-vooraf. In (c) wordt de omkeereigenschap toegepast. Wellicht gebeurt dit uit gewoonte of om sneller te rekenen. Bij het inwisselen zet deze leerling het te onthouden getal boven aan de kolom. De deeluitkomsten van '4 × 620' en '5 × 62' worden niet eerst apart uitgerekend. Dit kan als we naar het standaardalgoritme toewerken een handicap gaan vormen. De tafelprodukten worden op deze manier niet voldoende benut - correctie is nu geboden. Werkwijze (d) heeft zich evenals die van (c) qua notatiewijze van de lange optelling losgemaakt. De wijze van opschrijven is overzichtelijk, de deeluitkomsten worden eerst gescheiden uitgerekend en dan samengevoegd. De volgende fase is die van het direct uitrekenen en noteren van $60 \times 45$, we komen daar zo nog op. Tenslotte staat in (e) een verregaand verkorte rekenwijze. Mede door het zich realiseren van de lange optelling gebruikt deze leerling bepaalde eigenschappen. Zij of hij is nu toe aan een beslissende verkorting die naar de eindvorm voert. We nemen weer een sprong van tien lessen en kijken hoe het volgende probleem overmeesterd wordt:

Hoeveel uren zitten er in een jaar?

In de aanloop naar dit punt van de leergang, dus tussen les tien en les twintig, is vooral geoefend op het direct uitrekenen van elementaire vermenigvuldigingen van het type $4 \times 386$ met direct inwisselen.

$$
\begin{array}{llll}
\begin{array}{r} 386 \\ 386 \\ 386 \\ 386\,+ \\ \hline 24 \\ 320 \\ 1200 \\ \hline 1544 \end{array}
&
\begin{array}{r} 386 \\ 4\,\times \\ \hline 24 \\ 320 \\ 1200 \\ \hline 1544 \end{array}\ \text{of}
&
\begin{array}{r} 386 \\ 4\,\times \\ \hline 1200 \\ 320 \\ 24 \\ \hline 1544 \end{array}
&
\begin{array}{r} 386 \\ 4\,\times \\ \hline 1544 \end{array}
\\
(1) & (2a.) & (2b.) & (3)
\end{array}
$$

Alle leerlingen zijn door stadium (1) heen. Een aantal bevindt zich nog in stadium (2). Maar er zijn ook heel wat leerlingen, en dat was na een les of tien reeds te zien, die stadium (3) al bereikt hebben. Voor hen ligt het standaardalgoritme binnen bereik.

Hoe het ook zij, het is voor de voortgang van het leren van beslissende betekenis dat dit spoor van elementair rekenen nadrukkelijk wordt getrokken. Samen met de tien-vermenigvuldiging vormt het vermenigvuldigen met direct inwisselen de grondslag van het vermenigvuldigingsalgoritme.

De meest voorkomende oplossingen voor het probleem over het aantal uren in één jaar (24 × 365 of 365 × 24) zijn nu:

$$20 \times 365 = 7300$$
$$4 \times 365 = 1460$$
$$\overline{\phantom{xx}8760}$$

$$10 \times 365 = 3650$$
$$10 \times 365 = 3650$$
$$4 \times 365 = 1460$$
$$\overline{\phantom{xx}8760}$$

– dezelfde werkwijzen, maar dan met alle deelprodukten apart genoteerd, dus werkend als zojuist aangegeven in stadium (2);
– en mengvormen van verkorte werkwijzen (bij 4 × 365) en niet verkorte manieren (bij 20 × 365).
In de eerste oplossing zijn de leerlingen in feite al bij de standaardvorm aangeland. De deeluitkomsten hoeven alleen nog maar in elkaar te worden geschoven.

| 365 | 365 | 365 |
|---|---|---|
| 4 × | 20 × | 24 × |
| 1460 | 7300 | 1460 |
| | | 7300 |
| | | 8760 |
| (a.) | (b.) | (c.) |

In de volgende reeks van tien lessen wordt voor een deel van de groep de nadruk op het oefenspoor van (a) gelegd. Voor een ander deel van de leerlingen die (a) al wel direct uitvoeren maar (b) nog niet, wordt erop aangestuurd om nu ook (b) direct uit te rekenen. En degenen die (a) en (b) apart noteerden leggen zich erop toe de deeluitkomsten in elkaar te schuiven (c). De leergang loopt daarmee voor de laatstgenoemde groep strikt genomen ten einde.

Er zijn een paar *kritische punten* in deze onderwijsopzet waarop we kort willen wijzen. De kwestie van de *voorwaarden* kwam al even ter sprake: tafels, optelalgoritme, en later de tienregel en de elementaire vermenigvuldiging behoren ertoe. Maar er is meer. Zo is het van belang dat kinderen voldoende *vaste ondergrond* voor een werkwijze in een bepaald stadium moeten hebben vooraleer ze verantwoord naar een *verdere verkorting* en een volgende fase kunnen overstappen. Aan de andere kant mag een leerling ook niet te lang op een bepaald niveau van een (relatief makkelijke) rekenwijze blijven hangen. In dat geval dient een stimulans tot een verdere verkorting te worden gegeven. Gaat de leerling te snel voorwaarts dan is er geen weg terug. Dat willen zeggen dat de concrete ondergrond van de lange optelling wegvalt. Het kind realiseert zich niet genoeg wat het doet. Blijft een kind echter te lang hangen dan is er geen weg vooruit. Er treedt dan vroegtijdige verstarring (lees: algoritmisering) van de rekenprocedures op. Deze procedures zijn dan echter nog te lang, te onhandig, kortom van een te laag niveau. De voorwaarden voor bijvoorbeeld het cijferend delen zullen daardoor op langere termijn sterk ingeperkt worden.

*Twee andere leergangen: rechthoekmodel en kruispuntenmodel*
In het voorgaande werd het model van het herhaalde optellen wat nader toegelicht. Men kan echter ook andere modellen kiezen, namelijk:
– het rechthoekmodel en
– het kruispuntenmodel.[3]
In ieder geval zullen de leerlingen vanuit de toepassingen met deze modellen bekend moeten zijn of gemaakt moeten worden (figuur 88).
Het rechthoekmodel dat met name bij oppervlakteberekeningen opduikt is van uitermate groot belang bij het vermenigvuldigen

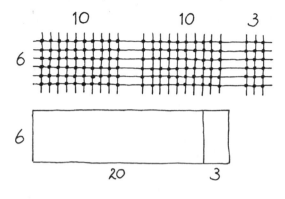

van breuken en kommagetallen, maar ook in allerlei toepassingssituaties waarin grootheden (meetgetallen) in het geding zijn. Het
kruispuntenmodel past bij vermenigvuldigen als kruisen, dus bij
bepaalde combinatieproblemen.

Hoewel beide modellen dus in de sfeer van toepassingen van belang zijn moet nog nader onderzocht worden of ze ook bruikbaar
zijn om het cijferen te leren. Daarom eerst kort iets over het
kruispuntenmodel in vergelijking tot het herhaald-optel-model.
Het *kruispuntenmodel* is visueel sterk en kan goed geschemati-
seerd (verkort) worden. De effectiviteit ervan is aangetoond in een
proefsituatie. Er doet zich echter één probleem voor: de rekenwijze past niet zo goed bij de natuurlijke rekenmanieren die kinderen
bij het oplossen van contextproblemen in praktijk brengen. Met
name voor de zwakkere leerlingen is dit een zeer kritisch punt: de
toepasbaarheid van het algoritme wordt erdoor verminderd. Er is
echter nog een probleem: veel onderwijsgevenden houden niet zo
van dat gestreep. Veel kinderen trouwens ook niet, maar dat is
niet zo'n bezwaar. Integendeel, het is juist een sterk punt van dit
model, want kinderen gaan dan al betrekkelijk snel uit zichzelf
schematiseren en verkorten. Dat gaat bij het eerder genoemde
adressenprobleem bijvoorbeeld dan op een gegeven ogenblik zo
(figuur 89).

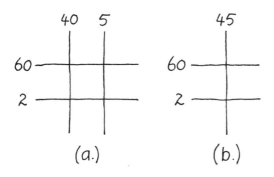

(a.)          (b.)

De kruising in (a) voert echter niet rechtstreeks naar het standaardalgoritme. Op zich hoeft dat geen bezwaar te zijn: we krijgen dan een wat minder verkorte vorm ervan waarvoor de geformuleerde doelstelling ook wel degelijk ruimte laat ('een variant').
Wil men toch naar een verdere verkorting, bijvoorbeeld vooral bij
elementaire produkten als 4 x 365, en dat lijkt ons wenselijk en
haalbaar (het is namelijk in principe niet lastiger dan het optelalgoritme) dan moet men vorm (b) van het schema (in figuur 89) benutten. Maar dan zit men eigenlijk niet ver meer af van de rekenrol, de vingerwijzing in de lucht, en de streep op het papier die bij
het herhaald-optelmodel dienst doen! Sterker: het herhaald-optel-
schema is wat dat aangaat zelfs eenvoudiger omdat daarin de tien
strepen nog apart staan aangegeven.

45
── 10
── 10
── 10
── 10
── 10
── 10
── 2

Ook het *rechthoekmodel* haalt eerst de tientallen en eenheden uit elkaar die dan later toch weer samengevoegd moeten worden.

Dit zijn de belangrijkste kritische punten in deze twee alternatieve modellen die maken dat wij het herhaald-optelmodel preferen. Maar we kunnen ons zeer wel voorstellen dat men daar ook anders over kan denken. In feite zijn de grondprincipes van de opbouw van dergelijke leergangen dezelfde: er wordt aangestuurd op schematisering en verkorting van het rekenen i.c. het vermenigvuldigen waarbij de kinderen in feite zelf het traject uitzetten. Wat hiervoor is opgemerkt over voorwaarden, geleidelijke voortgang, eigen produkties, de relatie met schattend rekenen, de grondslag van contextproblemen en de plaats van de onderwijsgevende in het onderwijsproces geldt dan ook onverkort voor de hier gepresenteerde cijferaanpak, onafhankelijk welk model men hanteert.[4]


• Puur cijferen

Kenmerkend voor het pure cijferen is, zoals eerder opgemerkt, dat daarin rechtstreeks op het eindalgoritme wordt aangestuurd. Bij het vermenigvuldigalgoritme is de enige fundamentele rekenvoorwaarde dat leerlingen een eencijfergetal vermenigvuldigd met een meercijfergetal vlot kunnen uitrekenen, dus met direct inwisselen. De leergang is dan ook zo opgezet dat allereerst die vaardigheid wordt ingeslepen met opgaven van oplopende complexiteit:

$$
\begin{array}{cccc}
32 & 38 & 151 & 158 \\
\underline{4 \times} & \underline{4 \times} & \underline{4 \times} & \underline{4 \times} \quad \ldots
\end{array}
$$

Soms bouwt men daarbij een korte inzichtelijke voorbereidingsprocedure in bij de behandeling van de betreffende deelgevallen (zie pagina 213).

Deze voorberekeningen kunnen inzichtelijk worden onderbouwd met behulp van materiaal: MAB of de abacus. Daarbij wordt eventueel teruggegrepen op het herhaald optellen.

```
  38          38          38
  4 ×         4 ×         4 ×
 ────        ────        ────
 120          32         152
  32         120
 ────        ────
 152         152


 158         158         158
  4 ×         4 ×         4 ×
 ────        ────        ────
 400          32         632
 200         200
  32         400
 ────        ────
 632         632
```

Pas indien de kinderen deze grondvoorwaarde beheersen worden problemen als '62 x 45' en later '24 x 365' aan de orde gesteld. Of eigenlijk daaraan voorafgaand eerst nog 60 x 45 en 20 x 365. Berekening daarvan levert dan echter geen rekentechnische problemen meer op.

Waar zit nu precies het verschil tussen deze pure cijferaanpak en de combinatiemethode van hoofdrekenen en cijferen? De combinatiemethode is kort gezegd tweesporig, als die goed is. Er is een exploratiespoor volgens welke met meercijferige getallen wordt gewerkt en gerekend aan de hand van elementaire contextproblemen. En er is een oefenspoor waarin met eenvoudige opgaven van één- met meercijfergetallen wordt vermenigvuldigd. Bij het exploreren wordt nog niet op de meest verkorte manier gerekend. Bij het oefenen wordt daarop wel geleidelijk aangestuurd, dus net als in de pure cijferaanpak. Het pure cijferen is echter eensporig en bevat in feite alleen een oefenspoor dat uitgezet wordt met opgaven van oplopende moeilijkheid.

Er zijn echter ook wel eensporige uitwerkingen van de combinatiemethode die in feite alleen maar een exploratiespoor volgen. Een dergelijke aanpak leidt echter meestal niet tot een algoritme en is, afgezien daarvan, vaak ook weinig doelmatig opgezet. Slechts een tweesporige combinatie-leergang, in welke van de voorgaande vormen ook gegoten, doet recht aan zowel het reconstructie- als het rekenconstructieprincipe. Het is naar onze mening dan ook eenzijdig en onverantwoord om het oefenaspect volledig overboord te gooien. Zo bezien bevat en omvat de combinatiemethode het pure cijferen, maar voegt er tevens iets aan toe. Namelijk de geleidelijke overgang van de werkwijze van links-rechts naar die van rechts-links, plus het exploreren van grote berekeningen met afschatting van tien- en honderdvouden.

• Tot slot

──────── FIGUUR 90: Vleksommen

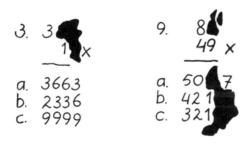

Door op gezette tijden - zeg om de vijf à tien lesuren - gelegenheid te geven *vrije produkties* te maken of zelf evaluaties uit te voeren, kan niet alleen de leerling zelf maar ook de onderwijsgevende zich een goed beeld van de vorderingen vormen. Het gaat bij die produkties allereerst om eenvoudige opgaven, lettend op zowel de getalgrootte als de mate van verkorting die de leerlingen moeten produceren. Deze geven dan het stabiele niveau aan. Maar ook dienen relatief moeilijke opgaven geproduceerd te worden. De leerlingen worden daardoor als het ware uitgedaagd naar een zo hoog mogelijk niveau te reiken.

Het cijferend vermenigvuldigen dient bij voortduring met het schattend rekenen te worden geconfronteerd. Schat vooraf de uitkomst. De links-rechts-rekenwijze komt dan weer in het vizier. Ook *vleksommen* kunnen daartoe een stimulans vormen (figuur 90).

Om het algoritme te leren doorzien kunnen ook *alternatieve oplossingsmethoden* worden aangeboden die op juistheid geanalyseerd moeten worden.

Hoe zitten de volgende berekeningen in elkaar?

| 36 | 36 | 36 | 36 | 48 | 34 |
|---|---|---|---|---|---|
| 23 × | 23 × | 23 × | 23 × | 19 × | 28 × |
| 108 | 360 | 288 | 72 | 960 | 1020 |
| 720 | 360 | 288 | 720 | 48 − | 68 − |
| 828 | 108 | 144 | 36 | 912 | 952 |
|  | 828 | 72 | 828 |  |  |
|  |  | 36 |  |  |  |
|  |  | 828 |  |  |  |

| 73 | 54 | 54 | 54 | 54 | 38 |
|---|---|---|---|---|---|
| 96 × | 24 × | 24 × | 24 × | 24 × | 77 × |
| 7300 | 108 | 216 | 648 | 162 | 266 |
| 292 − | 216 | 1296 | 1296 | 324 | 2660 |
| 7008 | 216 | | | 1296 | 2926 |
|  | 432 | | | | |
|  | 1296 | | | | |

$$\begin{array}{r} 43 \\ 36\ \times \\ \hline 258 \\ 1548 \\ \hline 3332 \end{array} \qquad \begin{array}{r} 98 \\ 34\ \times \\ \hline 3400 \\ 68\ - \\ \hline 3332 \end{array} \qquad \begin{array}{r} 63 \\ 49\ \times \\ \hline 6300 \\ ----- \\ 3150 \\ 63\ - \\ \hline 3087 \end{array}$$

Zulke opgaven hebben uiteraard pas zin indien de leerlingen één algoritme zelf goed beheersen. Bij het leren daarvan hebben ze hun handen vol aan de alternatieve werkwijzen die hun groepsgenoten produceren. Dat is immers de drijfveer van het geleidelijk ontwikkelen van de vermenigvuldigingsprocedure door de leerlingen zelf. De onderwijsgevende heeft in een mechanistisch opgezette cijferleergang vooral een functie als administrateur. Bij inzichtelijk geöriënteerd onderwijs in cijferen lijkt de rol van explicateur heel doeltreffend. In de hier geschetste opzet van het cijferen langs de weg van de geleidelijke schematisering en verkorting is de onderwijsgevende primair educateur. Een educateur die discussies leidt, verschillende aanpakken met de groep bespreekt, werkwijzen analyseert, eigen produkties ontleedt, fouten diagnostiseert, informele werkwijzen honoreert, maar ook wijst op blokkades van op zich genomen mooie vondsten, enzovoort. Tot dat 'meer' hoort ook het steeds op belangrijke markeringspunten in de leergang uitdagende en motiverende *contextproblemen* plaatsen. *Rijke* problemen als het vooral om toepassing van het geleerde gaat, *elementaire* contextproblemen die vooral de functie hebben een nieuwe stap in de leergang te laten zetten - we komen daarop later nog terug.

NOTEN BIJ DOELSTELLING 3

1.  We ontlenen deze gegevens onder andere aan Engels, Amerikaans en Nederlands onderzoek:
    APU: *Mathematical Development,* Primary Survey Report no.1, H.M.S.O., London 1980.
    Carpenter, T.P. e.a.: *Results from the Second Mathematics Assessment of the National Assessment of Educational Progress,* NCTM, Reston 1981.
    Bokhove, J. en J. Janssen: Periodiek peilingsonderzoek in het basisonderwijs (5), *Tijdschrift voor nascholing en onderzoek van het reken-wiskundeonderwijs,* 7(3/4), 1989, pag. 3-14.

2.  Zie bijvoorbeeld:
    Hutton, J.: Memoirs of a math teacher 5. Logical reasoning, *Mathematics Teaching,* 81, 1977, pag. 8-12.
    Walther, G.: Acquiring Mathematical Knowlegde, *Mathematics Teaching,* 101, 1982, pag. 10-12.

3.  Zie bijvoorbeeld:
    Treffers, A. (ed.): *Cijferend vermenigvuldigen en delen (1).* Overzicht en achtergronden, IOWO, Utrecht 1979.
    Dekker, A., H. ter Heege en A. Treffers: *Cijferend vermenigvuldigen en delen volgens Wiskobas,* OW & OC, Utrecht 1981.

4.  Snippe heeft op deze aanpak gereageerd en ook op het delen. Zie:
    Snippe, J.: Reactie op de 'Proeve ...' ten aanzien van cijferend vermenigvuldigen en delen, *Tijdschrift voor nascholing en onderzoek van het reken-wiskundeonderwijs,* 7(2), 1989, pag. 35-39.
    Zie ook:
    Koopman, N.J.: Leergang cijferend vermenigvuldigen, *Tijdschrift voor nascholing en onderzoek van het reken-wiskundeonderwijs,* 7(3/4), 1989, pag. 25-28.

DOELSTELLING 4
De leerlingen kunnen cijferend delen volgens de standaardprocedure of een variant daarvan

De traditionele staartdeling is een lastig algoritme. Hij vormt van oudsher de eerste grote barrière in het rekenonderwijs. Slechts de helft van de leerlingen - internationaal bezien - slaagt er aan het einde van het basisonderwijs bijvoorbeeld in een opgave als 3052 ÷ 28 tot een goed einde te brengen.[1] En dan laten we de toepassingssituaties nog even buiten beschouwing. Het mag dan ook geen verbazing wekken dat het delingsalgoritme in de nieuwere leerplanvoorstellen slechts een kleine plaats krijgt toegewezen - we noemden eerder het voorbeeld van de 'Standards' uit de Verenigde Staten.[2] De 'Proeve ...' echter zoekt het in een andere richting. In Proeve I en in de inleiding van dit deel over cijferen is daarover al het een en ander gezegd met een voorbeeld over opdelen. In het volgende zal een wat nauwkeuriger beschrijving van de leergang worden gegeven. Het gaat allereerst om een opzet van cijferen waarin de leerlingen de gelegenheid wordt geboden het eindalgoritme of een voorvorm daarvan zelf te construeren via een proces van geleidelijke schematisering en verkorting. We geven twee mogelijke ingangen voor de combinatiemethode hoofdrekenen-cijferen. Daarna wordt een pure cijferaanpak beschreven.

• COMBINATIEMETHODE HOOFDREKENEN-CIJFEREN

*Ingang via opdelen*
Een realistische leergang 'staartdelen' zou, zoals eerder beschreven, zo kunnen starten:

> Op een ouderavond van de school komen 81 ouders. Aan één tafel kunnen zes ouders zitten. Hoeveel tafels moeten er worden geplaatst?

De oplossingsmethoden uit een klas van zeventien leerlingen uit groep vijf blijken de volgende:
- Zeven leerlingen tellen herhaald op '6 + 6 + 6 + 6 ...' of '6, 12, 18, ...' of lopen de tafelrij af: '1 × 6; 2 × 6; 3 × 6; ...'
- Zes leerlingen rekenen verkort; ze nemen eerst 10 × 6 en rekenen vanaf zestig verder, soms via optellen, soms via vermenigvuldigen.
- Eén leerling weet 6 × 6 = 36, verdubbelt, 12 × 6 = 72 en plaatst er dan nog twee tafels bij.
- Van drie leerlingen is niet te achterhalen hoe ze hebben gerekend.

In de nabespreking brengt de onderwijsgevende de drie genoemde oplossingen naar voren. De kinderen stellen daarbij zelf vast dat de tien-keer-methode heel handig is.

Het tweede deel van de les is aan een soortgelijk probleem gewijd:

> Hoeveel potten koffie moeten er voor de ouders worden gezet? In één koffiepot zitten zeven kopjes koffie, en iedere ouder krijgt één kopje.

Wat hebben de kinderen in het eerste deel van de les opgestoken; gaan ze handig rekenen? Dat blijkt inderdaad het geval te zijn:
- De stap-voor-stap manier wordt nog maar door één leerling gevolgd (eerst waren dat er zeven).
- Dertien leerlingen rekenen nu met een hap van tien, 10 × 7 = 70 (eerder waren dat er zes).
- Geen leerling gaat uit van 7 × 7 (was er één).
- En ook nu kan van drie leerlingen niet worden achterhaald hoe ze werkten.

In een volgende fase, wordt het staartdelingsschema geïntroduceerd:

$$
\begin{array}{ll}
6 / 81 \,\backslash & \\
\underline{60} & 10 \text{ tafels} \\
21 & \\
\underline{18} & 3 \text{ tafels} \\
3 & \\
\underline{3} & 1 \text{ tafel} \\
0 & \overline{14 \text{ tafels}}
\end{array}
$$

Dit schema is uiteraard niet alleen bruikbaar voor opdelen maar ook voor verdelen. Bijvoorbeeld voor het eerlijk verdelen van 81 objecten over zes personen. Alleen staat dan in plaats van 'tafels' de aanduiding 'per persoon'. En ... het antwoord is nu anders. Afhankelijk van de context kan het 13 of 13½ zijn, of nog iets anders.

In een wat latere fase wordt met grotere getallen gewerkt:

> Er worden 1128 soldaten vervoerd in bussen met 36 zitplaatsen. Hoeveel bussen zijn nodig?

Differentiatie in de oplossingsmethoden treedt nu op (figuur 91):

───────── FIGUUR 91: OPLOSSINGSNIVEAUS BIJ 1128 : 36

```
36/1128\                    36/1128\
  360   10 bussen             720   20
  ───                         ───
  768                         408
  360   10 bussen             360   10
  ───                         ──
  408                          48
  360   10 bussen              36    1
  ──                          ──
   48                          12   (1)
   36    1 bus
  ──
   12   (1 bus)

  (a.)                        (b.)


36/1128\
 1080   30
 ────
   48
   36    1
  ──
   12   (1)

  (c.)
```

───────────

In deze oplossingen tekent zich het abc van de hele leergang af. Weliswaar is het de bedoeling dat alle leerlingen niveau (c) bereiken. Alleen komt de ene leerling sneller tot de verkorte rekenwijze dan de andere. Maar zelfs als een kind op niveau (b) of (a) blijft steken kan het per saldo een staartdeling maken. Uiteraard wordt in deze leergang ook met kale delingsopgaven geoefend. Maar zo'n bussenprobleem blijft dan nog wel voortdurend op de achtergrond staan. Al rekenend kunnen kinderen zich een dergelijke vervoersituatie voor ogen stellen. Daarmee verkrijgen de procedurehandelingen als het ware een concrete ondergrond, en controle op en sturing van het rekenwerk blijft mogelijk.

*Ingang via verdelen*
Er wordt gestart met een elementair probleem van eerlijk verdelen:

> 342 stickers worden onder vijf kinderen verdeeld, hoeveel krijgt ieder?

In de eerste fase voeren de kinderen het verdelen concreet uit via één-voor-één uitdelen. Tegelijkertijd noteren ze het resultaat. Uiteraard komt daarbij op een gegeven moment de langdradige en onhandige één-voor-één-verdeling ter discussie te staan.
In de tweede fase worden dan ook grotere porties uitgedeeld. De stand wordt bijgehouden in een soort verdelingsschema (figuur 92).

—————————— FIGUUR 92: VERDELINGSSCHEMA

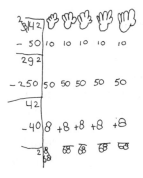

In de derde fase noteren de kinderen nog maar één kolom. Tevens proberen ze zo groot mogelijke happen af te schatten en uit te rekenen.

Voor het genoemde voorbeeld zou dat kunnen gaan als aangegeven in figuur 93, maar er zijn allerlei andere overgangsvormen mogelijk.

FIGUUR 93

$$
\begin{array}{ll}
4/324\big\backslash & \quad \sqcup \\
\ \ 200 & \ 50 \\
\overline{\ \ 124} & \\
\ \ 120 & \ 30 \\
\overline{\ \ \ \ 4} & \\
\ \ \ \ \ 4 & \ \ 1 \\
\overline{\ \ \ \ 0} & \ 81 \\
\ \ (a.) &
\end{array}
\qquad
\begin{array}{ll}
4/324\big\backslash & \\
\ \ 320 & \ 80 \\
\overline{\ \ \ \ 4} & \\
\ \ \ \ \ 4 & \ \ 1 \\
\overline{\ \ \ \ 0} & \ 81 \\
\ \ (b.) &
\end{array}
$$

In de vierde fase worden de honderdtallen, tientallen en eenheden per ronde maximaal verdeeld. De notatiewijze gaat steeds meer naar de standaardvorm toe. Dat wil zeggen dat de quotiënten volledig worden uitgeschreven. Verdergaande verkorting is ten eerste niet meer van essentieel belang en ten tweede is uit onderzoek gebleken dat de overgang naar de gangbare standaardvorm veel tijd en moeite kost.[3] Het derde argument om de laatste verkorting niet aan te leren, is echter de belangrijkste: hij is ongewenst omdat de weg terug naar de langere rekenwijzen met alle correctiemogelijkheden van dien wordt geblokkeerd evenals de weg vooruit omdat die laatste stap voor vele leerlingen te groot blijkt te zijn. Volstaan we met de bovengenoemde eindvorm dan behoeven niet zestig à honderd lesuren meer besteed te worden maar kunnen we het doen met de helft, dus dertig uur, terwijl toch de resultaten beduidend beter zijn.[4] In figuur 94 staat een tussenstand halfweg de leergang, dus na vijftien lesuren.

```
12/6394          12/6394              12/6394
  1200 | 100       2400 | 200           6000 | 500
  5194             3994                  394
  1200 | 100       2400 | 200           360 | 30
  3994             1594                  34
  1200 | 100       1200 | 100           24 | 2
  2794              394                  10 | 532
  1200 | 100        360 | 30
  1594               34
  1200 | 100         24 | 2
   394               10 | 532
   120 | 10          rest
   274              ⸢ 10
   120 | 10
   154
   120 | 10
    34
    24 | 2
    10 | 532

    (a.)             (b.)                 (c.)
```

In deze deling verschijnt een rest. Op zich is dat geen enkel probleem. Maar dat wordt het wel wanneer we in de sfeer van de toepassingen komen en er vaak iets met die rest moet worden gedaan. Aangezien in deze aanpak van het cijferen naast het maken van kale sommen ook voortdurend elementaire contextproblemen als concrete oriënteringsbasis worden benut ligt het voor de hand de rest-kwestie van meet af aan mee te nemen. Dat betekent wel dat na de uitvoering van de deling de rekenuitkomst steeds moet worden terugvertaald naar de realiteit van de probleemsituatie. En dat houdt dan bijvoorbeeld in dat de 'uiteindelijke' uitkomst van 6394 : 12 sterk kan variëren.

• Puur cijferen

De getallen worden uiteengelegd in eenheden gepresenteerd door kubusjes, in tientallen met staven van tien, in honderdtallen via vierkante plakken met tien staven enzovoort. In het geval van de staartdeling wordt dit positiemateriaal eerlijk verdeeld en de opbrengst ervan later genoteerd in een vorm die naar die materiaalverdeling verwijst.[5] (figuur 95)

──────── FIGUUR 95: Staartdeling met mab-materiaal

Van meet af aan wordt op de meest verkorte rekenwijze, het standaardalgoritme, aangestuurd. Geleidelijk worden eerst de deeltallen vergroot en later de delers, raakt het manipuleren met blokken steeds meer op de achtergrond en verdwijnt zelfs de verwijzing naar die blokken in het notatieschema. Zo'n leergang wordt globaal als volgt opgebouwd:
– eerst positie-blokken verdelen;

– dit daarna koppelen aan het noteren van de verdeling in een schema;

– dan de deling uitvoeren en noteren zonder manipuleren, maar via kijken en verwoorden van de verdelingshandelingen;

– en tenslotte het louter mentale rekenen en het noteren van de staartdeling zonder voorbedrukt schema;

– en dit alles eerst handelend met eencijferige delers en kleine deeltallen, dan gedeeltelijk handelend met grotere deeltallen, en tenslotte mentaal werkend met grotere deeltallen en grotere delers.

• TOT SLOT

Bij het oefenen kan ook hier weer gebruik worden gemaakt van vrije produkties, van vleksommen en alternatieve oplossingen. Bij de *vrije produkties* kan men bijvoorbeeld een opdracht geven om een moeilijke som te bedenken en op te lossen. Wat vindt die leerling moeilijk? Wat is de mate van verkorting in de rekenwijze? Wordt er aandacht besteed aan de nulproblematiek (bijvoorbeeld de moeilijkheid van een nul midden in het quotiënt). Is er een restgetal in de staart? Ook kunnen die vrije produkties zich op contextopgaven richten. Neem de mogelijke antwoorden van het straks geschetste probleem 6394 : 12:

532
533
532 rest 10
532 5/6
532,8 rest 4
532,83333
ongeveer 500

Kunnen bij deze uitkomsten contextverhaaltjes worden bedacht? Bijvoorbeeld bij het laatste antwoord:

Een auto rijdt 1 op 12. Na een lange vakantiereis van 6394 km hebben we ongeveer 500 liter benzine verbruikt.

Of de een na laatste:

Ik heb 6394 : 12 op een rekenmachine uitgerekend.

De opgave daarvoor zou bijvoorbeeld in de context van geld gesteld kunnen zijn. Dit vertalen en verhalen dient er niet alleen toe de staartdelingsprocedure goed te leren en zich de rekenhandelingen te realiseren, maar ook om de toepasbaarheid ervan te verhogen. Om het delingsalgoritme goed te leren doorzien, kunnen *vleksommen* worden gegeven. De mogelijkheden zijn legio: vlekken in het deeltal, de deler, het quotiënt, de staart, het restgetal. Datzelfde geldt voor het *analyseren van alternatieve oplossingsmethoden*. We geven twee voorbeelden bij het voorgaande probleem, die niet erg gezocht zijn, maar zich heel natuurlijk voordoen indien met MAB of geld wordt gewerkt (figuur 96). En die juist een belemmering vormen bij het direct aansturen op het eindalgoritme!

——————— FIGUUR 96: ALTERNATIEVE OPLOSSINGEN

1. Buxton, L.: *Do you panic about maths?*, Heineman, London 1981.
   Laing, R.A. en R.A. Meijer: Transitional division algorithms, *Arithmetic Teacher*, 19, 1982, pag. 10-13.

2. Cockcroft, W.H.: *Mathematics counts*, H.M.S.O., London 1982.
   NCTM: Standards for School Mathematics (Working draft), NCTM, Reston 1987.

3. Laing, R.A. en R.A. Meijer: Transitional division algorithms, *Arithmetic Teacher*, 29, 1982, pag. 10-13.
   Suydam, M.N. en D.J. Dessart: Skill learning, *Research in Mathematics Education*, (J. Shumway, ed.), NCTM, Reston 1980.

4. Zie:
   Teule-Sensacq en G. Vinrich: Resolution de problèmes de division au cycle élementaire dans deux type de situations didactiques, *Educational Studies in Mathematics*, 13, 1982, pag. 177-205.
   Rengerink, J.: *De staartdeling*, Vakgroep Onderwijskunde, Utrecht 1983.

5. Borghouts-van Erp, J.W.M.: *Rekenproblemen opsporen en oplossen*, Wolters Noordhoff, Groningen 1978, pag. 88.

DOELSTELLING 5
Leerlingen kunnen de algoritmen, zowel afzonderlijk als gecombineerd, in toepassingssituaties gebruiken

*Optellen* in toepassingssituaties herkennen gaat kinderen goed af. De meest opvallende structuurkenmerken van optellen komen kernachtig tot uitdrukking in de woorden samen, erbij en meer dan. Ze duiden achtereenvolgens op samenvoegen, optellen en vergelijken. De vergelijkingsproblemen worden aanvankelijk het moeilijkst geïdentificeerd, maar aan het einde van de basisschool is het overgrote deel van de leerlingen in staat al deze structuuraspecten van optellen te doorzien.[1]
Sommen als '2027 + 9768 = ...' en '653 + 59 + 4168 = ...' worden door tachtig procent van de leerlingen goed opgelost. En drie van de vier kinderen lossen de volgende opgave goed op (figuur 97).

─────────── FIGUUR 97

| 2 kilo soepvlees met klein beentje | 13.50 |
| 2 kilo braadvlees | 35.50 |

**Zuurkoolpakket**

| 500 gram zuurkool 250 gram zuurkoolspek rookworst, fijn } SAMEN | 5.25 |

| Blik boterhamworst plm. 1600 gram . . . . . . . . . | 7.50 |
| 3 blikken soep naar keuze . . . . . . . . . | 8.00 |
| 250 gram kookworst | 1.50 |

Jasperien koopt:
2 kilo braadvlees
250 gram kookworst
1 zuurkoolpakket
1 blik boterhamworst
Wat moet ze nu
betalen? f --------

Terwijl in de volgende moeilijke opgave de vraag naar het verschil het signaal voor aftrekken bleek te geven. Slechts een op de vier kinderen maakte zich een juiste voorstelling van de opgave en telde op:

'De hoogste bergtop op aarde is de Mount Everest. Zijn hoogte is 8848 m boven de zeespiegel. Het laagste punt van de aardkorst ligt in de Stille Oceaan 11034 m onder de zeespiegel. Hoe groot is het verschil tussen het diepste en het hoogste punt op aarde?

--- m'

Nu levert 'zeespiegel' ook wel een hele lastige context op. Soortgelijke problemen doen zich voor bij verschillen tussen temperaturen onder en boven nul, verdiepingen onder en boven de grond, geldbedragen en schulden, afstanden tussen plaatsen die in tegengestelde richting liggen, enzovoort. Er is geen reden om dergelijke verschilvragen waarin opgeteld moet worden te mijden. Integendeel, er is juist alle reden om kinderen erop te attenderen dat het zoeken naar simpele sleutelwoorden om te bepalen welke operatie moet worden uitgevoerd nogal misleidend kan zijn. En die aandacht wordt daarop gevestigd indien we ze daadwerkelijk confronteren met dit soort opgaven, waarin met gerichte getallen wordt gewerkt.

Eerder schreven we over problemen van *aftrekken* die naar structuur en context kunnen verschillen. We gaan hier nog wat nader op de structuurkwestie in.
Aftrekken kan de gedaanten aannemen van (1) wegnemen, (2) vergelijken en (3) aanvullend optellen. Het blijkt voor kinderen niet moeilijk om in een afhaal- of wegneemprobleem een aftrekking te herkennen. Bij vergelijken en aanvullend optellen ligt dat echter anders. Enkele voorbeelden:
– George heeft 65 postzegels en Suzanne 102. Hoeveel postzegels heeft Suzanne meer dan George?
– Het gezin Dekker maakte een autotocht van 261 kilometer naar vrienden. Na 87 kilometer waren ze even gestopt. Hoe-

veel hadden ze na de stop nog gereden?
- Mijn leesboek is heel dik. Het bevat 243 bladzijden. Ik heb 76 bladzijden gelezen. Hoeveel pagina's moet ik nog?

Aan het einde van de basisschool lossen twee van de drie kinderen dergelijke problemen op via doortellen of optellen.[2] Dat gaat bij de laatste opgave grofweg op de volgende manieren:
- $(76) + 10 + 10 + 4 (100) + 143 (243)$
  $24 + 143 = 167$
- $(76) + 4 + 10 + 10 (100)$ etc.
- $(76) + 100 (176)$ etc.
- mengvormen van optellen en aftrekken: $(243) - 100 (143) - 43 (100)$
  $(76) + 24; 143 + 24 = 167$
- ....

Slechts een op de drie leerlingen hanteert hier het cijferalgoritme:

$$\begin{array}{r} 343 \\ 76\ - \\ \hline ..... \end{array}$$

Bij een grootscheeps onderzoek merken Britse onderzoekers naar aanleiding van deze bevindingen het volgende op: 'Kinderen beschouwen het oplossen van problemen en algoritmen als twee gescheiden gebieden.' En dat komt weer doordat het pure cijferen volledig van het overige rekenwerk geïsoleerd wordt. Wellicht een reden te meer om te overwegen in de toekomst het cijferen via handig tellen en het hoofdrekenen-onder-elkaar met het andere rekenwerk te verbinden. En dat alles van meet af aan in nauwe samenhang met elementaire contextopgaven, naast kale sommen.

Overigens is het opmerkelijk hoezeer de prestaties achteruitlopen indien zich bij een aftrekopgave nullen in het aftrektal bevinden, en er ook nog eens twee keer een bewerking moet worden uitgevoerd.[3]

'De familie Klabbers doet mee aan een puzzeltocht met de auto. Bij de start staat de kilometerteller op 025789. Aan het eind staat hun kilometerteller op 026009. Hoeveel kilometer hebben ze gereden?'

Slechts een op de drie kinderen maakt deze opgave goed. Of is dit geen cijferopgave maar juist een hoofdrekenprobleem? En wat te denken indien er een irrelevant gegeven in de tekst staat?

'De 80-jarige oorlog begint in 1568. Hoeveel jaar is dat nu geleden?'

Hier is de goedscore nauwelijks boven de vijftig procent. Zouden sommige kinderen hier dezelfde fout maken als in het verhaal van Benezet (doelstelling 5 deel I van dit boek)? Dus uitrekenen 1568 - 1988?

Beide voorbeelden tonen aan dat we ons in het onderwijs juist niet tot enkelvoudige, stereotiepe contextopgaven moeten beperken, want dan lokken we op den duur ook stereotiepe oplossingen uit!

Over de structuur van het *vermenigvuldigen* werd eerder geschreven in het deel over basisvaardigheden. Gelijke groepen (dozen), gelijke stukken achter elkaar (stroken), gelijke sprongen, rechthoeken, kruispunten, stippenpatronen, vergrotingen met een bepaalde factor, combinaties en verhoudingen zijn steekwoorden die naar verschillende aspecten van vermenigvuldigen verwijzen. Uit onderzoek blijkt dat van alle basisoperaties het vermenigvuldigen het lastigst is als het gaat om het verzinnen van een verhaaltje bij een kale opgave, maar ook bij het identificeren van de betreffende bewerking in contextproblemen.[4] Drie van de vier leerlingen in de bovenbouw van de basisschool herkennen weliswaar in verhoudingssituaties (dozen, sprongen, etc.) de vermenigvuldigingsstructuur, maar bij combinatievraagstukken slaagt slechts de helft daarin.

Ook in de zelf geproduceerde verhaaltjessommen domineert het aspect van het herhaalde optellen.[5] Combinatorische problemen ontbreken daarbij volledig. En er worden legio fouten gemaakt: slechts een op de drie leerlingen slaagt erin bij opgaven als 62 x 45 een passende context-opgave te bedenken.

Het is van belang dat kinderen dergelijke verhaaltjessommen produceren en kale cijfersommen ontwerpen. Ook is het zinvol dat leerlingen met een verscheidenheid aan toepassingsproblemen geconfronteerd worden waarin de genoemde aspecten van vermenigvuldigen vervat liggen. Bokhove en Janssen geven wat voorbeelden van dergelijke opgaven[6] met goedscores.

'Jos moet 43 bladzijden kopiëren.
Hij moet 27 kopieën hebben van elke bladzijde.
Hoeveel kopieën zijn dat in totaal?

..........          (goedscore 85%)

Een auto rijdt 1 op 17 (1 liter
benzine voor 17 km). In de tank zit
45 liter.
Hoe ver kan die auto daarmee rijden?

.......... km          (goedscore 75%)'

De prijs van een bioscoopkaartje is $f$ 8,--.
Op een avond worden er 327 kaartjes verkocht.
Hoeveel geld wordt er die avond ontvangen?

$f$ ..........          (goedscore 75%)

Een machine spoelt flessen. Je telt hoeveel
flessen er in 5 minuten gespoeld worden.
Dat zijn er 85.
Hoeveel flessen zal die machine per uur spoelen?

......... flessen          (goedscore 55%)

Combinatieproblemen zouden overigens een veel lagere score te zien hebben gegeven. De vermenigvuldigingsstructuur is lastig. We kunnen kinderen die structuur alleen maar goed leren doorzien door ze met die verscheidenheid van typen opgaven te confronteren en plaatjes van oplossingen te laten maken met groepen, stroken, sprongen, rechthoeken, enzovoort.

Bij het *delen* zit de grootste moeilijkheid niet zozeer in het herkennen van de delingsstructuur. Dat lukt bij twee van de drie leerlingen zowel voor verdelen als opdelen.[7] Dat ligt ongeveer hetzelfde als bij het herkennen van de aftrekstructuur en zelfs beter dan bij vermenigvuldigen. En voor zover het herkennen bij delen niet lukt, gebruiken de kinderen informele werkwijzen van opvermenigvuldigen of herhaald optellen die evenzeer naar de goede uitkomst kunnen leiden. Wat bij delen vooral een geweldig probleem blijkt te zijn, is het interpreteren van de rest in de gegeven contextsituatie. Zowel in Nederland als daarbuiten komt de goedscore bij opgaven als de volgende niet hoger dan dertig procent - een reden om in het onderwijs veel meer de verbinding tussen restproblemen en realiteit te leggen.[8]

'Een partij van 8000 chocoladeletters wordt in dozen van 120 gepakt. De laatste doos is niet vol.
Hoeveel chocoladeletters zitten daarin?

Jolien heeft 326 vakantiefoto's. Er passen 12 foto's op een pagina.
Hoeveel pagina's heeft Jolien nodig om al deze foto's in te plakken?

Er worden 1310 ballen in dozen verpakt. In elke doos passen 24 ballen.
Hoeveel ballen zijn er op het laatst over?'

Deze opgaven werden met de rekenmachine nog aanmerkelijk slechter gemaakt dan zonder.[9] Dit resultaat pleit overigens niet tegen het gebruik van de rekenmachine. En zeker ook niet om dergelijke busproblemen als startpunt voor het onderwijs te kiezen.

Met name in de combinatiemethode van hoofdrekenen en cijferen neemt men modelsituaties van optellen, aftrekken, vermenigvuldigen en delen tot uitgangspunt van onderwijs. Willen we kinderen leren algoritmen toe te passen, dan moeten we in die toepassingssituaties juist de bron voor het ontwikkelen van algoritmen leggen, zo luidt de didactische stellingname. Niet alle toepassingssituaties zijn daartoe echter geschikt. Modelsituaties liggen aanvankelijk bij respectievelijk het samenvoegen, weghalen, herhaald samenvoegen en opdelen, wat de basisoperaties aangaat. Maar geleidelijk worden de structuren van deze bewerkingen verrijkt. Bij de pure cijferaanpak daarentegen leert men eerst het algoritme aan en pas daarna komen toepassingen aan bod. Kinderen worden daarbij vooral gericht op het herkennen van de passende operaties. Welke de voor- en nadelen zijn van beide werkwijzen voor zowel het algoritmiseren als het toepassen, zullen we in de laatste doelstelling van het cijferen bespreken. Nu eerst de rekenmachine, die zoals zojuist bleek, niet altijd en zonder meer als simpel rekenhulpje kan fungeren!...

NOTEN BIJ DOELSTELLING 5

1. Carpenter, T.P., J.M. Moser en T.A. Romberg (eds.): *Addition and subtraction: A Cognitive Perspective,* Erlbaum, Hillsdale 1982.
Brown, M.: Number operations, (K. Hart ed.), *Children's Understanding of Mathematics,* Murray, London 1981.
Bokhove, J. en J. Janssen: Periodiek peilingsonderzoek in de basisschool, *Tijdschrift voor nascholing en onderzoek van het rekenwiskundeonderwijs,* 7(3/4), pag. 3-14.
2. APU: *Mathematical development,* Primary Survey Report no 1, HMSO, London 1980.
3. Bokhove, J. en J. Janssen: Periodiek peilingsonderzoek in de basisschool, *Tijdschrift voor nascholing en onderzoek van het rekenwiskundeonderwijs,* 7(3/4), pag. 3-14.
4. Hart, K. (ed.): *Children's Understanding of Mathematics:* 11-16, Murray, London 1981.
5. ibid.
6. Bokhove, J. en J. Janssen: Periodiek peilingsonderzoek in de basisschool, *Tijdschrift voor nascholing en onderzoek van het rekenwiskundeonderwijs,* 7(3/4), pag. 3-14.
7. APU: *Mathematical development,* Primary Survey Report no 1, HMSO, London 1980.
8. Hart, K. (ed.): *Children's Understanding of Mathematics: 11-16,* Murray, London 1981.
9. Carpenter, T.P, e.a.: *Results from the second mathematics assessment of the National Assessment of Educational Progress,* N.C.T.M., Reston 1981.
10. Bokhove, J. en J. Janssen: Periodiek peilingsonderzoek in de basisschool, *Tijdschrift voor nascholing en onderzoek van het rekenwiskundeonderwijs,* 7(3/4), pag. 3-14.

Doelstelling 6
Leerlingen kunnen de rekenmachine gebruiken voor het uitvoeren
van een cijferopgave en de uitkomst in verband brengen met het
oorspronkelijke probleem

Cijferen is, zoals eerder beschreven, het uitvoeren van berekeningen volgens vaste procedures. Om cijferen zo efficiënt mogelijk te
laten verlopen, dienen de procedures zo snel en zo gemakkelijk
mogelijk uitvoerbaar te zijn. Bovendien moeten ze zo min mogelijk kans op fouten bieden. Nog maar zo'n halve eeuw geleden was
het cijferen een van de belangrijkste doelen van het rekenonderwijs. Immers vrijwel al het rekenwerk geschiedde in de praktijk
nog met bord en krijt, potlood en papier.
Reeds eeuwen lang is in Nederland de standaardprocedure voor

cijferend vermenigvuldigen het berekenen van de deelprodukten van vermenigvuldiger met vermenigvuldigtal (figuur 98a). Een andere methode is die voor het uitwerken van de verschillende deelprodukten (figuur 98b).

──────────── FIGUUR 98: TWEE STANDAARDVERMENIGVULDI-
GINGEN

$$
\begin{array}{r}
54 \\
57 \times \\
\hline
378 \\
2700 \\
\hline
3078
\end{array}
\qquad
\begin{array}{r}
54 \\
57 \times \\
\hline
28 \\
350 \\
200 \\
2500 \\
\hline
3078
\end{array}
$$

(a.)          (b.)

─────────

Methode (a) is sneller dan (b), maar het kan nog vlugger namelijk door het antwoord meteen op te schrijven (figuur 99).

──────────── FIGUUR 99: EEN HOOGSTANDJE VOOR HET
WERKGEHEUGEN

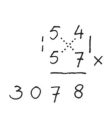

$7 \times 4 = 28$

8 opschrijven          . . . 8

2 onthouden

$7 \times 5 = 35$

$5 \times 4 = 20$

$35 + 20 = 55$

$55 + 2 = 57$

236

7 opschrijven . . 7 8
5 onthouden
5 × 5 = 25
25 + 5 = 30
30 opschrijven 3 0 7 8
k l a a r

---

We wezen al eerder op de Egyptische manier van vermenigvuldigen en zouden daar nog allerlei andere algoritmen aan toe kunnen voegen, bijvoorbeeld die welke in figuur 100 afgebeeld is. Hiermee moge duidelijk zijn dat het begrip standaardprocedure maar betrekkelijk is.

Omdat een cijferprocedure onder meer gekarakteriseerd wordt door de snelheid waarmee het resultaat bereikt wordt, is het niet verwonderlijk dat tegenwoordig bij alle boekhouders een rekenmachine op het bureau ligt. Want daarmee gaat 57 x 54 natuurlijk nog iets vlugger.

FIGUUR 100: ARABISCH VERMENIGVULDIGEN

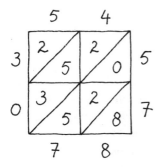

Sinds de komst van de rekenmachine staat het cijferen binnen en buiten het onderwijs, in binnen- en buitenland bij voortduring ter discussie. In de 'Proeve ...' heeft het cijferen een plaats behouden. De argumenten daarvoor zijn in het voorgaande beschreven. Tevens is daarbij uiteengezet tot welk niveau en op welke wijze de doelstellingen voor het cijferen bereikt kunnen worden. We leren dus cijferen, maar bij de voortschrijding van het leerproces van het cijferen zal de nadruk op het feitelijke uitvoeren van de cijferprocedures steeds meer naar de rekenmachine verschoven kunnen worden. Met name speelt dit een rol bij de toepassingen van het rekenen. Niemand in het bedrijfsleven zal er nog aan denken om bijvoorbeeld omrekeningen van koersvaluta met potlood en papier te becijferen. Waar het dan om gaat is het vinden van de omrekeningsfactor, zowel heen als terug, als je weet dat honderd Griekse drachmen overeenkomen met $f$ 1,40.

Omdat de doelstellingen van het cijferen zo geformuleerd zijn dat ook het inzicht in de cijferprocedures blijft behouden, is de rekenmachine niet geschikt voor het maken van rijtjes kale cijferoefeningen. Wel kan hij natuurlijk als controlemiddel gebruikt worden, maar dat levert geen bijdrage tot een beter inzicht in de cijferprocedures en de operaties zelf. Vaak is, vooral in de wat complexere toepassingen op de basisschool, gecombineerd gebruik van rekenmachine met potlood en papier doelmatig om cijferen, rekenmachinegebruik, schattend rekenen en hoofdrekenen te verbinden.

Als we bijvoorbeeld de volgende rekening bekijken:

| | | |
|---|---|---|
| 47 cola à $f$ 1,85 | $f$ | 86,95 |
| 43 koeken à $f$ 1,15 | $f$ | 49,45 |
| 5 uitsmijters à $f$ 7,75 | $f$ | 38,75 |
| | $f$ | 175,15 |

dan kunnen de verschillende produkten via de rekenmachine, maar kan de uiteindelijke optelling gewoon cijferend tot stand zijn gekomen. Vooral bij aanvankelijk gebruik van de rekenmachine zullen namelijk de geheugenfuncties (M+ en MR) nog niet zo gemakkelijk toegepast kunnen worden. En dan biedt de gewone optelling uitkomst, waarbij we ook de schattingen vooraf natuurlijk niet mogen vergeten: $47 \times 1,85 \approx 47 \times 2; 43 \times 1,15 \approx 43 \times 1;$ $5 \times 7,75 \approx 5 \times 8; 86,95 + 49,45 + 38,75 \approx 90 + 50 + 40.$

Zoals eerder beschreven is het uiteindelijke doel een zodanige houding bij de leerlingen te ontwikkelen dat ze zelf beslissen of voor een bepaalde berekening de rekenmachine al dan niet ingeschakeld zal worden. We verduidelijken dit nogmaals met het schema van figuur 101.[1]

FIGUUR 101: BESLISSINGEN OVER REKENPROCEDURES BIJ EEN NUMERIEK PROBLEEM

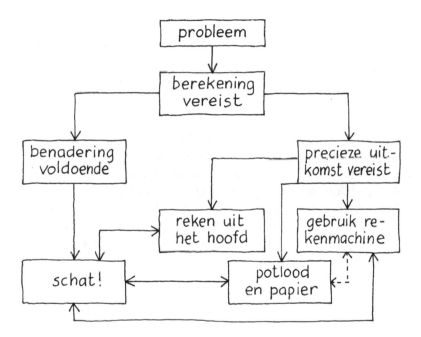

Als een benadering voldoende is, dan schatten we. Maar als we een exacte uitkomst nodig hebben, moet je een passende methode kiezen. Heel veel berekeningen kunnen uit het hoofd gedaan worden ($\times$ 10, $\times$ 100, : 10... $\times$ 2, $\times$ ½...). Soms gebruik je er even een papiertje bij om bijvoorbeeld een deel uit te rekenen (zie het sommetje over de '47 cola's'). Maar als het echt complex wordt gebruiken we natuurlijk de rekenmachine, maar... steeds in samenhang met hoofdrekenen en schatten.

Het moge duidelijk zijn dat de efficiency van de rekenmachine het grootst is bij toepassingsopgaven. Echter ook de cijferopgaven op zich bieden vele mogelijkheden om het inzicht in de structuur van de betreffende algoritmen nader te onderzoeken. We beginnen maar met het lastigste algoritme van de basisschool, te weten het delen.

Delingen met 'dezelfde' uitkomsten als 'quotiënt plus rest' kunnen daarvoor een mooi uitgangspunt zijn:

13 : 4 = 3 rest 1
19 : 6 = 3 rest 1
31 : 10 = 3 rest 1

Voeren we de delingen op de rekenmachine uit dan vinden we:

13 : 4 = 3,25
19 : 6 = 3,1666666
31 : 10 = 3,1

Nu wordt duidelijk dat de rekenmachine mogelijkheden biedt om de *innerlijke structuur van het delen* nog eens te doorgronden. Met name wordt de mogelijkheid geboden om de relaties tussen deler, deeltal, quotiënt en rest beter te begrijpen.

Zoals we zien geven de gewone rekenmachines de antwoorden in kommagetallen.[2] Zo zal het delingsvraagstuk 6394 : 12 als antwoord 532,83333 laten verschijnen. Stel nu dat dit het probleem betrof:

Er worden 6394 eieren in doosjes van twaalf ingepakt.
Hoeveel doosjes zijn dat en hoeveel eieren blijven er over?

Oftewel wat is het quotiënt en de rest van de deling 6394 : 12? Wie de 532 doosjes van twaalf stuks voor zich ziet, kan door terugvermenigvuldigen met de rekenmachine 532 x 12 = 6384 op eenvoudige wijze vinden. De 'rest' (6394 - 6384 = 10) is uit het hoofd uit te rekenen. Zo komt op inzichtelijke wijze en zonder gebruik te maken van formules de relatie tussen quotiëntgetal, deler, deeltal en rest naar voren.[3]

Maar wat betekent de uitkomst 532,83333 eigenlijk precies? Wat gebeurt er als we deze uitkomst met twaalf vermenigvuldigen? Er kan bijvoorbeeld (afhankelijk van de rekenmachine) in het venster verschijnen 6393,9999. Hoe komt het dat er niet precies 6394 staat? En hoe zit het met de kommaregel (vijf plaatsen achter de komma)? De rest zou ook berekend kunnen worden door 532,83333 met 532 te verminderen en het aldus ontstane kommagedeelte van de uitkomst 0,83333 met twaalf te vermenigvuldigen. Maar de eenvoudige rekenmachine levert nu 9,99996 op. Het zit dicht bij de tien. Maar waarom is het niet precies tien? Stel dat 6394 gulden onder twaalf mensen verdeeld mogen worden. En alle ontvangers hebben een girorekening. Hoeveel zal er op hun giro overgeschreven worden? En wat is nu de rest? Hoe zit het als het in contanten gaat? En hoe ziet de deling er nu eigenlijk precies uit?

Kortom, alleen al deze simpele deling biedt stof te over om samen met de kinderen de betekenissen van de verschillende variabelen (deler, deeltal, quotiënt en rest) en hun onderlinge samenhang nog eens goed te onderzoeken. In verband hiermee kunnen juist nietopgaande delingen die uit een toepassing voortkomen bijzonder nuttig blijken. Maar ook kale vraagstukken kunnen hierbij aangewend worden. We geven enkele voorbeelden:

4586 :    26 = 176 rest   10, controleer dit;
   ?  :    71 =  38 rest   43;
15317 :     ? =  40 rest  257;
8347 : 8346 =     ? rest    ?

Daarnaast kan ook de delingsalgoritme als herhaald aftrekken met behulp van een programmeer-trucje nog eens opnieuw aan de orde gesteld worden. We doelen hier op het gebruik maken van de mogelijkheden om wat men noemt met een constante factor (in casu constante aftrekker) te werken.[4]

Tot slot van deze reeks, of eventueel daaraan voorafgaand, noemen we de volgende activiteit:

Bedenk zoveel mogelijk opgaande delingen waar dertien uitkomt.

Hiermee kan het verband tussen delen en vermenigvuldigen opnieuw benadrukt worden. Immers, wie nu de tafel van dertien zal gaan genereren heeft al een hele verzameling delingen te pakken:

$1 \times 13 = 13 \rightarrow 13 : 1 = 13$

$2 \times 13 = 26 \rightarrow 26 : 2 = 13$

$3 \times 13 = 39 \rightarrow 39 : 3 = 13$

etc.

Maar hoe kun je makkelijk inzien dat 2626 : 202 ook in deze lijst hoort?

Om terug te keren naar het probleem van de delingen met rest:

Bedenk alle delingen die als uitkomst '3 rest 1' hebben. Schrijf ook de rij uitkomsten met de rekenmachine op. Wat merk je op?

Ook de *structuur van vermenigvuldigen* kan - als reflectie en analyse achteraf, dus na het leren van de cijferalgoritmen - doorzien worden. Bijzonder geschikt daartoe zijn vraagstukken waarbij wordt gevraagd produkten te berekenen die het vermogen van de eenvoudige zakrekenmachientjes te boven gaan. Enerzijds zien de kinderen dat het machientje ook niet alles kan, anderzijds kan duidelijk worden gemaakt dat inzicht in de cijferalgoritmen een noodzakelijk iets is voor beter begrip van het getalsysteem en de verschillende manieren van cijferend vermenigvuldigen.

Bereken op de rekenmachine:
- 1234 × 56789, en daarna:
- 98765 × 4321.

Waarom lukt de eerste vermenigvuldiging wel op een machientje met acht posities in het venster en waarom gaat dat bij het tweede produkt niet?

Het gaat hier om het kunnen schatten van grote produkten. Grofweg kunnen we zeggen: 1234 × 56789 ≈ 1000 × 60.000 ≈ 60.000.000, waarbij we gebruik maken van het 'nullen rijgen'. Maar bij het tweede produkt gaat het mis, dat zien we bij voorbaat al. Want al zouden we zelfs naar beneden afronden (98765 × 4321 ≈ 90.000 × 4.000) dan zien we al een produkt van 360 miljoen ontstaan, wat een getal is met negen cijfers en dus door

242

een eenvoudig machientje niet kan worden gemaakt.
Blind intoetsen levert bij de meeste machientjes een foutmelding
(*E*). Ook het antwoord zou direct aanleiding moeten geven tot kritisch nadenken. Er komt bijvoorbeeld een punt in het antwoord
voor, het eindcijfer kan direct gecontroleerd worden etc. Het is
een uitdagende opgave om toch met gebruikmaking van de rekenmachine het precieze produkt te vinden. Dan blijkt eens te meer
dat de cijferprocedures op papier essentieel zijn voor het oplossen
van dit probleem. Een mogelijkheid biedt de volgende werkwijze:

$$
\begin{array}{r}
98765 \\
43 \times \quad \downarrow \ (rm) \\
\hline
4246895 \quad \downarrow \times 100 \\
424689500 \\
\hline
2074065 \ + \quad \longleftarrow \\
\hline
426763565
\end{array}
\qquad
\begin{array}{r}
98765 \\
21 \times \ (rm) \\
\hline
2074065
\end{array}
$$

Het gezamenlijk zoeken naar een oplossing van een dergelijk probleem zou de kern van de onderwijsactiviteit moeten zijn. In het
bovenstaande is als voorbeeld gekozen voor de splitsing in de deelprodukten:
– 98765 × 43 (× 100), en
– 98765 × 21.
Maar er kunnen natuurlijk ook andere voorstellen uit de groep
naar voren komen. Juist verschillende oplossingsmethoden zouden door verschillende groepjes kinderen aangepakt kunnen worden om deze daarna weer in een klassegesprek aan de orde te stellen en ook nog eens te vergelijken met wat de rekenmachine zelf
als antwoord produceerde: 4.2676356 *E* (!).
In het hiervoor beschreven vermenigvuldigprobleem ligt in feite de
gehele structuur van het vermenigvuldigen en het gebruik van het
positiestelsel besloten. Met name is het inzicht 324 × 700 = (324
× 7) × 100 belangrijk, wat namelijk niet betekent 2268 met twee
nullen erachter, maar het opschuiven van 2268 twee posities naar
links. De eenheden worden honderdtallen, de tientallen duizenden
etc. De rekenmachine laat dit ook letterlijk zien, immers bij het

uitvoeren van 100 × 2268 zie je de cijfers naar links verspringen. Oefeningen met deze 'nulregels' zijn daarom nuttig, zoals bijvoorbeeld in figuur 102.

FIGUUR 102: EERST HET ANTWOORD INVULLEN, DAARNA MET DE REKENMACHINE CONTROLEREN

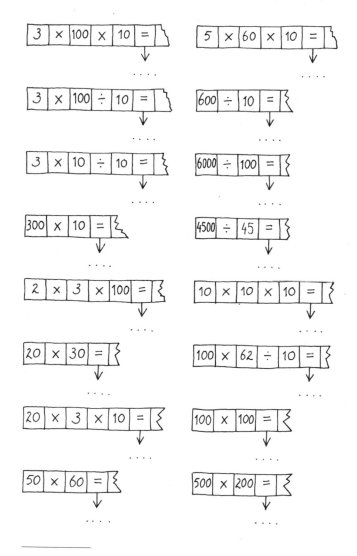

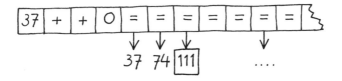

Ook kunnen met de constante opteller wat minder gebruikelijke tafels gegenereerd worden (figuur 103), waarbij met name de produkten $3 \times 37 = 111$, $6 \times 37 - 222$, $9 \times 37 = 333$ etc. in het oog springen.

Tracht uit te vinden waarom een zescijferig getal van de vorm *abcabc* altijd deelbaar is door zeven, elf en dertien en van de vorm *abc* is (figuur 104). Dus:

FIGUUR 104: EEN LEUKE TRUC

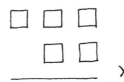

Zet de cijfers 1, 2, 3, 4 en 5 in hokjes en maak het grootste en het kleinste produkt. Gebruik je rekenmachine.[5]

☐ ☐ ☐

☐ ☐ 

——————— X

|   | a | b | c |
|---|---|---|---|
|   | 68 x 43 = | 63 x 24 = | 93 x 13 = |
|   | 86 x 34 = | 36 x 42 = | 39 x 31 = |

Wat valt je aan de uitkomsten van a, b en c op? Is dit altijd zo?
Maak met de cijfers 1, 2, 3, 4 en 8 een flink aantal getallen van vijf cijfers. Deel die getallen steeds door negen. Wat valt je op?

Zo zijn er op het gebied van het louter rekenen met getallen legio mogelijkheden.[6] Maar ze voeren ons wel naar een steeds hoger niveau. Immers het ontdekken en bewijzen van de regels die aan de laatste drie voorbeelden ten grondslag liggen brengt ons helemaal binnen het formele systeem van de wiskunde.

Terug naar het gebruik van de rekenmachine als didactisch hulpmiddel tot reflectie op het cijferen. We noemen nog enkele activiteiten:

 − Hoe kun je 302 in het venster krijgen als de nultoets kapot is?
 − Hoe kun je in dat geval de vermenigvuldiging met tien bewerkstelligen?
 − Uit hoeveel cijfers bestaat het produkt 225 x 225 en uit hoeveel cijfers bestaat het produkt 525 x 525? Kun je een regel hierover formuleren?
 − Hoe kun je via een lange optelling laten zien dat bij tien maal een getal de nulregel werkt? (Hierbij zou een telstrook goede diensten kunnen bewijzen.)
 − Met of zonder rekenmachine, wat is het gemakkelijkst bij de volgende opgaven?
 20.000 - 1
 99.998 + 3
 673 + 849
 1200 : 10
 1237 - 544
 491 × 1000
 1001 × 3

We hebben in het voorgaande vooral de nadruk gelegd op het cijferend vermenigvuldigen en delen. Het spreekt bijna voor zich dat als het cijferend optellen en aftrekken inzichtelijk begrepen is, deze vaardigheden te allen tijde ook met potlood en papier uitgevoerd moeten kunnen worden. Zeker wanneer het een enkelvoudige operatie betreft. Voor langere optellingen (kassabonnen e.d.) is de rekenmachine vooral in combinatie met schattend rekenen heel goed bruikbaar.

Ook bij de zogenoemde *stipsommen* kan de rekenmachine ingezet worden omdat daarbij immers de samenhang tussen de inverse bewerkingen optellen en aftrekken en vermenigvuldigen en delen opnieuw aan de orde wordt gesteld, juist omdat de rekenmachine nu niet rechttoe-rechtaan kan worden gehanteerd.

$$1234 + \ldots = 56789$$
$$12345 - \ldots = 6789$$
$$30044 : \ldots = 37$$

Tot slot keren we terug tot een van de belangrijkste doelen waarvoor de rekenmachine kan worden ingezet. We doelen op de *toepassingsopgaven* waarbij het met name gaat om het leren doorzien van de basisstructuur van elementaire contextproblemen, dus het leren identificeren van optellen, aftrekken, vermenigvuldigen en delen, zowel met enkelvoudige (één operatie) als met meervoudige operaties. Zoals bekend worden dergelijke opgaven vaak slechter gemaakt mèt de rekenmachine dan zónder. Dit hoeft echter geen reden te zijn om het gebruik te mijden. Integendeel, wellicht kan de rekenmachine ertoe bijdragen dat de leerlingen hun rekenbewerkingen gaan bekorten. We geven een voorbeeld:

Op maandag heeft het laatste kaartje dat verkocht is bij de dierentuin het nummer 1257. Op dinsdag is het laatst verkochte nummer 1833. Hoeveel bezoekers waren er op dinsdag?

Dit vraagstukje nodigt uit tot doortellen: 1258, 1259, 1260, ... 1300, dat zijn 43 kaartjes, 1301, ..., 1400..., 1500..., 1600..., 1700..., 1800..., 1835 en dat zijn nog eens 533 kaartjes, dus in totaal 533 + 43 = 576 kaartjes. Maar denken we de kaartjes opgehangen aan een getallenlijn (figuur 105), dan zien we dat van de 1833 kaartjes (dus vanaf nummer 1) de eerste 1257 kaartjes moeten worden vergeten (afgetrokken).

Dus 1833 - 1257 = 576 kaartjes. Met de rekenmachine!

Op deze wijze zal het efficiënt gebruik van de rekenmachine ertoe kunnen bijdragen dat de leerlingen hun rekenbewerkingen bekorten, speciaal indien de verschillende mogelijkheden van gebruik of het afzien van gebruik in de nabespreking ruimschoots aan de orde komen. Uiteraard zal in wat complexere toepassingssituaties het aantal bewerkingen meestal niet beperkt blijven tot precies één operatie. In dergelijke gevallen, zeker als de gegevens ook wat lastiger getallen bevatten, zal de rekenmachine grote voordelen kunnen gaan opleveren. Een eerste voorwaarde is natuurlijk het doorzien van de structuur van het vraagstuk. Daarna zal op grond daarvan een rekenschema opgesteld moeten worden. Flexibel gebruik van de rekenmachine al of niet in combinatie met potlood en papier en vooral gebruik makend van schattingen voor- en achteraf zal het feitelijke rekenwerk een geheel andere plaats geven in het reken-wiskundeonderwijs.

De functie van de rekenmachine zou tot dusver schematisch als volgt samengevat kunnen worden (figuur 106):

FIGUUR 106: DIDACTISCHE MOGELIJKHEDEN VOOR DE REKENMACHINE

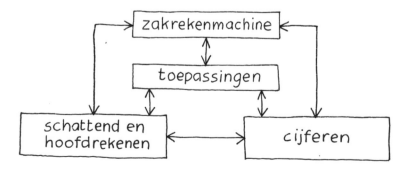

De twaalf pijlen geven de didactische implicaties aan zoals ze in de 'Proeve …' beschreven zijn en nog nader beschreven zullen worden - we hebben het immers nog niet over breuken en kommagetallen gehad. We gaan nu niet afzonderlijk op iedere pijlrichting in, maar besluiten opnieuw met een voorbeeld over de relatie tussen toepassingen en het gebruik van de rekenmachine. Toepassingen kunnen het kritisch gebruik van de rekenmachine stimuleren, zoals we in het voorbeeld van de kaartjes lieten zien. Omgekeerd is de rekenmachine het geëigende middel om het feitelijke vaak tijdrovende rekenwerk van meer gecompliceerde toepassingen te vergemakkelijken. Als berekend moet worden wat een nieuwe kunststof vloer kost voor een gymlokaal van 6,75 meter bij 15,6 meter met een vierkante-meter-prijs van *f* 410,-- is het niet nodig te gaan cijferen. We toetsen in op de rekenmachine (figuur 107).

────────── FIGUUR 107

| 6.75 | × | 15.6 | × | 410 | = |

En we vinden in een oogwenk *f* 43173,—. Uiteraard dienen de kinderen dan wel het model zoals afgebeeld in figuur 108 begrepen te hebben.

────────── FIGUUR 108

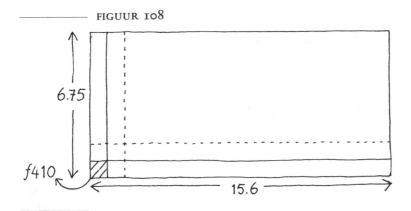

249

En ze zouden zeker vooraf (uit het hoofd) al even de grootte hebben moeten schatten om de controle over het rekenproces te behouden:

$$6,75 \times 15,6 \approx 7 \times 15 = 105.$$

De prijs zal dus boven de 100 x $f$ 410,-- = $f$ 41.000,-- moeten liggen.

Zakrekenmachines prima, maar houd je hoofd erbij.

## Noten bij doelstelling 6

1. Figuur 101 is een variant van een schema dat in de 'Standards' van de N.C.T.M. (USA) wordt gebruikt.
2. Er zijn ook rekenmachines voorhanden die alleen het gehele deel van het quotiënt produceren en de rest ook in gehelen. De mogelijkheden om het hier beschreven onderzoek met de kinderen naar de structuur van de deling uit te voeren wordt hiermee weggenomen. De eenvoudige rekenmachines zoals ze nu op de markt zijn, zijn ontworpen voor het gebruik op kantoor, in winkels enz. en dus niet speciaal voor het onderwijs. Hoewel sommige deskundigen menen dat er voor het basisonderwijs zeker verbeteringen aan de machine zouden kunnen worden aangebracht (zoals bijvoorbeeld toetsen voor haakjes) bieden ook de huidige machientjes goede mogelijkheden voor didactisch gebruik, zoals onder meer het 'delen met rest' laat zien.
3. Strikt genomen wordt het getal dat de uitkomst van a : b (b # 0) voorstelt het quotiënt van a en b genoemd. Dit kan breuken (kommagetallen) opleveren. Vandaar dat er bij het staartdelen soms iets anders over het begrip quotiënt wordt gesproken. Bij de deling 32376 : 57 = 568 heet 32376 het deeltal, 57 de deler en 568 het quotiënt. Omdat de rest nul is, noemen we de deling opgaand. Er geldt: deler x quotiënt = deeltal. Ook in het geval dat een deling niet opgaat noemt men het gehele aantal malen dat de deler op het deeltal begrepen is, het quotiënt (soms ook wel het partiële quotiënt). Thans geldt:

$$1715 : 23 = 74, \text{ rest } 13$$
$$\text{deler x quotiënt + rest = deeltal}$$

Het blijkt dat 'rest' en 'decimale' gedeelte van het quotiënt' nogal eens verward worden. Zo is in 126 : 8 = 15,75, 15 het gehele deel

en 75 het decimale deel van het quotiënt. Echter als delingsvraagstuk geldt 126 : 8 = 15 rest 6.

4.  Dit 'programmeren' kan per machine sterk verschillen. In het onderhavige geval geven we twee voorbeelden:

——————— FIGUUR 109

CASIO LC-827

| 65 | – | – | 785 | = | = | = | = |

720 655 590 525

——————— FIGUUR 110

SHARP EL-230

| 785 | – | – | 65 | = | = | = | = |

720 655 590 525

Hiermee komt het probleem van de specifieke regels voor elke afzonderlijke machine nog eens naar voren. Reden waarom het zinvol lijkt om met éénzelfde type te werken. Men kan natuurlijk ook
gewoon aldoor de deler van het deeltal aftrekken, dus:

——————— FIGUUR 111

| 785 | – | 65 | = |

| 720 | – | 65 | = |

| 655 | – | 65 | = |

251

5. Zie voor ideeën:
   W. Sweers: *Sommasjien*, Zwijsen. Tilburg 1985.
   H. ter Heege: *Mijn zakrekenmachineboek*, SLO, Enschede 1985.
6. Voor nog meer ideeën en aanwijzingen verwijzen we naar:
   *Arithmetic Teacher*, vol 35 nr 2, oktober 1987, pag. 27 e.v.

DOELSTELLING 7
Leerlingen hebben inzicht in de structuur van de cijferalgoritmen

De korte bespreking van deze laatste doelstelling is van een wat andere aard dan de teksten bij de voorgaande doelstellingen. We grijpen namelijk de gelegenheid aan om de balans over hoofdrekenen (deel I) en cijferen (deel II) op te maken. En we gaan er daarbij van uit dat de lezer kennis genomen heeft van de voorgaande tekst, zodat 'associatief lezen' mogelijk wordt. Voorbeelden laten we achterwege.

Welnu, over 'inzichten in de structuur van de cijferalgoritmen' gesproken: beide besproken cijfermethoden zijn daarop gericht. Alleen zijn de nagestreefde algoritmen niet in alle gevallen dezelfde. Bij het pure cijferen wordt het aanleren van de standaardalgoritmen beoogd. Maar bij de combinatiemethode hoofdrekenen-cijferen is dat niet in alle gevallen en voor alle leerlingen het oogmerk - denk aan de staartdeling. Wat zowel voor inzicht in de standaardalgoritmen als de varianten ervan een noodzakelijke voorwaarde vormt, is inzicht in het positiesysteem. Maar dat op zich is niet voldoende: er is meer. En dat 'meer' bestaat, algemeen gesteld, in het inzicht hoe de basisoperaties binnen de bedding van het positiesysteem verlopen, dus welke uitwerkingen bijvoorbeeld 'tien keer' of 'gedeeld door tien' op getallen hebben, lettend op de positie van de cijfers. Of hoe inwisselen en lenen tot verkortingen in berekeningen en schrijfwijzen kunnen leiden. Of het inzicht dat er verschillende verkortingen mogelijk zijn die ieder naar alternatieve rekenmanieren leiden. En dat er een samenhang tussen de algoritmen van operaties is. En nog meer... Wat we hier niet willen, is een herhaling geven van alle punten die in de voorgaande tekst op enigerlei wijze in verband met 'inzicht in de structuur van de cijferalgoritmen' werden gebracht.
Wel zullen we kort de kritische delen in de twee besproken methoden onder de loep nemen voorzover die betrekking hebben op dat inzicht.

Het gevaar van de combinatiemethode is, kort gezegd, dat er voldoende inzicht in de rekenprocedures bestaat, maar dat het rekenen op zich van te laag gehalte blijft, dat wil zeggen niet voldoende verkort wordt. De pure cijfermethode daarentegen loopt het risico dat ze wel vaardigheid in het uitvoeren van de standaardprocedures verschaft, maar geen inzicht, waardoor met name de toepasbaarheid in contextproblemen wordt belemmerd.

Bij toepassingen hanteren kinderen namelijk vaak informele oplossingen, domweg omdat ze de betreffende operatie(s) niet herkennen in die context. Maar in de pure cijferleergang wordt dat verband tussen die informele berekeningen en de formele rekenprocedures niet gelegd, dus niet tussen vermenigvuldigen en (herhaald) optellen, niet tussen op-vermenigvuldigen of afschatten en delen, niet tussen het hoofdrekenen en de cijferprocedures. En dat kan ook niet, omdat daarin steeds rechtstreeks op de meest verkorte rekenprocedures wordt aangestuurd, in casu de standaardalgoritmen. Zelfs bij de concrete onderbouwing daarvan met positiemateriaal mogen de informele werkwijzen van kinderen niet tot uitdrukking worden gebracht. Ziehier de kracht en tegelijkertijd de zwakte van het pure cijferen. Het is doelgericht, makkelijk organiseerbaar, goed te oefenen, maar ook opgelegd, niet voldoende verankerd in hoofdrekenen, en beperkt toepasbaar.

Gelet op dit alles: is puur cijferen eigenlijk didactisch wel verantwoord? Of sterker: is het ook maatschappelijk nog wel voldoende te motiveren nu we de beschikking hebben over rekenmachines? Internationaal komt er steeds meer eenstemmigheid over deze kwestie: puur cijferen is 'uit de tijd'. 'In de tijd' is hoofdrekenen. En met name ook die vormen van gestileerd hoofdrekenen die tot dicht bij de aloude standaardalgoritmen leiden. In de eerdergenoemde 'Standards' (nieuwe versie, 1989, pag. 46) luidt de beginselverklaring hieromtrent als volgt:

RETHINKING THE ROLE OF COMPUTATION
The approach to computation taken in this standard requires educators to rethink traditional scope-and-sequence decisions. If they are to meet the comprehensive curricular goals articulated in the K-4 standards, for example, teachers must reduce the time and the emphasis they devote to com-

putation and focus instead on the other mathematical topics and perspectives that are proposed.

Besides paper-and-pencil computation, children should learn when and how to use calculators and various mental arithmetic and estimation procedures. Calculators enable children to compute to solve problems beyond their paper-and-pencil skills. Mental computation and estimation techniques can be developed prior to, and in connection with, paper-and-pencil skills. It is inconsistent with the *Standards* to isolate paper-and-pencil procedures by focusing on them for an extended time prior to the introduction of other computing methods; this traditional practice suggests to children that computing means using paper-and-pencil methods.

Hoe de verbinding tussen hoofdrekenen en cijferen gelegd kan worden, is in het voorgaande voor iedere basisoperatie onder het kopje 'combinatiemethode hoofdrekenen-cijferen' beschreven. De voordelen van deze methode werden breed uitgemeten: zij sluit aan op informele werkwijzen, ontwikkelt (inzicht in) de structuur van de algoritmen, past bij de manier waarop elementaire context-problemen worden opgelost, laat gedifferentieerde eindniveaus toe, is geënt op hoofdrekenen.... Enfin, we hebben het allemaal zelf kunnen ervaren in het 'Land van Acht' (eind deel I).
Echter één belangrijk mogelijk nadeel mag hier beslist niet ongenoemd blijven. Namelijk dat de kinderen op een veel te laag niveau van rekenen blijven steken, dus te weinig verkorte procedures ontwikkelen. Bijvoorbeeld vanwege het feit dat de betreffende leergangen nog niet optimaal zijn ontwikkeld, wat in enkele methoden enigermate het geval is. Of omdat de onderwijsgevende niet goed raad weet met de verschillende niveaus waarop de kinderen van één groep werken - een organisatieprobleem. Of omdat er onvoldoende aandacht besteed wordt aan het oefenspoor naast het exploratiespoor. Kortom, het nadeel van onvoldoende leren rekenen met de combinatiemethode omdat het onderwijs niet goed 'uitgelijnd' is en niet goed spoort met de doelstellingen. Waarmee we maar willen zeggen dat ook de combinatiemethode,

of juist de combinatiemethode, haar didactische eisen stelt.

Kan daaraan echter redelijkerwijs worden voldaan, dan hoeft er eigenlijk niet meer gesproken te worden over 'Basisvaardigheden en Cijferen', zoals de titel van dit boek luidt, maar kan louter worden volstaan met 'Basisvaardigheden'. Daarin is het cijferen dan namelijk op een natuurlijke wijze geïntegreerd met hoofdrekenen en kan derhalve verder ongenoemd blijven.

Het nu volgende deel III bevat een thema waarin deze ruime opvatting van basisvaardigheden duidelijk gestalte krijgt: hoofdrekenen, schattend rekenen en, zo men wil, cijferen in een onlosmakelijk geheel van een rijk contextprobleem. Aan de hand daarvan worden de algemene doelstellingen toegelicht waarin alle hiervoor beschreven concrete doelstellingen van deel I en deel II geworteld zijn en waaraan deze mede hun waarden ontlenen.

# Deel III
# Algemene doelstellingen op de korrel

## INLEIDING

In deel III komen de algemene doelstellingen in het vizier. Dit gebeurt aan de hand van een onderwijsthema getiteld 'Graankorrels op het schaakbord'.[1] Daarin worden hoofdrekenen, schattend rekenen en cijferen in verband gebracht met exponentiële groei. Het thema past bij het onderwijs aan het eind van groep acht. Ook enkele van de toepassingen die hier worden beschreven zijn nog voor de basisschool bestemd. Maar we overschrijden met enkele andere toepassingen bewust de grens met het voortgezette onderwijs. 'Basisvaardigheden en Cijferen' houdt namelijk niet aan het einde van de basisschool op. Sommige onderwerpen dienen verticaal te worden gepland, dwars door de schoolsoorten heen. De 'groeiproblemen' zoals aangezet in Graankorrels behoren daartoe, naar onze mening. Het voordeel van deze hoge plaatsing van 'Graankorrels plus toepassingen' is dat de lezer veel meer op zijn eigen rekenwiskundeniveau kan worden aangesproken dan in deel I en deel II van dit boek het geval kon zijn.

Een bijkomend voordeel van het stukje verticaal gepland onderwijs over 'groei' is nog dat het een tamelijk compleet beeld van een afgerond onderwijsdeel geeft en daarmee ook van de nagestreefde schooldoelen en algemene leerdoelen van rekenen-wiskunde als geheel (en niet slechts beperkt tot het basisonderwijs).

Een dergelijke schets wordt in de hoofdstukken drie en vier gegeven, na de onderwijsbeschrijving in de eerste twee hoofdstukken. We besluiten met een korte beschrijving van de onderwijsleerstructuur die aan het realistische rekenwiskundeonderwijs ten grondslag ligt.

## NOOT BIJ DE INLEIDING

1.     Het graankorrelthema is ontleend aan: Treffers. A.: *Wiskobas Doelgericht*, Utrecht 1978.

• DEEL 1: GRAANKORRELS

Volgens de legende bracht de man die het schaakspel ontworpen heeft, zijn nieuwe spel naar de koning. De monarch was er zeer mee in z'n schik en bood de ontwerper een beloning aan die hij zelf mocht kiezen.

'Majesteit', zei de schaakmeester, 'mijn wens is deze: geef mij alle graankorrels die op de volgende manier verkregen worden. Eén korrel op het eerste vak, twee op het tweede, vier op het derde, acht op het vierde enz., tot alle velden aan de beurt geweest zijn.'

'Is dat alles?', vroeg de koning verbaasd. 'Wat graan? Wel, het zij zo. Haal een volle zak.'

Een sterke bediende verliet het vertrek.

– Zal de koning aan één zak graan voldoende hebben?

*Onderwijsaantekening*
De leerlingen krijgen een korte bezinningstijd. Gevolg: het antwoord zal een slag in de lucht moeten zijn. De schattingen lopen nogal uiteen: van 6000 tot enkele miljoenen korrels. Sommige leerlingen betwijfelen of één zak voldoende zal zijn. De verschillende groepen lichten hun schattingen kort toe. Er ontstaat een stemming van: wie zal gelijk hebben?

• DEEL 2: SNEL TELLEN

Een uur later.
Een aantal mannen was nog steeds druk bezig graankorrels te tellen.
De koning werd zachtjes aan onrustig.
'Zijn jullie nog niet klaar?', vroeg hij.
'O nee, majesteit, nog lang niet. Wij zijn pas bij het 14e vierkant.'

'Pas bij het 14e? Waarom duurt het zo lang?'
'Wel majesteit, we hebben voor het 14e veld duizenden graankorrels nodig, en het duurt een hele tijd voor we die geteld hebben.'
'Dat kan de hele nacht wel zo doorgaan', bromde de koning. De uitvinder mompelde: 'Nou, ik denk nog wel wat langer', maar niemand verstond hem.
'Kunnen jullie niet wat minder precies en wat sneller tellen?', smeekte de koning.
Op dat moment kwam de schaakmeester tussenbeide.
'Ik heb een idee om het wat sneller te doen.'
– Hoe lang duurt het ongeveer om de korrels van het 14e veld te tellen?
– Bedenk - net als de schaakmeester - eens een manier om het benodigde graan grofweg sneller te bepalen.

*Onderwijsaantekening*
De leerlingen vinden twee manieren voor de bepaling van de teltijd:
– bij afspraak: één korrel per seconde;
– door meting, vijftig korrels per minuut.
In het groepsgesprek komt nog een handige manier met afrondingen naar voren: voor het 7e veld (64 korrels) is ongeveer 1 minuut nodig, dus voor het 8e veld 2 minuten, voor het 9e veld 4 minuten, het 10e veld 8 minuten, het 11e veld 16, 12e veld 32, 13e veld 64 minuten, zeg 1 uur. Dus voor het 14e veld 2 uur...
Voor het grove, snelle tellen wordt onder meer de manier van het uitscheppen bedacht. In gezamenlijk overleg wordt een schepmaat voor ongeveer 1000 korrels gekozen - het afgeronde aantal van het 11e veld. Dus voor het 12e veld 2 scheppen, het 13e 4 schepbusjes.

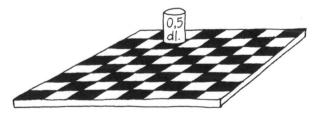

Vraag van de onderwijsgevende: zal één zak voldoende zijn?
De meeste leerlingen betwijfelen dit nu.

• DEEL 3: MEER ZAKKEN

 De schaakmeester legde de koning uit hoe het minder precies, maar veel sneller zou kunnen. 'Een goed idee', zei de koning. 'Haal een schepbusje.'
Wat later. Een aantal bedienden was nog steeds bezig met scheppen en wegen. De koning drentelde heen en weer. Plotsklaps kwam de hoofdbediende bij de koning met de mededeling dat de zak met graan op was.
'Wat zeg je me nou?', zei de koning. 'Hebben we nog meer nodig?'
'Ja majesteit, we zijn er nog lang niet.'
'Vooruit, haal een nieuwe zak', beval de vorst. 'En neem er nog één extra mee voor het geval we tekort mochten komen.'
De hoofdbediende stuurde twee mannen weg.
– Tot welk veld zou men ongeveer gevorderd zijn toen de zak met graan op was?
– Heeft men aan twee nieuwe zakken genoeg?

*Onderwijsaantekening*
Voor het 11e veld was een schepbusje nodig. Er wordt nagegaan dat een zak ongeveer duizend schepbusjes bevat. Of beter: het formaat van de zak wordt bepaald op duizend maatbusjes. Dus is voor het 21e veld al één zak nodig. Want net als bij het tellen van de losse korrels tellen we nu met busjes en dan met zakken en dan...

| | |
|---|---|
| 1e veld: 1 korrel | 11e veld: 1 busje |
| 2e veld: 2 korrels | 12e veld: 2 busjes |
| 3e veld: 4 korrels | 13e veld: 4 busjes |
| ... | ... |
| ... | ... |
| 11e veld: 1000 korrels (1 busje) | 21e veld: 1000 busjes (1 zak) |

In ieder geval zijn er voor het 22e veld al 2 zakken nodig en voor het 23e veld 4 zakken. Aan het einde van deze eerste les hebben alle leerlingen de onvoorstelbare groei in de gaten die in het volgende voorstelbaar wordt gemaakt.

Het feit dat het aantal korrels op een bepaald veld één meer is dan de som van het aantal van de voorgaande velden, wordt hier in principe nog niet aan de orde gesteld. Tenzij de leerlingen er zelf mee komen aandragen natuurlijk.

Vooruitlopend op een latere behandeling hier alvast enkele opmerkingen over deze 'somregel'. Neem het 5e veld: daarop komen 16 graankorrels. De som van de eerste vier velden is: 1 + 2 + 4 + 8 = 15 graankorrels, één minder dus dan die van het 5e veld. Het 6e veld bevat 32 korrels. En de eerste vijf velden samen 1 + 2 + 4 + 8 + 16 = 31 korrels. Deze betrekking is als volgt te verklaren:

(5e) = 2 x (4e) waarbij (5e) betekent het *aantal* op het 5e veld
(5e) = (4e) + (4e) of
(5e) = (4e) + (3e) + (2e) + (1e) + 1, want (4e) = (3e) + (2e) + (2e) + 1
(6e) = 2 x (5e) = (5e) + (5e) of
(6e) = (5e) + (4e) + (3e) + (2e) + (1e) + 1, enzovoort.

Bij een en ander kan een plaatje ter ondersteuning van het denken dienen (figuur 112).

───────────── FIGUUR 112

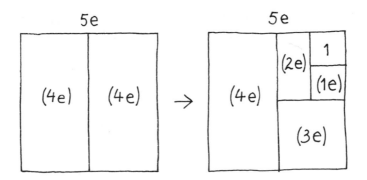

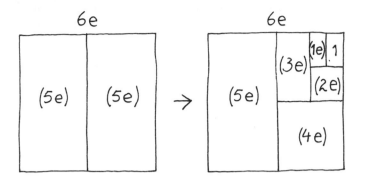

Maar, zoals gezegd, laten we deze somrelatie hier nog even rusten en concentreren we ons eerst op het verdubbelen en het voorstelbaar maken van de groeiende aantallen.

• Deel 4: Koninkrijk met graan

Veel later. De zakken met graan vulden de paleiszaal bijna geheel. Wat nu? De schaakmeester zei: 'Majesteit, ik krijg de rest later wel. Maar voor ik wegga wil ik wel graag weten hoeveel u mij schuldig bent.'

'Goed', verzuchtte de koning, 'roep de koninklijke rekenmeester.'

Kort nadat deze zijn opdracht had ontvangen, zei hij: 'Majesteit, ik heb slecht nieuws. Volgens mijn berekening is er in het hele koninkrijk bij lange na niet genoeg graan.'

'Hoe kan dat nou?', vroeg de koning. 'Het is toch zo'n eenvoudig verzoek. Eerst een, dan twee, vier, acht, ...'

'Wel majesteit', zei de rekenmeester, 'in het begin zijn de aantallen klein, maar al gauw groeien ze heel snel. Het 11e veld bevat 1024 graankorrels, zeg voor het gemak duizend, één busje vol. De duizend busjes op het 21e veld doen we in één zak. Van nu af aan wordt het aantal zakken verdub-

beld. Het 31e veld bevat duizend zakken, zeg een schuur.'
- 'De zakken met graan vulden de paleiszaal bijna geheel',
staat er in de tekst.
Tot welk veld zou men op dat moment zijn gevorderd?
- Klopt de redenering van de rekenmeester?
- Redeneer zelf verder vanaf veld 31 via 41 en 51 en tenslotte veld 64, zodat de hoeveelheid van het laatste veld enigszins voorstelbaar wordt.

*Onderwijsaantekening*
Er worden vele oplossingswijzen gevolgd: inhoudsberekening in
$m^3$ en dan omzetting daarvan in zakken, of direct met zakken rekenend, of werkend met de maat van de schuur die de rekenmeester voor het 31e veld kiest.

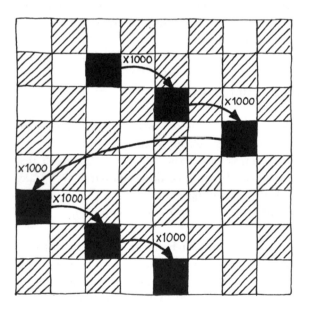

Stel dat dat het 'schuurtje' is. Dat kunnen we ons volgestapeld denken met 10 x 10 x 10 zakken. Als zo'n zak ongeveer 0,2 x 0,5 x 0,5 meter is dan heeft het schuurtje ongeveer de afmetingen van 2 x 5 x 5 meter. (We zijn daarbij uitgegaan van een zak van circa vijftig liter, dus een schepbusje van 0,5 dl.)

De grootte van de paleiszaal moeten de leerlingen zelf kiezen. De schattingen daarvan lopen uiteraard uiteen. Wel wordt nagegaan of de geraamde grootte redelijk is. De voorstelling van het schuurtje of een (deel van een) klaslokaal biedt een goed referentiepunt. Conclusie: om en nabij het 40e veld is de paleiszaal vol. Het verder voorstelbaar maken kan als volgt:

- 41e veld, paleiszaal;
- 51e veld, wolkenkrabber;
- 61e veld, kubusstad.

Het laatste veld: een kubuskist met ribben van enkele kilometers. Aan het einde van de tweede les is het probleem vrijwel opgelost. In het vervolg komen nog enkele verrassende finesses naar voren.

• DEEL 5: REKEN MAAR

 De koninklijke rekenmeester ging door met z'n uiteenzetting. Hij sprak over duizenden paleiszalen, over getallen met meer dan tien cijfers, en hij liet zien hoe je op een handige manier tamelijk snel het globale aantal graankorrels van het laatste veld kunt bepalen.

De koning liet vervolgens de schaakmeester het resultaat van de berekening zien.

'Majesteit', zei de uitvinder van het schaakspel, 'ik ben eerlijk gezegd nog niet tevreden, want ik zou het precieze aantal willen weten van het graan op …'

De koning onderbrak hem, en zei tegen de rekenmeester: 'Ik heb niks aan al die nullen, ik moet het precieze aantal van het laatste veld weten.'

Zittend op een graanzak ging de rekenmeester aan de slag. De schaakmeester keek over zijn schouder mee en de vorst liet verveeld wat graan door z'n vingers glijden.

– Uit hoeveel cijfers bestaat het getal van het aantal graankorrels op het laatste veld, uitgaande van de afronding van steeds weer 1024 op 1000?

– Bereken het precieze aantal graankorrels van het laatste veld; je mag daarbij gebruik maken van de rekenmachine.

*Onderwijsaantekening*
De leerlingen hebben in het voorgaande ontdekt dat een sprong over tien velden steeds duizend keer zoveel korrels oplevert. Deze regelmaat kan gebruikt worden om het aantal korrels op het laatste veld ruwweg te bepalen: 11e veld 1000 korrels, 21e veld 1.000.000, 31e veld 1.000.000.000 ... en op het 61e veld een éénmet-achttien-nullen, een getal van negentien cijfers, ofwel $10^{18}$. Op het 64e veld acht keer zoveel, dus een getal met negentien of twintig cijfers - gezien de afrondingen is dat niet zo maar te zeggen.
Vervolgens wordt de proef op de som genomen: het exacte aantal graankorrels op het 64e veld wordt bepaald. Daarbij mag de rekenmachine worden gebruikt. Die levert echter ook niet zonder meer de antwoorden van de berekeningen: 1024 × 1024 gaat nog, dat is 1048576. Maar dan loopt het spaak, omdat niet alle cijfers meer in het venster passen.
Hoe berekenen we 1024 × 1048576?
Het zou kunnen door eerst 1024 × 1048[000] te berekenen, met weglating van de drie nullen op het eind, en dan 1024 × 576. We

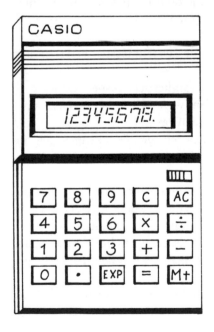

krijgen dan achtereenvolgens 1073152 en 589824 op de machine.
We moeten nu dus uitrekenen:

1073152000
  589824 +
1073741824

We hebben nu het aantal korrels voor het 31e veld.
Stel we kiezen vervolgens zo voort te gaan, namelijk 1024 ×
1073741824. Dan kan de strategie van zojuist weer worden toegepast voor 24 × 1073741824, dus via 24 × 107374[0000] +
24 × 1824 bijvoorbeeld. We krijgen dan:

25769760000
    43776 +
25769803776

Daarbij moet echter nog 1000 x 1073741824:

1073741824000
  25769803776 +
1099511627776

Dit is het aantal korrels op veld 41.
En we herhalen de procedure om het aantal op het 51e veld te berekenen. We krijgen daar een getal met zestien cijfers en moeten
daarna bij het berekenen van het getal op het 61e veld drie splitsingen in het grote getal aanbrengen om de deeluitkomsten nog op
de rekenmachine te kunnen krijgen.
Het getal van het 61e veld moet dan tenslotte nog met acht worden vermenigvuldigd.
De uitkomst: er komen 9.223.372.036.854.775.808 graankorrels op het 64e veld!
In deze derde les is dus opnieuw het rekenen met nullen en het inzicht in het vermenigvuldig-algoritme op de proef gesteld: basisvaardigheden en cijferen.


• DEEL 6: HET TOTAAL OP DE KORREL

'Tevreden?', vroeg de koning aan de schaakmeester.
'Majesteit', zei de uitvinder van het schaakspel,
'ik wilde al eerder zeggen dat ik nog niet geheel

tevreden ben, want ik krijg niet slechts de korrels van het 64e veld, maar u hebt mij het graan van alle velden samen toegezegd, en dat wil ik ook graag precies tot op de korrel nauwkeurig weten.'

De monarch riep de rekenmeester en vroeg hem om uitleg. Deze zei dat hij niet op de hoogte was geweest van de afspraak om het totaal te berekenen.

'Doe dit dan nu, tot op de korrel nauwkeurig en vooral snel, want ik wil naar bed', beval de vorst.

'Dat is geen probleem', zei de rekenmeester en liet de koning zien dat het aantal graankorrels op een bepaald veld, doet er niet toe welk, één meer is dan de korrels op alle voorgaande velden samen. En dat je op deze manier makkelijk het totaal kon bepalen als je het aantal van het laatste veld al wist...

De heerser kon hem niet volgen, maar het was hem inmiddels wel duidelijk dat hij er op een eerlijke manier tussen genomen was.

De schaakmeester was intussen stiekem weggeglipt, omdat hij begrepen had dat de koning inmiddels niet in zo'n goede stemming verkeerde.

De koning keek rond, zag geen schaakmeester, mompelde iets onverstaanbaars tegen de rekenmeester, liep langs het smalle pad door de zaal, schopte tegen een zak en bromde tegen de hoofdbediende: 'Zeg tegen de boeren dat er meer graan moet worden verbouwd.' Toen ging hij naar bed en droomde onvoorstelbaar.

Op de wit-zwarte tegelvloer van het paleisplein wordt een groot schaakbord uitgezet. De bedienden tellen graan. Op het 21e veld komt één zak, op het 22e veld komen twee zakken, dan vier. En steeds moet de koning naar het volgende torentje klimmen. Op het 31e veld komen duizend zakken: van hieruit kan hij een groot deel van zijn rijk overzien. En er wordt maar gestapeld. Op een gegeven ogenblik komt de koning voorbij de maan en verdwijnt hij in het heelal vol glinsterende graankorrels. Dan begint de toren van het laatste veld te wiebelen. De koning valt in de donkere diepte van de wereldruimte. Met een kreet wordt hij wakker...!

- Bepaal het totale aantal graankorrels.
- Schat hoever de koning op de laatste toren van de aarde verwijderd is.

*Onderwijsaantekening*

De kwestie van de samenhang tussen het aantal korrels van een veld en dat van de som van de voorgaande velden werd reeds bij deel drie besproken. We kunnen de samenhang niet alleen vaststellen maar ook makkelijk verklaren - zeker als we even van die ene korrel afzien en net doen of er sprake is van een gelijkheid. Zo van: (5e) + (5e) = (6e), maar die eerste (5e) mag ik vervangen door (1e) tot en met (4e) dus staat er (1e) + (2e) + (3e) + (4e) + (5e) = (6e). En zo voort voor de (6e), de (7e)... de (64e). Het totaal is dus (64e) + (64e) - 1 = 18.446.744.073.709.551. 615 graankorrels.

De wereldproduktie is thans ruim één miljard ton tarwe en graanvoeder. Dan de droom.

Op het 21e veld één zak (0,2 x 0,5 x 0,5 m).

Op het 31e veld duizend zakken, de toren is dan 200 meter hoog.

Op het 41e veld 200 kilometer.

Op het 51e veld 200.000 kilometer.

Op het 61e veld 200.000.000 kilometer.

Op het 64e veld dus zo'n 1.600.000.000 kilometer = 1,6 miljard kilometer.

Dat is dus inderdaad voorbij de maan, maar nog niet voorbij de verste planeet (figuur 113). En ook is het nog geen lichtjaar ver weg, want dat is 60 x 60 x 24 x 365 x 300.000 kilometer, zeg een negen met twaalf nullen erachter.[1]

──────── FIGUUR 113: VOYAGER (VOLKSKRANT 2.9.1989)

Neptunus bevindt zich op 4,5 miljard kilometer afstand van de aarde, maar de Voyager heeft in zijn reis langs de planeten meer dan zeven miljard kilometer afgelegd - een afstand waar de Concorde driehonderd jaar over zou doen. Zelfs de radiosignalen van de Voyager die zich met een snelheid van 300.000 kilometer per seconde voortplanten, hebben ruim vier uur nodig om de aarde te bereiken.

Dit voert echter letterlijk en figuurlijk ver voor deze les vier. De vraag over de toren van het 64e veld kan mooi als toetsvraag aan het einde van les vier dienen. Daarin kan op dezelfde wijze met sprongen van tien velden en duizend korrels worden gerekend als eerder met de zakken.

NOTEN BIJ GRAANKORRELS OP HET SCHAAKBORD

1.  De lichtsnelheid is ongeveer 300.000 km per seconde. De afstand die het licht in één jaar aflegt wordt een lichtjaar genoemd. We berekenen deze afstand van een seconde via een minuut ($\times$ 60), een ($\times$ 60), een dag ($\times$ 24) naar een jaar ($\times$ 365).

## KETTINGBRIEF

Om de paar jaar is er wel ergens een rage met kettingbrieven: in 1985 hadden we de 'Gouden Cirkel' en in 1987 het 'Pilotenspel', beide varianten van de kettingbrief. We bepalen ons tot de 'Gouden Cirkel'. Die werkte zo: je krijgt een brief met twaalf namen erop, of beter, je moet zo'n brief voor honderd gulden kopen. Je betaalt vervolgens honderd gulden aan degene die boven aan de lijst staat, schrapt die naam door, plaatst je eigen naam onder aan de lijst, dus als twaalfde en verkoopt deze nieuwe brief door aan twee personen, die je ieder honderd gulden voor de brief betalen. Je speelt dan voorlopig quitte. Die twee personen doen vervolgens hetzelfde en jouw naam schuift een plaats naar boven. Enzovoort. Totdat je naam bovenaan komt te staan bij velen die jou vervolgens honderd gulden betalen....

– Stel dat alles goed gaat en iedereen netjes doorverkoopt en betaalt, hoeveel geld zul je dan ontvangen?

– Hoeveel deelnemers zijn er nodig om alle deelnemers die bij jou honderd gulden hebben gestort ook boven aan hun eigen lijsten te krijgen?

Het gaat hier net als bij het schaakbord om verdubbelen. Voor je bovenaan staat zijn er $2 \times 2 \ldots \times 2$ (twaalf keer) ofwel $2^{12}$ mensen nodig, dat zijn er 4096. Je ontvangt dus $f$ 409600.--!

Voordat die 4096 deelnemers uit jouw gebied zelf bovenaan staan, zijn er 4096 x 4096 - dat is ruim zestien miljoen mensen nodig, meer dan de Nederlandse bevolking (figuur 114). Kettingbrieven leveren alleen de makers en de eerste inschrijvers (veel) geld op. Daarna loopt het te hard op, dat wil zeggen zijn er te veel mensen nodig. Te veel ook, omdat velen niet mee willen doen.

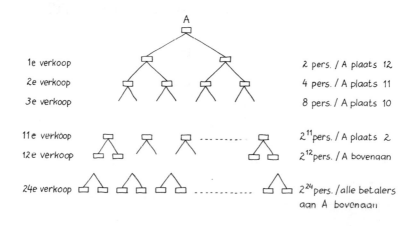

| | | |
|---|---|---|
| 1e verkoop | | 2 pers. / A plaats 12 |
| 2e verkoop | | 4 pers. / A plaats 11 |
| 3e verkoop | | 8 pers. / A plaats 10 |
| | | |
| 11e verkoop | | $2^{11}$ pers. / A plaats 2 |
| 12e verkoop | | $2^{12}$ pers. / A bovenaan |
| | | |
| 24e verkoop | | $2^{24}$ pers. / alle betalers aan A bovenaan |

In de Volkskrant van dinsdag 10 september 1985 stond een artikeltje met als kop 'Kettingbrief: toch maar niet doen'. Daarop kwam onder meer de volgende reactie binnen (figuur 115).

——————— FIGUUR 115: EEN REKENWONDER?

## Rekensom Gouden Cirkelbrief

# Het werkt

En toch werkt de Gouden Cirkel. Alleen niet volgens de formule die een of ander rekenwonder van de Volkskrant ons voorhoudt. We blijven met factor 2 vermenigvuldigen en gaan niet op het laatste moment nog wat macht verheffen. Nederland zit nog lang niet vol.

DEN BOSCH                    *Ad Lijstemaker*

- RADIOACTIVITEIT

In mei 1986 na de ramp met de kerncentrale in Tsjernobyl stonden er heel wat berichten in de krant over stralingsgevaar. Met name werd de aandacht gevestigd op de radioactiviteit van jodium (131) en cesium (137). De eerste dagen na de ramp was de straling van jodium in Nederland acht keer zo hoog als die van cesium. Jodium echter is veel sneller uitgestraald, het heeft namelijk een halveringstijd van acht dagen. Dat wil zeggen dat de stralingsintensiteit na acht dagen met de helft is afgenomen. Cesium heeft echter een halveringstijd van dertig jaar!
- Na hoeveel dagen was de stralingsintensiteit van jodium in Nederland gelijk aan dat van cesium?
- Zeg iets over 'tot nader order' uit het volgende krantefragment; zou dat langer dan een maand of een jaar zijn? (figuur 116)

Na drie keer een periode van acht dagen, dus na 24 dagen, is het stralingsniveau van jodium en cesium in Nederland gelijk. Dan is namelijk de stralingssterkte nog maar ½ x ½ x ½ = ¹/8 deel van z'n oorspronkelijke waarde. En omdat cesium acht maal zo sterk was, zijn ze dus nu (want in die acht dagen is de cesiumstraling

**Van onze verslaggevers**
DEN HAAG — De schildklieren van
slachtvee zijn tot nader order niet langer geschikt voor consumptie. Minister Braks van
Landbouw heeft dinsdag de slachthuizen
meegedeeld dat die klieren, waar het radioactieve jodium 131 wordt opgeslagen, niet langer geschikt zijn voor de verwerking in ge-
hakt. In de slachthuizen worden de schildklieren sinds gisteren verwijderd en
onderzocht op radioactieve sporen.

nauwelijks afgenomen) gelijk: $^1/_8$ x 8 = 1. Na een paar maanden
is jodium zelfs volledig uitgewerkt. Na tachtig dagen is de intensi-
teit $(½)^{10} \approx {}^1/_{1000}$ van de straling van de eerste dagen. 'Tot nader order' zal dus wel niet veel langer dan enkele weken of maanden zijn geweest.

• DRIE TOEPASSINGEN OVER GROEIPERCENTAGES

Vaak is de verdubbelingstijd niet gegeven, maar wel het groeipercentage in een tijdseenheid. Nu is het voor groeipercentages (tot
tien procent) heel makkelijk om de verdubbelingstijd snel te berekenen.[1] Dat kan namelijk met de formule 70 : p. Dat wil zeggen
dat bij een jaarlijkse groei van tien procent de verdubbelingstijd 70
: 10 = 7 jaar is, bij vijf procent 70 : 5 = 14 jaar en bij een procent
70 : 1 = 70 jaar. Dus als we een kapitaal met een rente van tien
procent zeven jaar laten staan is het verdubbeld, en bij vijf procent
duurt die verdubbeling veertien jaar.

Het berekenen van groei (het nieuwe kapitaal) kan natuurlijk door
steeds de hoeveelheid die erbij komt bij het vorige aantal op te tellen. Dus 100 plus tien procent is 110; tien procent van 110 is 11,
dus nieuwe toestand 121; tien procent van 121 is 12,1 levert op
133,1; enzovoort.

Maar als we het kapitaal op een gegeven moment op $N$ stellen,
dan kan de berekening ook heel handig als volgt gaan: $N$ + 0,1
x $N$ = 1,1 x $N$ oftewel, je vermenigvuldigt elke keer met de factor
1,1.

We kunnen een en ander makkelijk met de rekenmachine nagaan: vermenigvuldig 1 maar eens zeven keer met 1,1 dan komen we dicht in de buurt bij 2, of 14 met 1,05 of 70 keer met 1,01; dan gebeurt hetzelfde. Belangrijk daarbij is niet omslachtig optellend te werk te gaan maar direct te vermenigvuldigen - dus de groeifactorbenadering te kiezen. Nadat de juistheid van de verdubbelingsregel 70 : p aldus proefondervindelijk met de rekenmachine is vastgesteld kan deze worden toegepast. De volgende drie problemen geven een indicatie van de mogelijkheden (ze zijn mede bestemd voor het voortgezette onderwijs).

1. De bevolking in de Verenigde Staten is in de periode van 1800 tot 1950 jaarlijks ruwweg met 2,8 procent gegroeid. In 1800 woonden er 2,5 miljoen mensen. Hoeveel mensen bevolkten omstreeks 1950 de Verenigde Staten?
2. Lever commentaar op de prognoses die in het volgende knipsel staan over de wereldbevolking. Bepaal ruwweg het huidige groeipercentage van de wereldbevolking (figuur 117).

——— — FIGUUR 117: GROEI WERELDBEVOLKING: WAT IS TREND?

## Bevolking van de aarde komt binnenkort op vijf miljard

Het duurde ruim een eeuw voordat — in 1925 — de wereldbevolking van één op twee miljard kwam. 35 jaar later, in 1960, waren er 3 miljard mensen en veertien jaar later, ten tijde van de eerste Wereldbevolkingsconferentie telde UNFPA de vier miljardste aardbewoner. De vijfmiljardste is binnen dertien jaar bereikt.

UNFPA rekent voor dat nog voor het eind van de eeuw de aarde zes miljard bewoners zal tellen en zeven miljard nog geen elf jaar later, in het jaar 2010. Aan de explosieve groei komt dus voorlopig geen einde. Pas over een eeuw zal de wereldbevolking stabiel blijven rond de tien miljard, wanneer de huidige trend zich voortzet. Per minuut komen er 150 zielen bij, dat wil zeggen 220.000 per dag of 80 miljoen per jaar; cijfers waarvan niet alleen de demografen duizelen. Verantwoordelijk voor de indrukwekkende toename is het sterk verbeterde peil van voeding en gezondheidszorg, wereldwijd.

3. In de Witte Nijl in Soedan is een grote stuwdam gebouwd. In het stuwmeer groeit een waterhyacint. In 1958 bedekte deze waterplant 12 km² van het wateroppervlak van 200 km². Jaarlijks nam de waterplantoppervlakte met vijftig procent toe.
Teken een grafiek en bepaal het jaar dat het hele meer met de hyacint bedekt zou zijn.
We zullen deze opgaven in het volgende kort bespreken.

*ad 1*
De verdubbelingstijd bij een groei van 2,8 procent is 70 : 2,8 = 25 jaar. In 1800 woonden er in de Verenigde Staten 2,5 miljoen mensen, in 1825 waren dat er 5 miljoen, 10 miljoen in 1850, 20 miljoen in 1875, 40 miljoen in 1900, 80 miljoen in 1925 en 160 miljoen in 1950. Na 1950 is deze groei sterk afgevlakt: er wonen thans (in 1990) ongeveer 250 miljoen mensen in de Verenigde Staten. Zoals zo vaak bij groeiverschijnselen ontstaat er een andere groeicurve dan de steil oplopende lijn - waarover straks wat meer.

*ad 2*
Tachtig miljoen per jaar erbij op vijf miljard mensen betekent een groeipercentage van 80 : 5000 = 16 : 1000 = 0,016 oftewel 1,6 procent. Dit levert een verdubbelingstijd van 70 : 1,6 ≈ 45 jaar (iets te hoog). De verdubbelingstijd wordt dus korter. Immers, vergelijken we met 1925 (twee miljard) en 1974 (vier miljard) dan hadden we toen een verdubbelingstijd van circa 50 jaar (iets te

hoog). Stel dat deze trend zou voortgaan dan zouden we over, 40 jaar (dus omstreeks 2030) al tien miljard mensen kunnen verwachten. Dit lijkt ook meer in overeenstemming met de grafiek uit figuur 118.[2]

FIGUUR 118: GROEI WERELDBEVOLKING

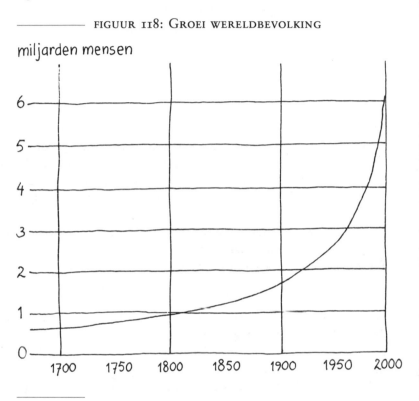

miljarden mensen

In het stukje bedoelt men waarschijnlijk een andere trend, want in werkelijkheid gaat de groei niet sneller maar juist langzamer. We krijgen dan ook een ander groeibeeld. Eerst nam het groeipercentage alsmaar toe, nu neemt het af en krijgen we een ander soort curve, waarover in de bespreking over de waterhyacint meer wordt gezegd.

*ad 3*
De groeifactor is 1,5. We maken de volgende tabel waarbij (met

de rekenmachine) steeds de oppervlakte in een opvolgend jaar berekend wordt:

$$12 \xrightarrow{\times 1,5} 18 \xrightarrow{\times 1,5} 27 \xrightarrow{\times 1,5}$$

| jaartal | 58 | 59 | 60 | 61 | 62 | 63 | 64 | 65 |
|---------|----|----|----|------|-------|------|------|------|
| km² | 12 | 18 | 27 | 40,5 | 60,75 | 91,.. | 136,.. | 205,.. |

We zien dus dat in 1965 het meer vol zou zijn. De grafiek is nu ook makkelijk te tekenen. Maar dit is theorie. Want de grafiek van de waterhyacint blijkt er in werkelijkheid als volgt uit te zien (figuur 119).[3]

FIGUUR 119: GROEI WATERHYACINT

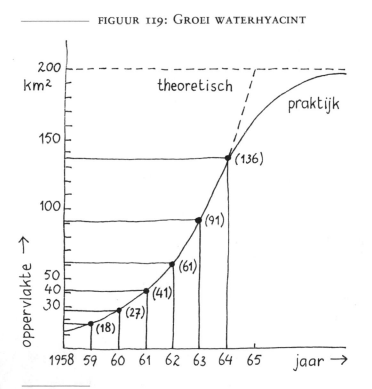

Lang voordat de maximale oppervlakte is bereikt, neemt de exponentiële groei af doordat er te weinig ruimte voor de plant is. Er ontstaat een zogenoemde S-kromme, ook wel de logistische groeikromme genoemd. Hij is aanvankelijk exponentieel maar neemt naarmate de grenswaarde wordt bereikt steeds meer af - zo ontstaat die S. De groei van de wereldbevolking zal waarschijnlijk ook zo verlopen. Vandaar die veronderstelling over de grenswaarde van tien miljoen. De groei is namelijk al wat aan het afvlakken. Maar het gaat hier wel om een heel globale raming, om niet te zeggen een zuivere speculatie.

Noten bij Toepassingen verticaal gepland

1. Het bewijs van deze vuistregel voor p tot ongeveer 10 is als volgt:
$(1 + p/100)^n = 2$
$n \ln (1 + p/100) = \ln 2$
Nu gedraagt $\ln (1 + p/100)$ zich voor kleine $p/100$ als $p/100$.
(Men kan dit inzien door de afgeleide van respectievelijk
$\ln (1 + x)$ en x te nemen, voor x in de buurt van 0.)
$n. \, p/100 \approx 0,70$

$$n \approx \frac{0,70}{p/100} \approx \frac{70}{p}$$

2. Naar: Lange, J. de: *Exponenten en logaritmen*, Utrecht 1978, pag. 41.
3. Naar: Lange, J. de en M. Kindt: *Groei*, Culemborg, 1986, pag. 22.

3  ALGEMENE SCHOOLDOELEN

In Proeve I werden vier algemene schooldoelen genoemd:
– de persoonlijke waarde;
– de voorbereidende waarde;
– de maatschappelijke waarde;
– de vakspecifieke waarde.

De eerste drie worden hier besproken; de vakspecifieke waarde komt in een volgend hoofdstuk aan de orde onder de titel 'algemene leerdoelen'.

• PERSOONLIJKE WAARDE

We citeren wat we daarover eerder schreven:

'Vroeger werd rekenen-wiskunde nogal eens om haar *vormende waarde* aangeprezen. Grote mogelijkheden voor de ontwikkeling van persoonlijke kwaliteiten kreeg het rekenen wiskundeonderwijs soms toegedicht, zoals het scherpen van het verstand, de bevordering van een nauwkeurige wijze van uitdrukken, waardering opwekken voor de schoonheid van de wiskunde, zin voor orde, samenhang en nog meer moois. Vooral ook de sociale betekenis werd onderlijnd: argumenteren, discussiëren, samenwerken en op waarde schatten van argumenten. Maar tevens bleven het persoonlijke plezier, de appreciatie en de voldoening niet ongenoemd. Thans echter zijn de beschouwingen over de persoonlijke waarde didactisch minder vrijblijvend, zeker ook ten aanzien van het sociale aspect. In het onderwijs zelf zou concreet aanwijsbaar moeten zijn dat er een afstemming op die 'verheven' doelen mogelijk is. Anders gezegd: via talloze voorbeelden moet plausibel gemaakt kunnen worden dat de leerlingen voortdurend de gelegenheid krijgen om te argumenteren, verschillende strategieën te gebruiken, zich helder uit te drukken, zelf wiskunde te produceren, te reflecteren op het eigen denken, plezier aan onderzoek te beleven, te puzzelen, samen te werken, kortom gelegenheid krijgen om bepaalde na te streven algemene gedragspatronen te ontwikkelen die persoonlijk waardevol zijn. Pas dan mag men met recht de persoonlijke waarde van rekenen en wiskunde aanprijzen'[1].

'Graankorrels' bevat tal van activiteiten die binnen het zojuist geschetste kader van de persoonlijke waarde passen. We beginnen met het sociale aspect.

Er is sprake van groepswerk, van onderling overleg, van samenwerking, in alle delen van het thema. Er wordt geargumenteerd en gediscussieerd. Meningen van mede-leerlingen moeten voortdurend op hun waarde worden beoordeeld, te beginnen met de eerste ramingen over de benodigde hoeveelheid graan, en eindigend met de schatting van de hoogte van de toren op het 64e veld. Meningen van de briefschrijver over de 'Gouden Cirkel' worden beoordeeld op hun (on-)zin... Kortom, het sociale aspect van de persoonlijke waarde krijgt in 'Graankorrels' alle aandacht.

En dan de zin voor orde, regelmaat, samenhang, schoonheid... Van de vele voorbeelden van orde, samenhang, regelmaat op het schaakbord met de graankorrels, kiezen we er een uit om de strikt persoonlijke waarde toe te lichten. We richten ons daarbij speciaal tot de lezer persoonlijk.

Het gaat om de genoemde somregel dat het aantal korrels op een veld één meer is dan het aantal korrels op alle voorgaande velden samen. Stel we noteren het aantal korrels met het tweetallige stelsel. Dus in het 'Land van Twee', naar analogie van het 'Land van Acht', waarin de figuurtjes nu slechts één vinger aan iedere hand hebben en dus ook maar twee cijfersymbolen, een nul en een één, ter beschikking hebben.[2]

Op het 1e veld komt '1' korrel, op het 2e veld komen '10' korrels, op het 3e veld '100' en op het 4e veld '1000' korrels. De som van de korrels op deze eerste vier velden is dus '1111'. De som op de eerste vijf velden is een getal met vijf enen '11111' enzovoort. Welnu, indien aan het totaal van de eerste zes velden 1 korrel wordt toegevoegd, krijgen we '111111' + '1' = '1000000' en dat is precies het aantal korrels van het 7e veld. Het totaal van de eerste zeven velden is '1111111'. Voegen we daaraan '1' toe dan val-

len enen als dominostenen en krijgen we het aantal van het 8e veld '10000000'.
Kortom, de somregel wordt door de tweetallige notatie als het ware zichtbaar gemaakt. Mooi? De appreciatie van dit bewijs is zeer persoonlijk. Sommige lezers zullen getroffen worden door de eenvoud en de schoonheid ervan. Anderen zullen er daarentegen koud onder blijven, mede omdat ze het te abstract of te moeilijk vinden. En dat geldt uiteraard ook voor de leerlingen, maar dan bij vergelijkbare oplossingspatronen op het schaakbord, zoals de nullenkwestie bij sprongen van tien.

In ieder geval geven we met het aangeduide onderwijs de leerlingen gelegenheid om wiskunde op hun persoonlijke waarde te schatten. En daar gaat het om: dergelijke waarden kunnen nu eenmaal niet worden afgedwongen. Uit ervaring weten we echter dat 'Graankorrels' voor heel wat leerlingen een indrukwekkende belevenis in het reken-wiskundeonderwijs biedt.


• Voorbereidende waarde

Eerst weer een kort citaat uit Proeve I:

'De *voorbereidende waarde* voor het vervolgonderwijs is ook een algemeen doel van de basisschool en derhalve ook van toepassing op rekenen-wiskunde. De noodzakelijke basisvaardigheden voor het voortgezet onderwijs en het beroepsonderwijs dienen dus mede in het basisonderwijs te worden gelegd. Deze betreffen hoofdrekenen, schattend rekenen, cijferen, verhoudingen, breuken, meten en meetkunde - onderwerpen die verticaal gepland dienen te worden door de basisschool heen naar het voortgezet onderwijs toe en ook daarbinnen weer. In het verleden is die afstemming niet zelden gerealiseerd via een druk van bovenaf. Althans zo werd het vaak ervaren: het voortgezet onderwijs stelde zijn (al dan niet gerechtvaardigde) eisen. Toelatingsexamens konden daaraan kracht bijzetten. Maar zo eenzijdig is de relatie nu al lang niet meer, als die ooit zo was. En thans zijn er juist bij rekenen en wiskunde kansen om de verschillende programma's goed te laten sporen met de onderwijsontwikkeling voor wiskunde in (de eerste fase van) het voortgezet onderwijs.'[3]

'Graankorrels' is het eerste baken van het onderwijs in exponentiële groei, tezamen met een reeks verwante problemen over verdubbeling en halvering. Het tweede baken, de procentuele groei, werd in het voorgaande ook kort belicht. Met name het kernpunt 'groeien met p %' betekent 'vermenigvuldigen met een factor $(1 + \frac{p}{100})$' werd daar benadrukt. Deze procentuele toename - zoals die zich voordoet bij samengestelde interest, rente op rente, cumulatieve groei - kan met de formule $(70 : p)$ in verband met de verdubbeling van baken één worden gebracht. Een vraag als die over de verdubbelingstijd van een kapitaal bij een groeifactor (rente) van tien procent per jaar kan daarmee eenvoudig worden beantwoord.

Bij een derde baken wordt de sprongsgewijze (discrete) groei vervolgens verfijnd tot een continue toename. Er wordt dan bijvoorbeeld gevraagd wat de toename is voor een bepaalde termijn - vijftien jaar - indien de verdubbelingstijd bekend is, zeg bijvoorbeeld dertig jaar. Worteltrekken doet hier zijn intrede en de exponentiele functie wordt geïntroduceerd.

De lijn kan met nog meer bakens worden uitgezet: de logaritmische functie is een volgende baken. Pas daarna kan de juistheid van de vuistregel van verdubbeling voor (kleine) procentuele groei worden afgeleid.

Met deze verticale planning van groei begaven we ons ver buiten het terrein van het basisonderwijs. Baken één kan nog wel in het basisonderwijs worden gezet, maar baken twee al niet meer, algemeen gesproken. En de bakens drie en vier staan zelfs pas in de bovenbouw van het voortgezet onderwijs. Toch is het belangrijk om verticaal te plannen en niet met groei te wachten tot een min of meer volledige behandeling in de bovenbouw mogelijk is. Wacht men namelijk zolang, dan moet bijvoorbeeld de 'additieve' werkwijze toch ook weer in die hogere regionen worden uitgebannen.[4] (Een toename uitrekenen via optellen in plaats van vermenigvuldigen.) Op zich zijn groeiproblemen belangrijk voor de basisvorming, lijkt ons, juist omdat ze zo praktisch en maatschappelijk relevant zijn - waarover direct meer.

Waar het ons hier om ging, was aan te geven dat lijnen die in het basisonderwijs worden uitgezet door kunnen lopen tot ver in het voortgezet onderwijs. Het basisonderwijs kan, moet zelfs, ook een voorbereidende waarde voor het vervolgonderwijs hebben.

• Maatschappelijke waarde

In Proeve I staat hierover het volgende:

'Met *maatschappelijke waarde* wordt gedoeld op de betekenis die rekenen-wiskunde kan hebben voor het leven van alledag en het werken in de beroepswereld als mogelijk onderdeel daarvan. Let wel 'kan hebben', namelijk indien de relatie tussen rekenen-wiskunde en de realiteit ook werkelijk wordt gelegd. Welnu, in het voorgaande werd er al kort op gewezen dat die verbinding er niet altijd was. Met name niet in het formele rekenen van de jaren zestig en de geheel aan de realiteit onthechte New-Math uit dezelfde periode. Toen werd het zaad voor de realistische opvattingen gezaaid. We moeten echter thans voor overdrijving waken: de maatschappelijke waarde is niet het enig relevante streefdoel, zoals hier en daar wel wordt beweerd.'₅

Er zijn tal van maatschappelijk relevante problemen die met exponentiële groei of afname te maken hebben:
- bevolkingsgroei;
- groei van diersoorten;
- straling van radioactieve stoffen;
- grondstoffenconsumptie;
- samengestelde interest;
- verzekeringen;
- toename van vervuiling;
- inflatie;
- celdelingen, bacteriën, verspreiding van ziektekiemen.

Belangrijk bij al deze problemen is vooral ook de vraag of en in hoeverre en hoelang het model van de exponentiële groei daarop van toepassing is, en zo niet waar de beperkingen en grenzen van het model liggen. Waarmee ook de grenzen van de wiskundige toepassingen in beeld komen. In dit verband is de logistische kromme of S-curve van belang die in het voorgaande bij de toepassingen ter sprake kwam, en de onzekerheid bij de toepassing daarvan op bijvoorbeeld de groei van de wereldbevolking. Overigens zijn er nog andere elementen in het geschetste onderwijspakket die met het maatschappelijke belang van het rekenwiskundeonderwijs van doen hebben, zoals bijvoorbeeld het rekenen met maten, het schatten en het doelmatig leren gebruiken van de rekenmachine.

• Vakspecifieke waarde

De vakspecifieke waarde wordt hier niet nader uitgewerkt. Algemeen geldt dat in het onderwijs recht gedaan dient te worden aan de specifieke waarde van het betreffende vakgebied i.c. rekenenwiskunde. 'Recht doen aan...' is echter minder makkelijk en vanzelfsprekend dan wellicht mag lijken. Dat komt omdat rekenenwiskunde algoritmisch produktmatig kan worden onderwezen, wat in tegenstelling staat tot de geest achter de wiskundige activiteit zelf, of anders gezegd, tot de vele kanten die wiskunde daarnaast kent. Daarover nu meer onder het hoofd 'algemene leerdoelen'.

1.  Uit: Treffers, A., E. de Moor en E. Feijs: *Proeve van een nationaal programma voor het reken-wiskundeonderwijs op de basisschool*, deel I. Overzicht einddoelen, Tilburg 1989, pag. 26-27.

2.  De telrij is in het tweetallige stelsel: 1(1), 10(2), 11(3), 100(4), 101(5), 110(6), 111(7), 1000(8)...
    Denkend aan het 'Land van Acht') hebben de figuren in het 'Land van Twee' één vinger aan iederc hand. Ze hebben maar twee symbolen, namelijk 0 en 1. Bij twee maken ze een greep (zie 'Land van Acht', dat is 10. Drie is een greep en één, dat is 11. Vier wordt een grote greep, dat is 100, enzovoort.

3.  Zie noot 1, pag. 27.

4.  Zie: Treffers, A. en H.B. Verhage: Enkele gedachten over procentrekening in het V.O., *Nieuwe Wiskrant*, 3(2), 1983, pag. 12-16.

5.  Zie noot 1, pag. 27-28.

Er worden in Proeve I acht algemene leerdoelen onderscheiden.
Deze doelen worden permanent in het reken-wiskundeonderwijs
nagestreefd, of dienen in ieder geval permanent op de achtergrond
te staan, wil men in het onderwijs recht doen aan de specifieke
reken-wiskundige activiteit.

De algemene leerdoelen weerspiegelen de zojuist geschetste algemene leerdoelen: de persoonlijke waarde is herkenbaar in A1, de
voorbereidende waarde in A2, de maatschappelijke waarde in A3
en de vakspecifieke waarden in A4 tot A8.

We sommen de acht doelen stuk voor stuk op en illustreren ieder
ervan met voorbeelden uit 'Graankorrels' plus de toepassingen ervan. Verschillende keren zullen dezelfde activiteiten bij verschillende doelstellingen worden besproken, eenvoudigweg omdat zulke activiteiten meerdere reken-wiskundige aspecten bevatten. We
trachten echter wel zoveel mogelijk variatie in de toelichtende
voorbeelden aan te brengen. Vaak volstaan we met korte verwij-
zingen omdat de voorbeelden voor zich spreken. Tenslotte: we bepalen ons in het volgende niet alleen tot leerlingen van het basisonderwijs maar overschrijden, indien nodig, de grens naar het voortgezet reken-wiskundeonderwijs!

A1.    Het onderwijs in rekenen-wiskunde is erop gericht dat de
       leerlingen een goede wiskundige werkhouding en een posi-
       tieve houding ten opzichte van rekenen-wiskunde ontwikke-
       len
Dit houdt in dat zij:
– een onderzoeksgerichte instelling en een wiskundig aanpakge-
  drag ontwikkelen, zowel voor het individuele werken als voor
  groepsonderzoek;
– reken-wiskundige werkwijzen appreciëren;
– zelfvertrouwen ontwikkelen in het gebruiken van wiskundige
  werkwijzen en vaardigheden.

Dit algemene leerdoel staat bij 'Graankorrels' niet bescheiden op de achtergrond maar duidelijk vooraan. Het onderwijspakket is onderzoeksgericht en mikt door zijn verrassende uitkomst op de appreciatie van de leerlingen. Herhaling van steeds weer dezelfde probleemstelling bij het kiezen van nieuwe maateenheden na een sprong over tien velden dient er mede toe zelfvertrouwen in de wiskundige werkwijzen en vaardigheden te ontwikkelen - om maar een voorbeeld te noemen. Hetzelfde geldt voor het schatten, het rekenen met nullen, het geraffineerde gebruik van de rekenmachine en nog veel meer van wat in de volgende besprekingen zal worden aangevoerd.

A2. Het onderwijs in rekenen en wiskunde is erop gericht dat de leerlingen fundamentele vaardigheden verwerven
Dit houdt in dat zij:
– rekenvaardigheid verwerven, gebaseerd op inzicht, feitenkennis en routines (basisvaardigheden);
– strategieën en methoden verwerven voor het oplossen van problemen in contexten (procesvaardigheden).

In 'Graankorrels' wordt heel wat afgerekend. Of eigenlijk valt het nog wel mee, (1) omdat er met afgeronde getallen wordt gewerkt en (2) vanwege de inschakeling van de rekenmachine. Deze moet echter bij het vermenigvuldigen van grote getallen wel met inzicht worden gebruikt, inzicht in het vermenigvuldigalgoritme wel te verstaan. Bij het optellen van deeluitkomsten is werken zonder de machine weer handiger. Daarbij dient de routine van het optellen-onder-elkaar van getallen tot tien te worden ingebracht.
Ook komen de leerlingen in aanraking met toepassingen. Soms een rechtstreekse, zoals bij de kettingbrief, soms een 'omgekeerde', zoals bij de halvering, dus bij afname in plaats van groei. Wat hebben deze problemen met de problematiek van de graankorrels op het schaakbord te maken, zo vragen de leerlingen zich af. Waar zitten de overeenkomsten en waar de verschillen met de contextproblemen? Of bij de vraagstukken over procentuele groei: hoe kunnen deze worden ingepast in het schaakbord-model? Of de vraag in hoeverre de problematiek van de waterplantengroei overeenkomsten vertoont met de groei van de wereldbevolking. Alle-

maal toepassingen gericht op de strategische kennis van het kunnen toepassen - waarover straks nog wat meer.

A3. Het onderwijs in rekenen en wiskunde is erop gericht dat de leerlingen praktische toepassingen van rekenen-wiskunde leren kennen
Dit houdt in dat zij:
- de invloed van rekenen-wiskunde in alledaagse situaties onderkennen;
- toepassingen leren kennen van de wiskunde in andere vakgebieden;
- wiskundig georiënteerde apparatuur zoals de rekenmachine en de computer leren gebruiken.

Als er één probleem ver afstaat van de realiteit van alledag dan is het 'Graankorrels' wel, zo lijkt het. En toch blijkt het achteraf heel veel met de alledaagse werkelijkheid van doen te hebben. Trouwens niet alleen achteraf, want tijdens het werken aan het thema duikt de kwestie van de maatontwikkeling op, moet de inhoud van een zak worden geschat, de grootte van een schuur, een klaslokaal, een paleiszaal. De afstanden van maan, zon en planeten tot de aarde kunnen erbij worden gehaald. (Op de dag dat deze tekst wordt geschreven is de Voyager 2 bij Neptunus aangekomen na een reis van twaalf jaar!) Radioactiviteit in verband met Tsjernobyl, kettingbrieven, bevolkingsgroei, groei van ziektekiemen, inflatie... toepassingen in andere vakgebieden te over.
Over het gebruik van de rekenmachine hebben we het al eerder uitgebreid gehad.
Kortom, 'Graankorrels plus toepassingen' dient duidelijk het algemene leerdoel om praktische toepassingen van rekenenwiskunde te leren kennen.

A4. Het onderwijs in rekenen en wiskunde is erop gericht dat de leerlingen verbindingen leggen tussen rekenen-wiskunde als systeem en de realiteit waarop dat systeem van toepassing is
Dit houdt in dat zij:

– ordeningsmiddelen gebruiken, zoals tabellen, grafische voorstellingen, symbolen en formules voor het oplossen van toepassingsproblemen;
– werken met modellen, dat wil zeggen: gegevens omzetten, bewerken en verwerken, en de resultaten terugvertalen naar de probleemsituatie.

Het gaat hier dus om de toepasbaarheid van reken-wiskundige technieken, begrippen en structuren. Het schaakbord-probleem zelf fungeert als een modelsituatie voor verdubbelen. Problemen over procentuele groei bijvoorbeeld worden daar naar toe vertaald en terug vertaald. Dan blijkt soms - bijvoorbeeld bij de kettingbrieven, de bevolkingsgroei en de plantengroei - dat het model op een bepaald punt niet meer past. We krijgen dan een foutenmarge zoals bij de kettingbrief, of een afvlakking naar de S-curve bij de bevolkings- en plantengroei. Maar ook het schattend rekenen heeft een zekere modelfunctie, ook daarbij moet wel degelijk afgevraagd worden of de afronding niet te ingrijpend is.

Grafieken ondersteunen de rekenmodellen van de exponentiële groei op uitnemende wijze. Ook zelf bedachte symbolen, zoals die van het aantal korrels op een bepaald veld, (6e) bijvoorbeeld, verhoogt de reikwijdte van de toepassingen.

De enorme kracht en de toepasbaarheid van de formule 70 : p om de verdubbelingstijd voor kleine procentuele groei te berekenen, is genoegzaam gebleken. Dus zowel het gebruik van ordeningsmiddelen als het werken met modellen kwamen in 'Graankorrels' ruimschoots aan bod.

A5.  Het onderwijs in rekenen en wiskunde is erop gericht dat de leerlingen wiskundetaal begrijpen en gebruiken

Dit houdt in dat zij:
– de beschikking hebben over termen, symbolen en notatiewijzen;
– wiskundetaal actief gebruiken bij het discussiëren, het formuleren van oplossingen, het verwoorden van onderzoekjes;
– wiskundige beschrijvingen lezen en interpreteren in verbale, schematische en symbolische vorm, in boeken, advertenties,

pamfletten, tv-spots en via grafieken, kaarten, schema's en modellen.

Aan het laatste kan toegevoegd worden: 'en niet te vergeten, verhalen.' Want 'Graankorrels' is een wiskundig getint verhaal dat kinderen wiskundig moeten interpreteren. En in de toepassingsproblemen wemelt het van de kranteartikelen, ingezonden brieven en grafieken. Kinderen moeten hun bevindingen, overwegingen en berekeningen verwoorden, beargumenteren, noteren, in formule zetten. Ze moeten kritisch luisteren naar anderen, en kritisch lezen wat anderen schrijven. Ze moeten namen voor nieuwe maten bedenken. En vooral ook dienen ze de symbolen en formules correct te hanteren. Dat is met name het geval bij het noteren van groei als een factor en niet op additieve wijze. Bijvoorbeeld een groei van tien procent als 'x 1,1' en niet als ' + 10/100' deel beschrijven, want dan wordt bij herhaalde groei de notatiewijze te gecompliceerd. En... de rekenmachine kan niet eenvoudig en handig worden ingezet. Na uitvoerige exploratie van dit probleem, of beter van de wijze van noteren, wordt de afspraak gemaakt om voortaan bij procentuele groei, of algemener bij procenten, de factornotatiewijze te hanteren.

Tenslotte nog iets over machten. We kunnen samen met de kinderen een korte notatie-wijze voor herhaald verdubbelen of een herhaalde vermenigvuldiging ontwikkelen: machten en de wetenschappelijke schrijfwijze voor grote (of kleine) getallen worden daarmee geïntroduceerd. Deze maken het noteren van gedurige produkten veel overzichtelijker.

Al met al zijn er vele mogelijkheden om via 'Graankorrels' het taalaspect in alle genoemde facetten te verzorgen.


A6. Het onderwijs in rekenen en wiskunde is erop gericht dat de leerlingen relevante reken-wiskundige verbanden, regels, patronen en structuren opsporen

Dit houdt in dat zij:
– orde en regelmaat ontdekken in getallen en figuren;

- eigenschappen opsporen van bewerkingen, verbanden en structuren;
- regels en wetmatigheden vinden, en omgekeerd concrete voorbeelden geven bij algemene regels.

Er zijn verschillende grote verbanden in 'Graankorrels plus toepassingen' te ontdekken - we hebben dit reeds besproken. Ten eerste is er de duizend-regel bij de sprong over tien velden: het aantal wordt dan steeds verduizendvoudigd. Daarmee in directe samenhang staat het op analoge wijze rekenen met steeds grotere maateenheden. Ten tweede kan de reeds herhaaldelijk gememoreerde somregel als regelmatige betrekking worden opgespoord. Ten derde kan de verdubbelingsformule worden ontdekt bij procentuele groei.

We kunnen de leerlingen een lijstje met verdubbelingstijden geven, of zelf laten aanleggen:

| | |
|---|---|
| 1 procent verdubbelingstijd | 70 jaar |
| 2 procent verdubbelingstijd | 35 jaar |
| 3 procent verdubbelingstijd | 23 jaar |
| 4 procent verdubbelingstijd | 18 jaar |
| 5 procent verdubbelingstijd | 14 jaar |

...
...

10 procent verdubbelingstijd      7 jaar

Ontdekken ze de regelmaat, en ook dat die bij 15 procent, 20 procent en 25 procent verstoord wordt? En tenslotte leren de kinderen al werkend op heel natuurlijke wijze enkele eigenschappen van machten, bijvoorbeeld $10^3 \times 10^3 = 10^6$ is (1000 x 1000 = 1000.000) of $2^{10} \times 2^{10} = 2^{20}$, wat ongeveer even groot is! De kracht van het graankorrelprobleem is juist dat er op het schaakbord zulke mooie relaties te ontdekken zijn - denk ook aan wat eerder over het tweetallige stelsel in dit verband is geschreven...

A7. Het onderwijs in rekenen-wiskunde is erop gericht dat leerlingen onderzoeksstrategieën en redeneerstrategieën gebruiken en verwoorden

Dit houdt in dat zij:
- experimenteren, observeren en vooronderstellingen testen;
- bewijs leveren (op verschillende niveaus) en bewijzen, argumenten en redeneringen weerleggen;
- schatten en verantwoord werken met benaderingen;
- het belang inzien van het proberen, simplificeren, overdrijven en veralgemenen om problemen op te lossen.

Het lijkt wel alsof dit algemene leerdoel speciaal voor het concrete onderwijspakket 'Graankorrels plus toepassingen', is geschreven. Experimenteren en uittesten van vooronderstellingen vormt de basis van het Graankorrelthema. Over het bewijzen schreven we eerder. Het weerleggen van bewijzen en redeneringen gebeurt ten overstaan van de vorst die in het verhaal als een soort domme August fungeert. Hij heeft de onvoorstelbare groei niet door, laat enkele zakken bijhalen die twee velden verder al leeg zullen zijn, rekent niet verder met reuzen-maten, wil meer graan laten verbouwen. Pas in zijn droom ziet hij de groei helder.
Ook worden prognoses over groei kritisch bekeken. Schatten neemt in 'Graankorrels' een buitengewoon belangrijke plaats in. We wijzen in dit verband nog eens op de handige manier waarop bijvoorbeeld in deel twee de benodigde teltijd wordt benaderd via een groepsgesprek: 64 korrels tellen in 1 minuut, dan voor 64 minuten op het 13e veld 1 uur nemen. Dus voor het 14e veld 2 uur.... Hier hebben we de explosieve groei al enigszins in de greep. Later wordt door schatting grofweg het aantal graankorrels bepaald. Dan moet de hoogte van de graantoren geschat worden. Nog later worden verdubbelingstijden globaal berekend.
Het belang van het proberen, simplificeren en overdrijven komt bij de procentuele verdubbelingsregel naar voren: die regel blijkt tot een groeipercentage van 10 te werken. Maar overdrijving leert dat hij niet juist kan zijn bij bijvoorbeeld een groei van 35, of 50, of 70 procent! Kortom, het methodische aspect kan in het onderhavige thema tot gelding worden gebracht.

A8. Het onderwijs in rekenen-wiskunde is erop gericht dat de leerlingen bekwaamheid verwerven om zelf rekenen en wis-

kunde te construeren en te produceren, en om op hun eigen
activiteiten te reflecteren
Dit houdt in dat zij:
- in een globaal gegeven opdracht zelf vraagstukken bedenken;
- kritisch nadenken over eigen oplossingsmanieren;
- toepassingsopgaven bedenken bij kale sommen.

Het zelf bedenken van vraagstukken is niet het meest in het oog
springende punt in 'Graankorrels plus toepassingen' - althans niet
in de wijze waarop wij het hier beschreven hebben. Dat komt omdat de leerlingen in een nieuw gebied worden ingevoerd. Pas later,
als er meer overzicht is, zijn in dit lastige gebied vrije produkties
op hun plaats.
Maar zeker verderop, bij procentuele groei, kunnen leerlingen zelf
kale en toegepaste opgaven produceren, waarop we in deel I en II
van dit boek zoveel nadruk legden. Wel wordt de leerling bij
voortduring gedwongen kritisch na te denken over zijn eigen
oplossingsmanieren, die vaak zullen afwijken van de handige strategieën die in het groepsgesprek door mede-leerlingen en de leraar
naar voren worden gebracht. Bijvoorbeeld om te beginnen bij het
schatten, daarna bij het handig gebruik van de rekenmachine en
vervolgens bij rekenen met groeifactoren (dus vermenigvuldigen in
plaats van optellen bij procentuele groei). Nadenken ook over het
handig kiezen van nieuwe maateenheden, over de juistheid van de
eerste schatting, over overeenkomsten in groeiprocessen die aanvankelijk over het hoofd waren gezien.


• SAMENVATTING

De acht algemene leerdoelen bevatten de essentiële kanten die aan
reken-wiskundeactiviteiten te onderscheiden zijn, te weten:
- het attitude-aspect;
- het vaardigheidsaspect;
- het praktische nut;
- de toepasbaarheid;
- het taalaspect;
- het structuuraspect;

- de methodische kant;
- het ontwikkelingsaspect.

Al deze aspecten konden in het onderwijsthema 'Graankorrels' en de toepassingen ervan gesignaleerd worden. En omgekeerd: de algemene leerdoelen konden concreet met dit onderwijspakket worden geïllustreerd. Dus net zoals in Proeve I met de lessenserie over 'de grootte van Nederland' gebeurde. Alleen werd hier een onderwerp gekozen uit het laatste leerjaar van de basisschool met een lange uitloop naar het voortgezet onderwijs, zodat de lezer ook enigermate op zijn/haar eigen niveau kon worden aangesproken. Met als mogelijk nadeel natuurlijk dat de vluchtige lezer wellicht zal denken dat we met dit alles voor de basisschool veel te hoog grijpen, terwijl het beschrevene daarvoor niet geheel en niet uitsluitend bedoeld is...

Wat echter wel voor de basisschool past, zijn de nagestreefde algemene leerdoelen van het onderwijspakket 'Graankorrels' plus de toepassingen ervan. En niet te vergeten het onderzoeksgerichte onderwijsklimaat dat daarin tot uitdrukking komt.

Over dat laatste tot slot nog enkele opmerkingen.

Over het wiskundige werkklimaat viel in het voorgaande voldoende in en tussen de regels te lezen. De onderwijsgevende die soms stuurt, corrigeert, helpt, de weg wijst en op andere belangrijke momenten juist niet helpt, zwijgt, de gelegenheid geeft tot proberen. Leerlingen die regelmatig geconfronteerd worden met hun eigen goede en minder goede oplossingen. Leerlingen die overleggen, weerleggen, proberen te overtuigen, vragen stellen, ... Dit wat het algemene werkklimaat betreft.

Betrekken we daarbij de wijze waarop het onderwijsleerpakket is opgebouwd en de leergang over exponentiële groei is uitgelijnd, dan komen we weer terecht bij de '5x5'-onderwijsleerstructuur waarover in de inleiding bij Proeve I werd geschreven. Als voorbeeld werd daarbij de staartdeling gekozen. Een schijnbaar verdord stukje traditioneel onderwijs, dat echter in de realistische aanpak weer tot leven kwam.

Welnu, 'Graankorrels' is een rijk thema. En het zou dan ook niet moeilijk vallen de vijf leerprincipes en de daaraan gekoppelde onderwijsprincipes daarmee nog eens te illustreren. Dus te laten zien hoe achtereenvolgens de leerprincipes over

– construeren,
– niveaus in het leerproces,
– reflecteren,
– sociale context,
– en structureren van kennis,

in 'Graankorrels' vervat liggen, en op, welke wijze de onderwijsprincipes omtrent

– concretiseringen,
– modelgebruik,
– vrije produkties,
– interactie in het onderwijs,
– en verstrengeling van leergangen

daarop aangrijpen. Maar dat zou wellicht een wat overbodige exercitie opleveren. Het schaakbordprobleem biedt immers een concreet uitgangspunt voor het constructieprincipe, het schaakbord gaat op de hogere niveaus van het leerproces zelfs als model fungeren, er is ruimschoots gelegenheid tot reflectie, het onderwijs is interactief en verschillende leergangen (schatten, cijferen, procenten, groei) zijn verstrengeld. Dus dezelfde kenmerken als bij het eerder geschetste rekenen tot twintig, het rekenen tot honderd, het hoofdrekenen, het cijferen... en het tellen.

Sterker: het gaat in de 'Graankorrels' om dezelfde vorm van structurerend tellen als beschreven in hoofdstuk 1 van dit boek, en het onderwijs heeft dan ook dezelfde kenmerken. Beter kan de eenheid van het reken-wiskundeonderwijs trouwens niet in beeld worden gebracht.

Een werkelijk wiskundig werkklimaat en een realistische onderwijs-leerstructuur, dat is waarom 'Graankorrels' model kan staan voor het reken-wiskundeonderwijs als geheel. 'Werkelijk', hoewel cynici juist zullen zeggen dat Graankorrel-onderwijs niet meer is dan een mooie droom, die net als bij de graankorrelkoning wreed verstoord zal worden als we de donkere diepten van de onderwijsruimte induiken. Maar die bewering moeten we maar met een korreltje graan nemen.

'Graankorrels' is, naar onze mening, de schone voleinding van 'Basisvaardigheden en Cijferen'. Tevens markeert het een nieuw begin van 'groei' in rekenen-wiskunde binnen het voortgezette onderwijs.